EDITORIAL
kier

Obras del Autor

En Castellano:

La Cábala Mística
Las Ordenes Esotéricas y su Trabajo.
La Preparación y el Trabajo del Iniciado.
Filosofía Oculta del Amor y el Matrimonio.
El Misterio de la Serpiente.
Ocultismo Práctico en la Vida Diaria.
Los Problemas de la Pureza.

En Inglés:

The Cosmic Doctrine.
Sane Occultism.
Through the Gates of Death.
Machinery of the Mind.
Mystical Meditations on the Collets.
Psychic Self Defence.
Moon Magic.

LA CABALA MISTICA

Dion Fortune

LA CABALA MISTICA

Traducción del inglés:
HÉCTOR V. MOREL

DECIMO QUINTA EDICION

EDITORIAL
kiER
Desde 1907 un sello positivo
para un mundo que merece serlo

Dion Fortune
    La cábala mística. - 1ª. ed. 15º reimp.- Buenos Aires : Kier, 2004.
    320 p. ; 20x14 cm.- (Pronóstico)

    Traducción de: Héctor Vicente Morel

    ISBN 950-17-0436-X

    1. Cábala I. Título
    CDD 135.47

Título original inglés:
The Mystical Qabalah
Primera edición inglesa: 1935
La presente versión corresponde
a la edición de Samuel Weiser, 1984,
Inc. P.O. Box 612. York Beach, Maine 03910. E.U.A.
I.S.B.N.: 0-87728-596-9
Diseño de tapa:
Graciela Goldsmidt
LIBRO DE EDICION ARGENTINA
Queda hecho el depósito que marca la ley 11.723
© 2004 by Editorial Kier S.A.
Av. Santa Fe 1260 (C 1059 ABT) Buenos Aires, Argentina.
Tel: (54-11) 4811-0507   Fax: (54-11) 4811-3395
http://www.kier.com.ar - E-mail: info@kier.com.ar
Impreso en la Argentina
Printed in Argentina

PREFACIO

El Arbol de la Vida forma el plan fundamental de la Tradición Esotérica occidental y es el sistema en el que son instruidos los alumnos de la Fraternidad de la Luz Interior. Este libro, y otros que le seguirán, se utilizan como base del sistema didáctico de la Fraternidad. Todos cuantos escriban a la autora, por intermedio de la Fraternidad de la Luz Interior, (3 Queensborough Terrace, Bayswater, Londres W.2, Inglaterra) recibirán por correo reseñas de las clases que se dictan y de los cursos por correspondencia.

La transcripción de las palabras hebreas a nuestro idioma es tema de muy diversas opiniones, y, aparentemente, cada estudioso tiene su propio sistema. En estas páginas me he valido de la tabla alfabética proporcionada por Mac Gregor Mathers en *The Kabbalah Unveiled* porque es éste el libro que, por lo general, usan los estudiantes del esoterismo. Sin embargo, ni este mismo autor adhiere sistemáticamente a su propia tabla, e incluso emplea diferentes deletreos para las mismas palabras. Esto crea muchísima confusión a todo aquel que desea usar el método aclaratorio de la Gematría en el que las letras se convierten en números. En consecuencia, cuando Mathers brinda transcripciones alternativas, yo he seguido la que coincide con la que se da en su propia tabla.

Asimismo, las mayúsculas que se emplean en estas páginas tal vez parezcan insólitas, pero son las que tradicionalmente usan los que estudian la Tradición Esotérica occidental. En este sistema, vocablos comunes, como lo serían "tierra" o "sendero", se usan en un sentido técnico para denotar principios espirituales. Cuando es esto lo que se hace, se emplea una mayúscula para indicar ese hecho. Cuando no se usa mayúscula, puede considerarse que el vocablo ha de entenderse en su sentido corriente.

Como en cuestiones relativas a mística cabalística me he referido con frecuencia a MacGregor Mathers y Aleister Crowley, quizá sea conveniente explicar cuál es mi posición respecto de estos dos autores.

En una época, integré la organización que el primero fundara, pero nunca estuve asociada con el segundo. Jamás conocí personalmente a uno u otro de estos caballeros: MacGregor Mathers había fallecido cuando yo me uní a su organización, y para entonces Aleister Crowley había cesado en su asociación con ésta.

D.F.

Primera Parte

Capítulo I

EL YOGA DE OCCIDENTE

1. Son muy pocos los estudiantes del ocultismo que conocen algo sobre la fuente de la que brota su tradición. Muchos de ellos ni siquiera saben que existe una Tradición occidental. Los eruditos se desconciertan ante los intencionales subterfugios y obstáculos con que los iniciados, tanto antiguos como modernos, se rodearon, y sacan en conclusión que los raros fragmentos de una literatura que llegó a nosotros son fricciones medievales. Mucho se asombrarían si supieran que estos fragmentos, además de manuscritos que nunca se permitió que salieran de manos de los iniciados, y completados por una tradición oral, se transmitieron en las escuelas iniciáticas hasta el día de hoy, y se los usa como bases del trabajo práctico del Yoga de Occidente.

2. Los adeptos de las razas cuyo destino evolutivo es conquistar el plano físico desarrollaron una técnica yóguica propia, adaptada a sus problemas especiales y a sus necesidades peculiares. Esta técnica se base en la Cábala, la Sabiduría de Israel, que es célebre pero se la entiende poco.

3. La pregunta que puede formularse es porqué las naciones occidentales deben acudir a la cultura hebrea en procura de su tradición mística. La respuesta a esta pregunta la entenderán fácilmente quienes están familiarizados con la teoría esotérica concerniente a las razas y sub-razas. Todo debe tener un origen. Las culturas no brotan de la nada. Los portadores de las simientes de cada nueva fase cultural deberán surgir necesa-

riamente dentro de la cultura precedente. Nadie podrá negar que el judaísmo fue la matriz de la cultura espiritual europea cuando recuerde el hecho de que tanto Jesús como Paulo fueron judíos. Ninguna raza, salvo la judía, pudo posiblemente haber servido de tronco en el que habría de injertarse la nueva dispensación, porque ninguna otra raza era monoteísta. El panteísmo y el politeísmo tuvieron su época, y faltaba una cultura nueva y más espiritual. Las razas cristianas deben su religión a la cultura judía, tal como con seguridad las razas budistas del Oriente deben la suya a la cultura hindú.

4. La mística de Israel suministra el cimiento del moderno ocultismo occidental. Forma la base teórica sobre la que se desarrolla todo el ceremonial. Su famoso jeroglífico, el Arbol de la Vida, es el mejor símbolo de la meditación que poseemos porque es el más fácil de comprender.

5. No es mi intensión escribir un estudio histórico de los orígenes de la Cábala sino más bien mostrar cómo la usan los modernos estudiantes de los Misterios. Pues aunque las raíces de nuestro sistema están en la tradición, no hay razón para que seamos fanáticos de ésta. Una técnica que realmente se practica es algo en crecimiento, pues la experiencia de cada uno que trabaja la enriquece y la vuelve parte de la herencia común.

6. Necesariamente, no nos incumbe realizar determinadas cosas o sostener determinadas ideas porque los rabinos que vivieron antes de Cristo tuvieran ciertos criterios. Desde aquellos tiempos el mundo siguió girando y estamos bajo una nueva dispensación. Pero lo que otrora fue cierto en principio, será cierto en principio ahora, y de valor para nosotros. El cabalista moderno es el heredero del cabalista antiguo, pero deberá reinterpretar la doctrina y reformular el método a la luz de la actual dispensación si la herencia que recibió ha de ser para él de algún valor práctico.

7. No declaro que las enseñanzas cabalísticas modernas, como las aprendí, son idénticas a las de los rabinos pre-cristianos, sino que afirmo que aquéllas son sus descendientes legítimas y su evolución natural.

8. Cuanto más cercana es la fuente, más pura es la corriente. A fin descubrir los primeros principios, deberemos acudir a la fuente. Pero, en el curso de su corriente, un río recibe muchos tributarios, y no es preciso que éstos necesariamente se

contaminen. Si queremos descubrir si son puros o no, los comparamos con la corriente prístina, y si pasan esta prueba, bien puede permitirse que se mezclen con la principal masa de aguas y aumenten la fuerza de éstas. Lo mismo ocurre con la tradición: se asimilará lo que no es antagónico. Deberemos comprobar siempre la pureza de la tradición remitiéndonos a los primeros principios, pero, de igual modo, juzgaremos la vitalidad de una tradición por su poder de asimilación. Sólo una fe muerta es la que permanece sin ser influida por el pensamiento contemporáneo.

9. La corriente original de la mística hebrea recibió muchos tributarios. Vemos su surgimiento entre los nómades que adoraban a los astros, en Caldea, donde Abraham, en su tienda, en medio de su rebaño, oye la voz de Dios. Pero Abraham tiene un oscuro trasfondo en el que se desplazan formas inmensas, apenas visibles. La figura misteriosa de un gran Sacerdote y rey, "que nació sin padre, sin madre, sin descendencia; que no tiene principio de los días ni fin de la vida", le administra el primer ágape eucarístico de pan y vino tras la batalla con los Reyes del valle, los siniestros Reyes de Edom, "que gobernaban antes de que hubiera un rey en Israel, cuyos reinos son fuerza desequilibrada".

10. Una generación tras otra, seguimos la estrecha relación Abraham y Jacob se dirigieron allí; José y Moisés estuvieron íntimamente asociados con la corte de los adeptos regios. Cuando leemos sobre Salomón que envía a Hiram, rey de Tiro, en procura de hombres y materiales para que ayudaran en la construcción del Templo, sabemos que los famosos Misterios de Tiro debieron haber influido profundamente sobre el esoterismo hebreo. Cuando leemos sobre Daniel, educándose en los palacios de Babilonia, sabemos que la sabiduría de los Magos debió haber sido accesible a los iluminados hebreos.

11. Esta antigua tradición mística de los hebreos poseía tres textos: los Libros de la Ley de los Profetas, que nosotros conocemos como el Antiguo Testamento; el Talmud, o su colección de comentarios eruditos; y la Cábala, o su interpretación mística. De los tres, los antiguos rabinos dicen que el primero es el cuerpo de la tradición, el segundo, su alma racional, y el tercero, su espíritu inmortal. Los ignorantes pueden beneficiarse con la lectura del primero; los eruditos estudian el segundo; pero los

sabios meditan sobre el tercero. Es extraño que la exégesis cristiana jamás haya buscado en la Cábala las claves del Antiguo Testamento.

12. En la época de nuestro Señor, había en Palestina tres escuelas del pensamiento religoso: los fariseos y saduceos, de quienes leemos con tanta frecuencia en los Evangelios; y los esenios, a quienes nunca se hace referencia. La tradición esotérica afirma que el niño Jesús ben Joseph, cuando Su capacidad fue reconocida por los eruditos doctores de la Ley que Le oyeron hablar en el Templo a la edad de doce años, fue enviado por ellos a la comunidad esenia cerca del Mar Muerto para ser instruido en la tradición mística de Israel, y que El permaneció allí hasta que acudió a Juan para que le bautizara en el Jordán antes de comenzar Su misión a los treinta años de edad. Sea esto como fuere, la cláusula final del Padrenuestro es puro cabalismo. *Malkuth*, el Reino, *Hod*, el Poder, y *Netzach*, la Gloria, forman el triángulo fundamental del Arbol de la Vida, con *Yesod*, el Cimiento, o el Receptáculo de las Influencias, como el punto central. Quienquiera que formulara esa oración conocía su Cábala.

13. El cristianismo tenía su esoterismo en la *Gnosis*, que estaba muy en deuda tanto con el pensamiento griego como con el egipcio. En el sistema de Pitágoras, vemos una adaptación de los principios cabalísticos a la mística griega.

14. La parte exotérica y estatizada de la Iglesia cristiana persiguió y proscribió la parte esotérica, destruyendo todo vestigio de su literatura sobre la que pudo echar mano en su empeño por erradicar de la historia humana todo recuerdo de una *gnosis*. Hay constancias de que los baños y hornos de Alejandria estuvieron seis meses encendidos con los manuscritos de la gran biblioteca. Es poquísimo lo que nos queda, en nuestra herencia espiritual, de la sabiduría antigua. Cuanto había a ras del suelo fue barrido y sólo tras excavar antiguos monumentos devorados por las arenas es que estamos empezando a redescubrir sus fragmentos.

15. Fue tan sólo en el siglo XV, cuando el poder de la iglesia comenzaba a mostrar señales de debilitamiento, que los hombres osaron documentar por escrito la Sabiduría tradicional de Israel. Los eruditos declaran que la Cábala es una ficción medieval porque no pueden seguir el rastro de una serie de manuscri-

tos primitivos, pero quienes conocen la modalidad de trabajo de las fraternidades esotéricas saben que toda una cosmogonía y toda una psicología pueden transmitirse en un jeroglífico que nada significa para quien no está iniciado. Estos diagramas extraños y antiguos podían legarse generación tras generación, comunicándose verbalmente su explicación, sin que la verdadera interpretación se perdiera jamás. Cuando había dudas sobre la explicación de alguna cuestión abstrusa, solían remitirse al jeroglífico sagrado, y, al meditar sobre él, se descubría lo que otras generaciones habían ocultado allí haciendo lo propio. Los místicos saben bien que si un hombre medita sobre un símbolo con el que otrora, mediante meditación, se asociaron ciertas ideas, obtendrá acceso a esas ideas, aunque ese jeroglífico jamás se lo hubieran explicado quienes recibieron la tradición oral *ex auditu.*

16. La organizada fuerza temporal de la Iglesia logró expulsar del campo a todos los rivales y destruir sus huellas. Poco sabemos respecto de cuáles semillas de la tradición esotérica tuvieron brotes para que los cortaran durante las Edades Oscuras; pero la mística es inherente a la raza humana, y aunque la Iglesia había destruido, en su alma grupal, todas las raíces de la tradición, no obstante, espíritus devotos dentro de su grey redescubrieron la técnica de aproximación del alma a Dios y desarrollaron su propio Yoga característico, muy afín al Bhakti Yoga de Oriente. La literatura católica es rica en tratados sobre teología mística que revelan su familiarización práctica con los estados superiores de consciencia aunque con un concepto algo ingenuo sobre su psicología, revelando de esta manera la pobreza de un sistema que desperdicia la experiencia de la tradición.

17. El Bhakti Yoga de la Iglesia Católica es sólo adecuado para aquellos cuyo temperamento es naturalmente devocional y que se expresan con más facilidad en el amoroso sacrificio personal. Pero no todos son de este tipo, y la desdicha del cristianismo consiste en no poder contar con sistemas optativos para ofrecerlos a sus aspirantes. El Oriente, al ser tolerante, es sabio, y desarrolló varios métodos yóguicos, cada uno de los cuales sus adherentes lo siguen con exclusión de los otros, pero ninguno negaría que los demás métodos son también senderos que conducen a Dios para aquellos a los cuales se adaptan.

18. Como consecuencia de esta limitación deplorable por

parte de nuestra teología, muchos aspirantes occidentales asumen los métodos orientales. Para quienes son capaces de vivir en condiciones orientales y de trabajar bajo la inmediata supervisión de un *gurú*, esto puede resultar satisfactorio, pero raras veces da buenos resultados cuando los diversos sistemas se siguen sin otra guía que un libro y bajo condiciones occidentales no modificadas.

19. Es por esta razón que yo les recomendaría a las razas blancas el sistema occidental, que se adapta admirablemente a su constitución física. Aquél da resultados inmediatos, y si se lo realiza bajo supervisión apropiada, no sólo no perturba el equilibrio mental o físico, como ocurre con lamentable frecuencia cuando se usan sistemas inadecuados, sino que produce una vitalidad única. Esta pecualiar vitalidad de los adeptos es la que condujo a la tradición del elixir de la vida. En mi época, conocí a una cantidad de personas que justamente podrían ser consideradas adeptas, y siempre me asombró la peculiar vitalidad intemporal que todas ellas poseían.

20. Sin embargo, por el otro lado, sólo puedo respaldar lo que todos los *gurús* de la Tradición oriental siempre afirmaron: que cualquier sistema de desarrollo psico-espiritual sólo puede ser llevado adelante con seguridad y propiedad bajo la supervisión personal de un maestro experimentado. Por esta razón, aunque en esta páginas daré los principio de la Cábala mística, no considero que sería de interés para nadie dar las claves de su práctica, aunque por los términos obligatorios de mi propia iniciación no me estuviera prohibido hacerlo. Pero, por el otro lado, no considero justo para el lector introducir intencionales tapujos y mala información, y, de acuerdo con todo lo que sé y creo, la información que doy es exacta, aunque incompleta.

21. Los Treinta y dos Senderos Místicos de la Gloria Oculta son caminos de vida, y quienes quieran desentrañar sus secretos deberán recorrerlos. Tal como yo fui instruida, de igual modo podrá instruirse cualquiera que quiera soportar la disciplina, y con gusto indicará el camino a todo buscador diligente.

Capítulo II

LA ELECCION DE UN SENDERO

1. Jamás se adelantarán en la evolución espiritual los estudiantes que revoloteen de un sistema al otro y usen primero algunas afirmaciones del Nuevo Testamento y luego, algunos ejercicios respiratorios y posturas de meditación del Yoga, mientras siguen esto como un ensayo de los métodos místicos de oración. Cada uno de estos sistemas tiene su valor, pero esto será realidad solamente si el sistema se lleva a cabo íntegramente. Son la calistenia de la consciencia, y apuntan a desarrollar gradualmente los poderes de la mente. El valor no radica en los ejercicios prescriptos como fines en sí mismos, sino en los poderes que se desarrollarán si se persevera en ellos. Si nos proponemos tomar seriamente nuestros estudios ocultistas y convertirlos en algo más que una lectura deshilvanada y ligera, deberemos elegir nuestro sistema y llevarlo a cabo fielmente hasta que lleguemos, si no a su meta postrera, en todo caso a resultados prácticos definidos y a una permanente elevación de la consciencia. Luego de lograr esto, no sin ventaja podemos experimentar con los métodos desarrollados sobre los demás Senderos, y construir, a partir de allí, una técnica y una filosofía eclécticas; pero el estudiante que se pone en ecléctico antes de convertirse en experto, jamás será nada más que un aficionado.

2. Quien tenga alguna experiencia práctica sobre los distintos métodos de evolución espiritual sabe que el método deberá adecuarse al temperamento, y que deberá adaptarse también al grado de evolución del estudiante. Los occidentales, en especial quienes prefieren el Sendero ocultista al Sendero místico, llegan a menudo en procura de iniciación en una etapa de evolución espiritual que un *gurú* oriental considerarían muy inmadura. To-

do método del que los occidentales dispongan deberá tener, en sus niveles inferiores, una técnica que estos estudiantes no evolucionados puedan usar como peldaño; pedirles que se eleven de inmediato hacia las cimas metafísicas es inútil en el caso de la gran mayoría, e impide que exista un comienzo.

3. Para que un sistema de evolución espiritual sea aplicable en Occidente, deberá cumplir ciertas formalidades bien precisas. Para empezar, su técnica elemental deberá ser tal que la capten fácilmente las mentes que, en sí mismas, nada tienen de místicas. Segundo, las fuerzas que aplique a estimular el desarrollo de los aspectos superiores de la consciencia deberán ser suficientemente poderosas y concentradas para penetrar en los vehículos relativamente densos del occidental promedio, que no repara en las vibraciones sutiles. Tercero, como pocos europeos, que siguen un *dharma* racial de evolución material, tienen la oportunidad o la inclinación para llevar una vida de reclusión, las fuerzas que se empleen deberán manejarse de modo tal que pueda disponerse de ellas durante los breves lapsos que el hombre o la mujer modernos, al comienzo del Sendero, pueden arrebatar a sus ocupaciones diarias para brindarlos a esa actividad. Es decir, se los deberá manejar con una técnica que les permita concentrarse con facilidad y, con igual facilidad, dispersarse, porque no es posible mantener estas elevadas tensiones psíquicas mientras se lleva la vida ajetreada del ciudadano de una ciudad europea. La experiencia demuestra, con infalible regularidad, que los métodos de evolución psíquica que son eficaces y satisfactorios para quien está recluido, producen estados de neurosis y postraciones en quien los sigue mientras está obligado a soportar la tensión de la vida moderna.

4. "Tanto peor respecto de la vida moderna", quizás alguien diga, aduciendo este hecho innegable como argumento para modificar nuestros modos occidentales de vivir. Lejos estoy de sostener que nuestra civilización es perfecta, o que la sabiduría se originó con nosotros y morirá con nosotros, pero me parece que si nuestro *karma* (o nuestro destino) hizo que encarnáramos en un cuerpo de cierto tipo y temperamento raciales, tal vez pueda concluirse que esa es la disciplina y la experiencia que los Señores del Karma consideran que necesitamos en esta encarnación, y que no adelantaremos la causa de nuestra evolución evitándolas o eludiéndolas. He visto tantos intentos de de-

sarrollo espiritual que fueron sencillamente evasiones de los blemas de la vida que recelo de cualquier sistema que impli una ruptura con el alma grupal de la raza. Tampoco me impi siona la consagración a una vida superior que se manifiesta mediante peculiares ropas y portes y por la modalidad de corte, o falta de corte del cabello. La espiritualidad verdadera jamás se promociona.

5. El *dharma* racial de Occidente es la conquista de la materia densa. Si esto se comprendiera, explicaría muchos problemas existentes en las relaciones de Occidente y Oriente. A fin de que venzamos a la materia densa y desarrollemos la mente concreta, estamos dotados de nuestra herencia racial con un tipo particular de cuerpo físico y sistema nervioso, tal como las demás razas, como la mogólica y la negra, están dotadas de otros tipos.

6. No es juicioso aplicar a un tipo de estructura psico-física los métodos evolutivos adaptados a otro; o no lograrán producir resultados adecuados, o producirán resultados imprevistos y posiblemente indeseables. Decir esto no es condenar los métodos orientales, ni desacreditar el modo en que está constituido Occidente, lo cual es como Dios lo hizo, sino reafirmar el viejo adagio de que el alimento de un hombre es veneno para otro.

7. El *dharma* de Occidente difiere del de Oriente; ¿es por tanto deseable tratar de implantar ideales orientales en un occidental? Retirarse del plano terreno no es su línea de avance. El occidental normal y sano no desea escapar de la vida, su anhelo es conquistarla y reducirla a orden y armonía. Sólo los tipos patológicos anhelan "acabar a medianoche sin dolor", librarse de la rueda del nacimiento y de la muerte; el temperamento occidental normal exige "vida, más vida".

8. Esta concentración de la fuerza vital es la que el ocultista occidental busca en sus actividades. No procura escapar de la materia para ingresar en el espíritu, dejando detrás de sí un país inconquistado para que se arregle lo mejor que pueda; lo que él quiere es hacer descender a la Deidad en la humanidad y que la Ley Divina prevalezca incluso en el Reino de las Sombras. Esta es la motivación raigal para adquirir poderes ocultos sobre el Sendero de la mano Derecha, y explica porqué los ini-

ciados no abandonan todo por la Unión mística Divina, sino que cultivan la Magia Blanca.

9. Esta Magia Blanca consiste en la aplicación de poderes ocultos a fines espirituales, y por medio de ella se lleva a cabo gran parte de la instrucción y la evolución del aspirante occidental. He visto muchísimos sistemas diferentes, y según mi opinión, la persona que procura prescindir del ceremonial trabaja con gran desventaja. La evolución con meditación sola es un proceso lento en Occidente, porque la sustancia mental sobre la que tiene que trabajar, y la atmósfera mental en la que el trabajo ha de realizarse, son muy resistentes. La única escuela puramente meditativa del Yoga occidental es la de los cuáqueros, y creo que ellos coincidirían en que sus senderos son para pocas personas; la Iglesia Católica combina el Mantra Yoga con su Bhakti Yoga.

10. Por medio de fórmulas, el ocultista escoge y concentra las fuerzas con las que desea trabajar. Estas fórmulas se basan en el Arbol Cabalístico de la Vida, y cualquiera que sea el sistema con que trabaja, ya sea que asuma las formas Deíficas de Egipto o evoqué la inspiración de laco con cánticos y danzas, él tiene el diagrama del Arbol en su mente. Los iniciados occidentales se ejercitan en el simbolismo del Arbol, el cual les suministra el plano básico esencial de clasificación con el que pueden relacionarse todos los demás sistemas. El Rayo sobre el cual el aspirante occidental trabaja se manifestó a través de muchas culturas diferentes y desarrolló una técnica característica en cada una. El iniciado moderno trabaja un sistema sintético, usando a veces un método egipcio, un método griego o incluso un método druida, pues distintos métodos se adaptan mejor a diferentes propósitos y circunstancias. En todos los casos, sin embargo, la operación que se propone se relaciona estrictamente con los Senderos del Arbol del cual es dueño. Si posee el grado que corresponde al *Sephirah Netzach*, podrá trabajar con la manifestación de la fuerza de ese aspecto de la Deidad (que los cabalistas distinguen con el nombre de *Tetragrammaton Elohim*) en cualquier sistema que escoja. En el sistema egipcio, será la Isis de la Naturaleza; en el griego, Afrodita; en el nórdico, Freya; en el druida, Keridwen. En otras palabras, posee los poderes de la Esfera de Venus en cuanto sistema tradicional utilice. Tras alcanzar un grado en un sistema,

tiene acceso a los grados equivalentes de todos los demás sistemas de su Tradición.

11. Pero aunque use estos otros sistemas cuando se presente la ocasión, la experiencia demuestra que la Cábala suministra la mejor infraestructura y el mejor sistema sobre el que se instruirá un estudiante antes de que éste empiece a experimentar con los sistemas paganos. La Cábala es esencialmente monoteísta; las potencias que ella clasifica se consideran siempre mensajeros de Dios y no Sus colaboradores y congéneres. Este principio pone en vigencia el concepto de un gobierno centralizado del Cosmos y del dominio de la Ley Divina sobre la manifestación íntegra: un principio muy necesario con el que ha de imbuirse todo estudiante de las fuerzas Arcanas. La pureza, la cordura y la claridad de los conceptos cabalísticos, como los resume la fórmula del Arbol de la Vida, hacen que ese jeroglífico sea admirable para las meditaciones que exaltan la consciencia y nos justifican cuando a la Cábala la llamamos el Yoga de Occidente.

Capítulo III

EL METODO DE LA CABALA

1. Al hablar del método de la Cábala, uno de los antiguos rabinos dice que un ángel que descendía a la tierra solía asumir forma humana para conversar con los hombres. El curioso sistema simbólico que conocemos como el Arbol de la Vida es un intento de reducir a forma diagramática todas las fuerzas y todos los factores del universo manifiesto y del alma humana; de correlacionarlos uno con otro y revelarlos esparcidos como sobre un mapa para que puedan verse las posiciones relativas de cada unidad y trazarse las relaciones entre ellos. En suma, el Arbol de la Vida es un compendio de ciencia. psicología, filosofía y teología.

2. Quien estudia la Cábala se pone a trabajar de modo exactamente opuesto al de quien estudia ciencias naturales; el último arma conceptos sintéticos; el primero analiza conceptos abstractos. Sin embargo, huelga decir que, para poder analizar un concepto, primero habrá que armarlo. Alguien deberá haber imaginado los principios que se resumen en el símbolo que es el objeto de la meditación del cabalista. ¿Quiénes fueron los primeros cabalistas que armaron todo el esquema? Los rabinos expresan unánimemente esto: fueron los ángeles. En otras palabras, quienes dieron su Cábala al Pueblo Escogido fueron seres que no pertenecieron al orden de creación de la humanidad.

3. A la mentalidad moderna, tal vez esto le parezca una afirmación tan absurda como la doctrina de que los bebés nacen entre los arbustos de grosellas; pero si estudiamos los muchos sistemas místicos de las religiones comparadas descubrimos que todos los iluminados están de acuerdo en esta cuestión. Todos los hombres y mujeres que tuvieron experiencia práctica de la

vida espiritual nos dicen que recibieron las enseñanzas de los seres Divinos. Seremos muy necios si desechamos por completo a esa gran cantidad de testigos, especialmente aquellos de nosotros que jamás tuvimos experiencias personales de los estados superiores de consciencia.

4. Hay algunos psicólogos que nos dirán que los Angeles de los cabalistas y los Manus de otros sistemas son nuestros propios complejos reprimidos; hay otros, con una óptica menos limitada, quienes nos dirán que estos seres Divinos son las capacidades latentes de nuestro propio yo superior. Para el místico devoto esta no es una cuestión de gran importancia; él obtiene sus resultados, y eso es todo lo que le preocupa; pero el místico filosófico, (en otras palabras, el ocultista), reflexiona sobre la cuestión y llega a ciertas conclusiones. Sin embargo, estas conclusiones sólo podremos entenderlas cuando sepamos qué queremos decir con "realidad" y tengamos una clara línea demarcatoria entre lo subjetivo y lo objetivo. Todo aquel que esté instruido en el método filosófico sabe que esto es mucho pedir.

5. Las escuelas metafísicas de la India tienen sistemas filosóficos más acabados e intrincados que intentan definir estas ideas y volverlas más concebibles, y aunque generaciones de videntes entregaron sus vidas a esa tarea, los conceptos siguen todavía siendo tan abstractos que sólo tras un largo curso disciplinado, que en Occidente se llama Yoga, la mente puede captarlos.

6. El cabalista se pone a trabajar de modo diferente. No procura hacer que la mente se eleve en alas de la metafísica, para ingresar en el aire enrarecido de la realidad abstracta; formula un símbolo concreto que el ojo podrá ver, y lo deja que represente la realidad abstracta que ninguna mente humana sin instrucción podrá captar.

7. Trátase exactamente del mismo principio que el álgebra. Representemos la cantidad desconocida con X, representemos la mitad de X con Y, y representemos con Z algo que conocemos. Si empezamos a experimentar con Y, a averiguar su relación con Z y en qué proporciones, pronto cesa de ser enteramente desconocido; en todo caso, hemos apreciado algo acerca de esto; y si somos bastante diestros, al final podemos expresar a Y en los términos de Z, y luego empezaremos a entender a X,

8. Hay muchísimos símbolos que se usan como objetos

de meditación: la Cruz en el cristianismo; las formas de Dios en el sistema egipcio; los símbolos fálicos en otros credos. Quienes no están iniciados usan estos símbolos como medio para concentrar su mente e introducirla en ciertos pensamientos, suscitando ciertas ideas asociadas y estimulando ciertos sentimientos. Sin embargo, el iniciado usa de modo distinto un sistema simbólico; lo emplea como álgebra, por medio de la cual leerá los secretos de potencias incógnitas; en otras palabras, usa el símbolo como medio para guiar su pensamiento, introduciéndolo en lo Invisible y lo Incomprensible.

9. ¿Y cómo hace esto? Lo hace usando un símbolo compuesto; un símbolo que es una unidad separada no serviría a su propósito. Al contemplar un símbolo compuesto como lo es el Arbol de la Vida, él observa que hay claras relaciones entre sus partes. Hay algunas partes de las que conoce algo; hay otras de las que puede intuir algo, o, más crudamente, formular un barrunto, razonando a partir de los primeros principios. La mente salta de una cosa que conoce a otra que conoce, y, al obrar así, atraviesa ciertas distancias, hablando metafóricamente; semeja alguien que, viajando por el desierto, conoce dónde están situados dos oasis y realiza una marcha forzada entre ambos. Jamás se habría atrevido a lanzarse dentro del desierto desde el primer oasis si no hubiera conocido la ubicación del segundo; pero, al final de su viaje, no sólo conoce mucho más sobre las características del segundo oasis, sino que también observó la región que se halla entre ellos. De esta manera, al efectuar marchas forzadas de un oasis al otro, atravesando el desierto hacia atrás y hacia adelante, lo explora poco a poco; no obstante, el desierto es incapaz de sustentar vida.

10. Lo mismo ocurre con el sistema cabalístico de anotaciones. Lo que éste traduce es inconcebible; empero, al seguir la mente las huellas de un símbolo al otro, se las ingenia para pensar en ellos; y aunque hemos de contentarnos con ver como a través de un vidrio oscuro, empero tenemos todas las razones como para confiar en que, en última instancia, veremos cara a cara, y hasta conoceremos como somos conocidos; pues la mente humana se desarrolla mediante ejercicio, y lo que al comienzo era tan inconcebible como la matemática para el niño que no puede efectuar sus sumas, finalmente entra en el ámbi-

to de nuestro conocimiento. Al pensar en una cosa construimos conceptos de ésta.

11. Dícese que el pensamiento evolucionó del lenguaje, no el lenguaje del pensamiento. Lo que las palabras son para el pensamiento, los símbolos son para la intuición. Aunque parezca curioso, el símbolo precede al esclarecimiento; es por ello que declaramos que la Cábala es un sistema evolutivo, no un monumento histórico. Hoy en día ha de obtenerse más de los símbolos cabalísticos que en la época de la antigua dispensación, porque nuestro contenido mental es más rico en ideas. Por ejemplo, el Sephirah Yesod, en el que operan las fuerzas del crecimiento y la reproducción, ¿cuánto más significa para el biólogo que para el antiguo rabino? Todo lo que guarda relación con el crecimiento y la reproducción se resume en la Esfera de la Luna. Pero esta Esfera, como está representada en el Arbol de la Vida, está puesta con Senderos que conducen a otros Sephiroth; por tanto, el cabalista biólogo sabe que deberá haber ciertas relaciones claras entre las fuerzas resumidas en Yesod y las representadas por los símbolos asignados a estos Senderos. Cavilando sobre estos símbolos, obtiene vislumbres de las relaciones que no se revelan cuando se considera el aspecto material de las cosas; y, cuando se pone a trabajar éstas, en el material de sus estudios descubre que allí se ocultan claves importantes; y de este modo, sobre el Arbol, una cosa conduce a la otra, a una explicación de las causas ocultas que surgen de las proporciones y relaciones de los diversos símbolos individuales que componen este poderoso jeroglífico sintético.

12. Además, cada símbolo admite una interpretación sobre distintos planos, y a través de sus asociaciones astrológicas puede relacionarse con los dioses de cualquier panteón, abriendo así nuevos campos abarcantes en los que la mente incursiona interminablemente, con un símbolo que conduce hacia otro símbolo en una ininterrumpida cadena de asociaciones; con un símbolo que confirma a otro símbolo como hilos que, con sus múltiples hebras, se reunen en un jeroglífico sintético una vez más, y cada símbolo es capaz de ser interpretado en los términos de cualquier plano sobre el cual la mente funcione.

13. Este jeroglífico poderoso y que lo abarca todo, perteneciente al alma del hombre y del universo, suscita imágenes en la

mente; pero estas imágenes no evolucionan al azar, sino que . gen huellas asociativas muy claras en la Mente Universal. El sím. bolo del Arbol es, respecto de la Mente Universal, lo que el sueño es para el ego individual: trátase de un jeroglífico sintetizado a partir de la subconsciencia para representar a las fuerzas ocultas.

14. El universo es realmente una forma de pensamiento proyectada desde la mente de Dios. El Arbol Cabalístico podría semejar una imagen onírica que surge de la subconsciencia de Dios y que dramatiza el contenido subconsciente de la Deidad. En otras palabras, si el universo es el producto terminal consciente de la actividad mental del Logos, el Arbol es la representación simbólica de la materia prima de la consciencia Divina y de los procesos mediante los cuales el universo entró en existencia.

15. Pero el Arbol se aplica no sólo al Macrocosmos sino también al Microcosmos que, como todos los ocultistas comprenden, es una réplica en miniatura. Por esta razón es posible la adivinación. Ese arte poco entendido y muy difamado tiene, como fundamento filosófico, el Sistema de Correspondencia que los símbolos representan. Las correspondencias entre el alma del hombre y el universo no son arbitrarias, sino que surgen de identidades en evolución. Ciertos aspectos de la consciencia se desarrollaron en respuesta a ciertas fases de la evolución, y, en consecuencia, encarnan los mismos principios; por tanto, reaccionan ante las mismas influencias. El alma del hombre semeja una laguna conectada con el mar, mediante un canal que está sumergido; aunque por toda su apariencia externa esté encerrado por la tierra, empero su nivel hídrico tiene crecientes y bajantes con las mareas del mar, a causa de aquella conexión oculta. Lo mismo ocurre con la consciencia humana: hay una conexión subconsciente entre cada alma individual y el alma del Mundo oculta profundamente en los abismos más primitivos de la subconsciencia, y, en consecuencia, compartimos la creciente y la bajante de las mareas cósmicas.

16. Cada símbolo del Arbol representa una fuerza cósmica o un factor cósmico. Cuando la mente se concentra en ese símbolo, entra en contacto con esa fuerza; en otras palabras, se creó un canal superficial, un canal en la consciencia, entre la mente consciente del individuo y un factor particular del alma del

mundo, y a través de este canal las aguas del océano se derraman dentro de la laguna. El aspirante que usa al Arbol como su símbolo de meditación establece, punto por punto, la unión entre su alma y el alma del mundo. El resultado de esto es un tremendo acceso de energía en el alma individual; y esto la dota de poderes mágicos.

17. Pero tal como al universo debe gobernarlo Dios, de igual modo el alma multilateral del hombre debe ser gobernada por su dios: el espíritu del hombre. El Yo Superior deberá dominar a su universo, o habrá una fuerza en desequilibrio, cada factor gobernará su propio aspecto, y guerrearán entre ellos mismos. Entonces tenemos el gobierno de los Reyes de Edom, cuyos reinos son fuerza en desequilibrio.

18. Vemos así, en el Arbol, un jeroglífico del alma del hombre y del universo, y, en las leyendas asociadas con aquél, la historia de la evolución del alma y del Camino de la Iniciación.

Capítulo IV

LA CABALA NO ESCRITA

1. El punto de vista desde el cual enfoco en estas páginas a la Sagrada Cábala difiere, según lo que yo sé, del perteneciente a todos los demás autores que encararon el tema, pues creo que es un sistema vivo de evolución espiritual, no una curiosidad histórica. Entre quienes se interesan por el ocultismo, pocos advierten que hay en nuestro medio una activa Tradición Esotérica, la cual nos fue legada en manuscritos confidenciales y *ex auditu*. Y son menos todavía quienes están al tanto de que la base de aquélla está formada por la Sagrada Cábala, que es el sistema místico de Israel. Pero, ¿dónde podemos buscar más adecuadamente nuestra inspiración oculta que en la Tradición que el Cristo nos dio?

2. La interpretación de la Cábala no ha de hallarse, sin embargo, entre los rabinos de Israel Exterior, que son los hebreos según la carne, sino entre quienes son el Pueblo Escogido según el espíritu; en otras palabras; los iniciados. Como la aprendí, la Cábala tampoco es un sistema puramente hebreo, pues durante el Medioevo fue complementada por mucha ciencia alquímica y por la estrecha relación que con ella tuvo ese muy maravilloso sistema simbólico que es el Tarot.

3. Por tanto, cuando presento el tema no apelo tanto a la tradición para apoyar mis opiniones cuanto a la práctica moderna de quienes utilizan a la Cábala como su método de técnica oculta. Se podrá alegar contra mí que los antiguos rabinos nada sabían de algunos conceptos que aquí se expresan; respondo a esto diciendo que difícilmente se esperaría que lo debieran saber, pues estas cosas se desconocían en su época, pero son el trabajo de sus sucesores del Israel Espiritual. Por mi parte, aun-

que no quiero desorientar a nadie sobre lo que los antiguos enseñaban ni sobre cuestiones históricamente exactas, sujetas a ser corregidas por cualquiera que esté mejor informado que yo en aquéllas (y su nombre es legión), no me preocupa lo mínimo la autoridad de la tradición si ésta obstaculiza el libre desarrollo de un sistema de semejante valor práctico como el de la Sagrada Cábala, y uso el trabajo de mis predecesores como una cantera de la que obtengo la piedra para construir mi ciudad. Tampoco me limito a esta cantera por disposición alguna que yo conozca sino que también obtengo el cedro del Líbano y el oro de Ofir si se adecua a mi propósito.

4. Por tanto, entiéndase claramente que no digo: "Esta es la enseñanza de los antiguos rabinos; sino que más bien digo: "Esta es la práctica de los cabalistas modernos, y para nosotros es una cuestión mucho más vital, pues es un sistema práctico de evolución espiritual; este es el Yoga de Occidente".

5. Luego de precaverme así, en la medida de lo posible, contra la censura de no haber hecho lo que jamás me propuse hacer, permítaseme definir ahora mi posición en la cuestión de erudición y títulos generales para la tarea entre manos. En lo que concierne a erudición real, estoy en la misma clase que Williams Shakespeare, con un poco de latín, un poco menos de griego, y de hebreo, sólo la particular porción que los ocultistas cultivan: la aptitud para transcribir el escrito hebreo, sin puntos, con vista a los cálculos gemátricos. No puede imputárseme conocimiento alguno del hebreo como idioma.

6. No sé si semejante reconocimiento franco de mis deficiencias servirá para desarmar a la crítica; sin duda se alegará contra mí, no sin justificación, que quien cuenta con tan malos instrumentos no debería haber emprendido la tarea. Replico a esto: si viéramos caído a un hombre herido, ¿la admitida falta de título médico nos privaría de acudir en su ayuda y de brindarle el auxilio que pudiéramos, mientras están por llegar quienes lo atenderán profesionalmente. Mi trabajo sobre la Cábala es de la naturaleza de los primeros auxilios. Descubro que un sistema valiosísimo yace descuidado, y aunque yo esté mal calificada para la tarea, me empeño en llamar la atención sobre sus posibilidades y en restaurarlo en su sitio apropiado como la clave del ocultismo occidental; y confío principalmente en que, al hacerlo, atraiga la atención de los eruditos y que

éstos continúen la tarea de traducción e investigación de los manuscritos cabalistas, que todavía son una veta de la que sólo se han trabajado los crestones.

7. Sin embargo, puedo alegar un título como justificativo de mi tarea. Durante los últimos diez años he vivido, me he movido y he tenido mi ser en la Cábala Práctica; he usado sus métodos tanto subjetiva como objetivamente hasta que se convirtieron en parte de mí misma, y por experiencia conozco qué resultados psíquicos y espirituales dan, y su valor incalculable como método para usar la mente.

8. No es menester que quienes usen la Cábala como su Yoga deban adquirir extensos conocimientos del idioma hebreo; todo lo que necesitan es poder leer y escribir los caracteres hebreos. La Cábala moderna se naturalizó muy cabalmente en el idioma inglés, pero retiene, y deberá retener siempre, todas sus Palabras de Poder en hebreo, que es el idioma sagrado de Occidente, así como el sánscrito es el idioma sagrado del Oriente. Están quienes objetaron el libre empleo de términos sánscritos en la literatura oculta, y sin duda objetarán aún con más vigor el empleo de caracteres hebreos, pero su uso es inevitable, pues cada letra es en hebreo también un número, y los números a los que se suman palabras son no sólo una clave importante de su significado, sino que también pueden usarse para expresar las relaciones existentes entre diferentes ideas y potencias.

9. Según MacGregor Mathers, en el admirable ensayo que forma la introducción de su libro, la Cábala, habitualmente se clasifica bajo cuatro títulos:

La *Cábala Práctica*, que trata sobre magia talismánica y ceremonial.

La *Cábala Dogmática*, que consiste en la literatura cabalística.

La *Cábala Literal*, que trata sobre el uso de las letras y los números.

La *Cábala No Escrita*, que consiste en un conocimiento correcto de la manera en que, en el Arbol de la Vida, se ordenan los sistemas simbólicos, y sobre lo cual MacGregor Mathers dice: "Nada más puedo decir sobre esta cuestión, ni siquiera si la recibí o no". Pero como esta portentosa insinuación la elaboró la extinta esposa de MacGregor Mathers en su introducción a la nueva edición del libro de su marido con las francas paoras siguientes: "Simultáneamente con la publicación de *La Cábala*, en 1887, sus maestros ocultos le dieron instrucciones para que preparara lo que, con el tiempo, llegó a ser su escuela esotérica", tal vez sea justificable decir que, si él recibió la Cábala No Escrita, durante algunos años ésta cesó de ser no escrita, pues el célebre escritor y erudito Aleister Crowley, tras una disputa con MacGregor Mathers, lo publicó todo. Sus libros son ahora raros y difíciles de encontrar, y como los esoteristas eruditos los valoran mucho, su precio se fue a las nubes y raras veces entran en el mercado de libros de segunda mano.

10. El quebrantar un juramento iniciático es asunto grave y no es mi propósito violarlo; pero no admito autoridad que me prive de reunir y cotejar todo el material disponible publicado sobre cualquier tema, y de interpretarlo según mi mejor entender. En estas páginas me valdré del sistema que dio Crowley para complementar los puntos sobre los que guardan silencio MacGregor Mathers, Wynn Westcott y A.E.Waite, las principales autoridades modernas sobre la Cábala.

11. En cuanto a si yo misma recibí algún conociento de la Cábala No Escrita, mal me cuadraría, como a MacGregor Mathers, ser explícita sobre esta cuestión, y tras seguir su clásico ejemplo de enterrar la cabeza en la arena y agitar la cola, volveré a considerar la cabeza en la arena y agitar la cola, volveré a considerar la cuestión entre manos.

12. La esencia de la Cábala No Escrita radica en el conocimiento del orden en que ciertos conjuntos de símbolos están dispuestos sobre el Arbol de la Vida. Este Arbol, Otz Chiim, consiste en los Diez Sephiroth Sagrados dispuestos en un dibujo particular y conectados por líneas que se llaman los Treinta y dos Senderos del Sepher Yetzirah, o Emanaciones Divinas (véase *Sepher Yetzirah*, de Wynn Westcott). Aquí existe uno de los "subterfugios" o trampas para los no iniciados, en los que los antiguos rabinos se deleitaban. Si los contamos, hallamos veintidós, no treinta y dos Senderos en el Arbol; pero, para sus fines, los rabinos trataban a los Diez Sephiroth como Senderos, desorientando así a los no iniciados. Así, los diez primeros Senderos del Sepher Yetzirah se asignan a los Diez Sephiroth, y los siguientes veintidós a los Senderos reales. Entonces se verá cómo las veintidós letras del alfabeto hebreo pueden asociarse con los Senderos, sin discrepancia ni superposición. Con ellos

se asocian también las veintidós cartas mayores del Tarot, los Atus, o las Moradas de Thoth. Respecto de las cartas del Tarot, hay tres autoridades modernas de nota; el doctor Encausse, o "Papus", escritor francés; el señor A.E.Waite; y los manuscritos de la Orden del Aureo Amanecer *(Golden Down)*, que Crowley publicó sobre la base de su propia autoridad. Las tres difieren. Respecto de lo que el señor Waite da, él mismo dice: "Hay otro método que los iniciados conocen". Hay razón para suponer que este es el método que Mathers usó. Papus discrepa con estos dos autores en su método, pero como su sistema violenta muchas correspondencias cuando se lo ubica sobre el Arbol, (la cual es la prueba final de todos los sistemas), y como el sistema de Mathers-Crowley encaja de modo admirable, creo que podemos justamente sacar en conclusión que el último es el orden tradicional correcto, y propongo adherir a él en estas páginas.

13. Los cabalistas colocaron, además, sobre los Senderos del Arbol a los Signos del Zodíaco, los Planetas y los Elementos. Ahora bien, hay doce Signos, siete Planetas y cuatro Elementos, que constituyen, en total, veintitrés símbolos. ¿Cómo se los ha de hacer concordar con los Veintidós Senderos? He aquí otro "subterfugio", pero la solución es sencilla. Sobre el plano físico estamos nosotros en el Elemento Tierra; por tanto, ese símbolo no aparece en los Senderos que introducen en lo Invisible. Quitemos esto, y quedamos con veintidós símbolos, que encajan de modo exacto y, colocados correctamente, se descubre que guardan perfecta correspondencia con los Tarots mayores, aclarándose recíprocamente de modo notabilísimo, y dando las claves de la astrología esotérica y la adivinación por el Tarot.

14. La esencia de cada Sendero ha de hallarse en el hecho de que conecta a dos de los Sephiroth, y sólo podremos entender su significado tomando en cuenta la naturaleza de las Esferas vinculadas sobre el Arbol. Pero un Sephirah no puede entenderse sobre un solo plano; tiene naturaleza cuádruple. Los cabalistas expresan esto diciendo que hay cuatro mundos:

Atziluth, el Mundo Arquetípico, o Mundo de las Emanaciones; el Mundo Divino.

Briah, el Mundo de la Creación, llamado también Khorsia, el Mundo de los Tronos.

Yetzirah, el Mundo de la Formación y de los Angeles.

Assiah, el Mundo de la Acción; el Mundo de la Materia.

(Véase MacGregor Mathers, *The Qabalah Unveiled*)

15. Sostiénese que los Diez Sephiroth Sagrados tienen, individualmente, su propio punto de contacto con cada uno de los cuatro Mundos de los cabalistas. En el Mundo de Atziluth se manifiestan a través de los Diez Sagrados Nombres de Dios; en otras palabras, el Gran Inmanifiesto, oscurecido mediante los Tres Negativos Velos de la Existencia que penden detrás de la Corona, se declara en la manifestación como diez diferentes aspectos que son representados por los distintos nombres que se usan en las Escrituras Hebreas para denotar a la Deidad. Estos se traducen de diversos modos en la Versión Autorizada, y un conocimiento de su verdadero significado y de las esferas a las que pertenecen nos permite leer los muchos enigmas del Viejo Testamento.

16. En el Mundo de Briah, afírmase que las Emanaciones Divinas se manifiestan a través de los Diez Arcángeles Poderosos, cuyos nombres representan importante papel en la magia ceremonial; trátase de los restos gastados y borrados, pertenecientes a estas Palabras de Poder, que son los "nombres bárbaros de la evocación" de la magia medieval, "de los que ninguna letra puede cambiarse". Puede observarse fácilmente porqué esto es así cuando recordamos que, en hebreo, una letra es también un número, y los números de un Nombre tienen significado importante.

17. En el Mundo de Yetzirah, las Emanaciones Divinas no se manifiestan a través de un solo Ser sino a través de diferentes tipos de seres, que se llaman las Huestes Angélicas, o Coros Angélicos.

18. El Mundo de Assiah no es, hablando estrictamente, el Mundo de la Materia cuando se lo observa desde el punto de vista de los Sephiroth, sino más bien los Planos Astral Inferior y Etérico, que, juntos, forman el trasfondo de la materia. Sobre el plano físico, las Emanaciones Divinas se manifiestan a través de lo que inadecuadamente puede llamarse los Diez Chakras Mundanos, que asemejan estos centros de la manifestación a los centros que existen en el cuerpo humano: una analogía exacta. Estos Chakras son el *Primum Mobile* o Primeros Torbellinos, la Esfera del Zodíaco, los siete planetas, y los Elementos tomados juntos; son diez en total.

19. Por lo precedente se observará que cada Sephirah consistirá, por tanto, primero, en su Chakra Mundano; segundo, en una hueste angélica de seres, Devas o Arcontes, Principados o Poderes, según la terminología que se use, tercero, una Consciencia Arcangélica, o Trono; y cuarto, un aspecto especial de la Deidad. Dios como es, en Su integridad, oculto detrás de los Negativos Velos de la Existencia, incomprensible para la consciencia humana no iluminada.

20. Los Sephiroth pueden justamente considerarse macrocósmicos, y los Senderos, microcósmicos; pues los Sephiroth, conectados, como a veces lo están en los viejos diagramas, por el destello de un relámpago, que a menudo se lo representa como la empuñadura de una espada ardiente, representan las sucesivas Emanaciones Divinas que constituyen la evolución creadora, mientras los Senderos representan las etapas sucesivas de la evolución del conocimiento cósmico en la consciencia humana; en los viejos grabados, a menudo se representa a una serpiente enroscada en torno de las ramas del Arbol. Esta es la serpiente Nechushtan, ''la que tiene su cola en su boca'', el símbolo de la sabiduría y la iniciación. Las espirales de esta serpiente, cuando están correctamente ordenados sobre el Arbol, cruzan cada uno de los Senderos en sucesión y sirven para indicar el orden en el que deben numerarse. Con la ayuda de este jeroglífico, entonces, es asunto fácil ordenar todas las tablas de símbolos en sus posiciones correctas sobre el Arbol, siempre que los símbolos se den en su orden correcto en las tablas. En ciertos libros modernos clasificados como autoridades en la materia, no se da el orden correcto, y los autores sostienen, aparentemente, que esto no debe revelarse al que no esté iniciado. Pero como este orden se da correctamente en ciertos libros más antiguos, y, en cuanto a ello, en la misma Biblia y en la literatura cabalística, no me parece apropiado desorientar deliberadamente a los estudiantes con información espuria. Quizá se justifique el rehusar divulgar algo, pero, ¿cómo es posible justificar la transmisión de expresiones que induzcan a error? Hoy en día nadie será perseguido por estudiar ciencias heterodoxas, de modo que sólo podrá existir una finalidad al retener una enseñanza que sólo se relaciona con la teoría del universo y la filosofía que de aquélla surge, y de ningún modo con los métodos de la magia práctica, y esa finalidad es

retener un monopolio del conocimiento que confiere prestigio, si es que no confiere poder.

21. Por mi parte, creo que este egoísmo y esta exclusividad son más bien la muerte del movimiento ocultista que su salvaguarda. Es el viejo pecado de retener el concocimiento de Dios en manos de un sacerdocio y negarlo a todos los que están fuera del clan sagrado; lo cual es bastante justificable cuando las personas eran salvajes, pero injustificable en el caso del estudiante moderno. Pues cuando todo está dicho y hecho, la información deseada podrán sacarla de la literatura existente los que se tomen ese trabajo, o lisa y llanamente la podrán comprar quienes puedan darse el lujo de los altos precios de libros que ahora son raros. Con seguridad, la posesión de muchísimo tiempo y muchísimo dinero en efectivo no debería ser prueba de aptitud para obtener la Sabiduría Sagrada.

22. Sin duda, me expondré a una lluvia de denuestos de quienes, autoerigiéndose en guardianes de este conocimiento, tal vez sostengan que sus preciosos secretos fueron traicionados. Replico a esto diciendo que nada traiciono que sea secreto, sino que reuno lo que ya se dio al mundo y es de naturaleza sencilla y bien conocida. Cuando tuve acceso por primera vez a ciertos manuscritos, los creí secretos, y desconocidos para el mundo en general, pero una más vasta familiarización con la literatura ocultista me reveló que la información ha de hallársela dispersa y difundida a través de aquélla. De hecho, mucho de lo que el iniciado juró mantener en secreto lo publicaron Mathers y Wynn Westcott, y últimamente, en 1926, apareció una nueva edición de la obra de Mathers sobre la Cábala bajo patrocinio editorial de su viuda (quien puede suponerse que conocía los deseos de aquél), y en esa obra se hallará, en su mayoría, las tablas que doy en estas páginas. Como estos catálogos de seres los dieron originalmente al mundo Isaías, Ezequiel y varios rabinos medievales, puede justamente afirmarse que su derecho de reproducción caducó debido al paso del tiempo. En todo caso, el derecho de propiedad que puede existir sobre estas ideas lo inviste el autor original, no cualquier comentarista subsiguiente, y ese autor, según la Cábala misma, es el Arcángel Metatron.

23. Lo que otrora era conocimiento común reunióse y confinóse bajo el juramento de guardar secreto por parte del iniciado. Es una befa de Crowley respecto de sus maestros el que le

hayan obligado con terribles juramentos a que guardara secreto y luego "confiaron el alfabeto hebreo a su segura custodia".
24. La filosofía de la Cábala es el esoterismo de Occidente. En ella hallamos una cosmogonía como la de las Estancias de Dyzan, que fueron la base del trabajo de la señora Blavatsky. Aquí esta encontró la estructura de la doctrina tradicional que expuso en su gran obra **La Doctrina Secreta.** Esta Cosmogonía cabalística es la Gnosis cristiana. Sin ella tenemos un sistema incompleto en nuestra religión, y este sistema incompleto ha sido la debilidad del cristianismo. Los Padres Primitivos, según la metáfora doméstica, arrojaron al bebé junto con el agua de la tina. Una familiarización muy somera con la Cábala sirve para demostrar que aquí tenemos las claves esenciales de los enigmas de la Escritura en general y de los libros proféticos en particular. ¿Hay alguna buena razón para que los iniciados de la actualidad deban poner todo este conocimiento en una caja secreta y sentarse sobre ella? Si consideran que estoy equivocada al dar información precisa sobre asuntos que consideran de su coto particular, respondo que este es un país libre y tienen derecho a su opinión.

Capítulo V

LA EXISTENCIA NEGATIVA

1. Cuando el esoterista se empeña en formular su filosofía para comunicársela a los demás, enfrenta el hecho de que su conocimiento de las formas superiores de la existencia lo obtiene mediante un procedimiento distinto del pensamiento, y este proceso sólo comienza cuando el pensamiento queda detrás. En consecuencia, la forma suprema de las ideas trascendentales sólo se conoce y entiende en la región de la consciencia que trasciende al pensamiento; y sus ideas, en la forma original de éstas, el esoterista podrá comunicárselas solamente a quienes son capaces de usar este aspecto de la consciencia. Cuando quiera comunicar estas ideas a quienes no tuvieron experiencia de esta modalidad de consciencia, deberá cristalizarlas en la forma o no podrá transmitir una impresión adecuada. Los místicos han usado todas las comparaciones imaginables en su empeño por transmitir sus impresiones; los filósofos se han perdido en un laberinto de palabras; y todo inútilmente en lo que concierne al alma que no está iluminada. Sin embargo, los cabalistas usan otro método. No procuran explicarle a la mente lo que ésta no está preparada para tratar; le dan una serie de símbolos para que medite sobre ellos, y aquéllos le permiten construir la escalera del conocimiento, un peldaño tras otro, y escalar donde no puede volar. La mente no puede captar la filosofía trascendente, como el ojo no puede ver la música.

2. El Arbol de la Vida, (y esto hay que recalcarlo lo más que se pueda) no es tanto un sistema sino un método; quienes lo formularon comprendieron la importante verdad de que a fin de obtener claridad de visión se debe circunscribir el campo de ésta. Los filósofos, en su mayoría, fundaron sus sistemas en el Ab-

soluto; pero esta es una base cambiante, pues la mente humana no puede definir ni captar el Absoluto. Otros procuran negar lo fundamental, declarando que el Absoluto es, y deberá ser siempre, incognoscible. Los cabalistas no hacen ni una ni otra de estas cosas. Se contentan con decir que el estado normal de consciencia de los seres humanos desconoce al Absoluto.

3. Por lo tanto, a los fines de su sistema, corren un velo en cierto punto de la manifestación, no porque allí no haya nada, sino porque la mente, como tal, debe detenerse allí. Una vez que a la mente humana se la haya llevado a su etapa suprema de evolución, y que la consciencia pueda apartarse de allí y, por así decirlo, afrontar la situación por sí sola, tal vez podamos ser capaces de trasponer los Velos de la Existencia Negativa, como los llaman. Pero a todos los fines prácticos, podemos entender la naturaleza del cosmos si nos contentamos con aceptar los Velos como convencionalismos filosóficos, y comprendemos que corresponden a limitaciones humanas, no a condiciones cósmicas. El origen de las cosas es inexplicable según nuestra filosofía. Por más que con rigor remontemos nuestras indagaciones a los oríneges del mundo de la manifestación, encontramos una existencia que precede. Sólo cuando nos contentamos con correr el Velo de la Existencia Negativa por el sendero que nos remonta a los comienzos logramos un trasfondo contra el cual se torna visible una Causa Primera. Y esta Causa Primera no es origen que carezca de raíces sino un Primer Aspecto en el Plano de la Manifestación. Hasta aquí, y no más allá, la mente puede remontarse hacia atrás; pero deberemos recordar siempre que las distintas mentes se remontan a diferentes distancias, y que para algunos el Velo se corre en un sitio, y para otras, en otro. El ignorante no va más allá del concepto de Dios como un anciano de luenga barba blanca que estaba sentado en un trono dorado y daba órdenes para la creación. El científico se retrotraerá un poco más allá antes de verse obligado a correr un velo llamado éter; y el filósofo se remontará aún más allá antes de correr un velo llamado Absoluto; pero el iniciado irá hacia atrás, más que todos, porque ha aprendido a pensar en símbolos, y éstos son para la mente lo que las herramientas son para la mano: una prolongación de la aplicación de sus facultades.

4. El cabalista toma a Kether como su punto de partida, la Corona, el primer Sephirah, que él simboliza con la cifra Uno, la

Unidad, y con el Punto dentro del Círculo. Desde esto se remonta hacia los tres Velos de la Existencia Negativa. Este es un asunto muy distinto de empezar en el Absoluto y tratar de trabajar hacia adelante para ingresar en la evolución. Tal vez no brinde de inmediato un conocimiento exacto y completo del origen de todas las cosas, pero a la mente le permite concretar un comienzo; y, a menos que concretemos un inicio, no tenemos esperanza de una terminación.

5. El cabalista, entonces, empieza donde puede: en el primer punto que está dentro del alcance de la consciencia finita. Kether se equipara a la forma más trascendente de Dios que podemos concebir, Cuyo nombre es Ehieh, que en la Versión Autorizada de la Biblia se traduce como "Yo soy", o, más explícitamente, el Uno Auto-Existente, el Ser Puro.

6. Pero estas palabras son palabras y nada más, a menos que transmitan a la mente una impresión, y en sí mismas no pueden hacer eso. Deberán relacionarse con otras ideas antes de tener un significado. Sólo empezamos a entender a Kether cuando estudiamos a Chokmah, al Segundo Sephirah, su emanación; sólo cuando vemos la evolución plena de los Diez Sephiroth estamos preparados para enfocar a Kether, y entonces lo enfocamos con los datos que nos dan la clave de su naturaleza. Al trabajar con el Arbol, lo más prudente es seguir trabajando con él, en vez de concentrarnos en un solo punto hasta que lo dominemos, pues una cosa explica a la otra, y la iluminación surge de percibir las relaciones existentes entre los diferentes símbolos. Decimos nuevamente: el Arbol es un método para el uso de la mente, no un sistema de conocimiento.

7. Pero por el momento no nos dedicamos a estudiar las Emanaciones, sino los orígenes, hasta donde es de esperar que la mente humana penetre en ellas; y aunque parezca paradójico, penetraremos más allá cuando corramos los Velos que las cubran en vez de tratar de horadar las tinieblas. Entonces resumiremos la posición de Kether en una sola frase, una frase que puede tener escasa importancia para el estudiante que se acerca a este tema por primera vez, pero que deberá tenérsela presente, pues su significado empezará a apuntar ahora. Al hacer esto, adherimos a la antigua tradición esotérica de dar al estudiante un símbolo para que lo incube hasta que éste salga en su mente del cascarón, en vez de hacer explícita una instrucción que nada

le transmitiría. Entonces, la sentencia-simiente que lanzamos dentro de la mente subconsciente del lector es ésta: "Kether es el Malkuth de lo Inmanifiesto". Mathers dice *(obra citada)*: "El ilimitado océano de la luz negativa no procede de un centro, pues carece de éste, sino que concentra un centro, que es el número Uno de los Sephiroth manifiestos, Kether, la Corona, el Primer Sephirah".

8. Estas palabras contienen contradicciones en sí mismas y son impensables; luz negativa es sencillamente un modo de decir que lo que se describe, aunque tenga ciertas cualidades en común con la luz, no obstante no es luz como nosotros la conocemos. Esto nos dice poquísimo sobre lo que se pretende describir. Se nos dice que no cometamos el error de pensar en ello como luz, pero no se nos dice cómo pensar en ello como realmente es, y por la muy buena razón de que la mente no está equipada con imágenes con las que lo represente, y por tanto deberá dejársela en paz hasta que tenga lugar el crecimiento. No obstante, aunque estas palabras no nos digan todo lo que nos gustaría saber, transmiten a la imaginación ciertas imágenes; éstas se hunden en la mente subconsciente y de allí se suscitan cuando entran en la mente subconsciente ideas que se relacionan con ellas. Así el conocimiento crece cada vez más cuando el método cabalístico recibe su aplicación práctica como el Yoga de Occidente.

9. Los cabalistas reconocen cuatro planos de la manifestación, y tres planos de la no-manifestación, o Existencia Negativa. El primero de éstos se llama AIN, la Negatividad; el segundo, AIN SOPH, lo Ilimitado; el tercero, AIN SOPH AUR, la Luz Ilimitada. Es desde esta última que Kether se concentra. Estos tres términos se llaman los tres Velos de la Existencia Negativa que dependen originariamente de Kether; en otras palabras, son los símbolos algebraicos que nos permiten pensar en lo que trasciende al pensamiento, y que, al mismo tiempo, ocultan lo que ellos representan; son las máscaras de las realidades trascendentes. Si pensamos en los estados de la existencia negativa en términos de algo que conocemos, nos equivocaremos, pues sea lo que fueren, no pueden ser eso, al ser inmanifiestos. La expresión "Velos" nos enseña, por tanto, a usar estas ideas como contadores, sin valor en sí mismos, pero útiles para nosotros en nuestros cálculos. Este es el verdadero uso de todos los símbolos; velan lo que representan hasta que podemos reducirlos a

términos que podemos comprender; no obstante, nos permiten usar en nuestros cálculos lo que, de otro modo, sería impensable. Y como la esencia del Arbol radica en el hecho de que hace que sus símbolos se aclaren mutuamente por medio de sus posiciones relativas, estos Velos sirven como andamiaje del pensamiento, permitiéndonos orientarnos en regiones todavía no trazadas en mapas. Tales Velos, o símbolos no concretos, no son sin embargo de valor para nosotros, a menos que un lado del Velo linde con un país conocido. De hecho, si bien los Velos ocultan lo que presentan, nos permiten ver claramente aquello a lo cual ellos le forman un trasfondo. Esta es la función de aquéllos, y la única razón con que se los relaciona. Sólo en razón de nuestras imperfecciones necesitamos que se nos presenten estos símbolos insolubles, y la mente disciplinada en filosofía esotérica aprende pronto a trabajar dentro de estas limitaciones y a aceptar como un velo pintado el símbolo de lo que está más allá del alcance de su vista. Aquí el desarrollo de la sabiduría, pues la mente crece con aquello con lo que se alimenta, y uno de estos días, cuando hayamos escalado hasta Kether, es de esperar que extendamos nuestras manos, rasguemos el Velo y echemos una mirada dentro de la Luz Ilimitada. El esoterista no se limita declarando que lo Desconocido es lo Incognoscible, pues él, sobre todas las cosas, es evolucionista, y sabe que lo que hoy no podemos abarcar, podemos lograrlo en el mañana del tiempo cósmico. También sabe que el tiempo evolutivo es asunto individual en los planos interiores, y lo mide, no lo regula, el giro de la tierra sobre su eje.

10. Estos tres Velos —AIN, la Negatividad; AIN SOPH, lo Ilimitado; y AIN SOPH AUR, la Luz Ilimitada—, aunque no podemos esperar entenderlos, sugieren no obstante a nuestras mentes ciertas ideas. La Negatividad implica el Ser o la existencia de una naturaleza que no podemos comprender. No podemos concebir una cosa que es, y empero no es; por tanto, debemos concebir una forma del ser de la que jamás hayamos tenido experiencia consciente; una forma del ser que, según nuestros conceptos de la existencia, no existe y empero, si podemos expresarlo así, existe según su propia idea de la existencia. Según las palabras de un hombre sapientísimo: Hay más cosas en el cielo y la tierra de las que nuestra filosofía soñó.

11. Pero aunque decimos que la Existencia Negativa está

fuera del alcance de nuestro conocimiento, eso no significa que estemos fuera del alcance de su influencia. Si esto fuera así, podríamos desecharla como inexistente en lo que a nosotros concierne, y concluiría nuestro interés en ella. En cambio, aunque no tenemos acceso directo a su ser, todo lo que conocemos como existente tiene sus raíces en esta Existencia Negativa, de modo que, aunque no lo separamos directamente, tenemos experiencia de ella en un grado. Lo que equivale a decir que, aunque no podamos conocer su naturaleza, conocemos sus efectos, del mismo modo que somos ignorantes respecto de la naturaleza de la electricidad pero podemos dar buena cuenta de ella en nuestras vidas, y, a partir de nuestra experiencia de sus efectos, podemos arribar a ciertas conclusiones concernientes, al menos, a algunas cualidades que debe poseer. Quienes más penetraron en lo Invisible, nos dieron descripciones simbólicas por medio de las cuales podemos girar nuestras mentes en *dirección* al Absoluto, aunque no podamos llegar a éste. Ellos hablaron de la Existencia Negativa como la Luz: Ain Soph Aur, "la Luz Ilimitada". Hablaron del Primero Manifiesto como el Sonido: "En el principio fue el Verbo". Recuerdo que, en una ocación, le oí decir a un hombre que era adepto, si es que lo hubo alguna vez: "Si quieres saber qué es Dios, te lo puedo decir con una sola palabra: Dios es presión". Y de inmediato saltó hacia mi mente una imagen, a la que siguió el conocimiento. Pude concebir la afluencia de vida a través de todos los canales de la existencia. Percibí que se me había transmitido un conocimiento genuino de la naturaleza de Dios. Empero, si fuéramos a analizar las palabras, nada había en ellas; no obstante, tenían potencia como para transmitir una imagen, un símbolo, a la mente, y ésta, trabajando sobre aquélla en el reino de la intuición que está más allá de la esfera de la razón, logró un conocimiento, aunque ese conocimiento pudiera reducirse solamente a la esfera del pensamiento concreto como una imagen.

12. Debemos comprender claramente que en estas regiones muy abstractas, la mente no puede usar sino símbolos; pero estos símbolos tienen potencia como para transmitir conocimientos a las mentes que saben cómo usarlos; estos símbolos son las simientes del pensamiento de donde surge el entendimiento,

aunque no seamos capaces de prolongar el símbolo mismo en un conocimiento concreto.

13. Poco a poco, como una marea que sube, el conocimiento concreta lo Abstracto, asimilando y expresando, en términos de su propia naturaleza, cosas que pertenecen a otra esfera, y cometeremos un gran error si tratamos de probar, con Herbert Spencer, que porque una cosa es desconocida por todas las facultades mentales que actualmente poseemos, deberá ser eternamente Incognoscible. El tiempo aumenta no sólo nuestro conocimiento, sino que la evolución acrecienta nuestra capacidad; y la iniciación, que es el invernadero de la evolución, haciendo que las facultades nazcan fuera de la estación debida, pone a la consciencia del adepto dentro del alcance de vastas captaciones que aún están debajo del horizonte de la mente humana. Estas ideas, aunque él las capte claramente según otra modalidad de consciencia, no las podrá transmitir a nadie que no comparta esta modalidad de consciencia. Sólo podrá expresarlas de modo simbólico; pero cualquier mente que de cualquier modo haya experimentado esta más vasta modalidad de funcionamiento podrá apoderarse de estas ideas donde estén, aunque sea incapaz de traducirlas en la esfera del pensamiento consciente. Por lo tanto, de este modo, en los libros sobre ciencia esotérica hay ideas-semillas dispersas, como estas: "Dios es presión" y "Kether es el Malkuth de la Existencia Negativa". Estas imágenes, cuyo contenido no pertenece a nuestra esfera, son como simientes masculinas del pensamiento que fecundan los óvulos del conocimiento concreto. En sí mismas son incapaces de mantener más que la existencia fugacísima en la consciencia como un destello de conocimiento, pero sin ellas, los óvulos del pensamiento filosófico no serán fértiles. Sin embargo, con la fecundación por parte de ellas, aunque su sustancia se absorba y se pierda en el acto mismo de la fecundación, el crecimiento tiene lugar dentro del germen amorfo del pensamiento, y, en última instancia, tras la debida gestación más allá del umbral de la consciencia, la mente da a luz una idea.

14. Si queremos conseguir lo mejor de nuestras mentes, debemos aprender a permitir este período de latencia, esta fecundación de nuestras mentes por algo que está fuera de nuestro plano de la existencia, y su gestación más allá del umbral de la consciencia. Las invocaciones de una ceremonia iniciática se

proponen hacer descender esta influencia fecundante sobre la consciencia del candidato. De allí que los Senderos del Arbol, que son las etapas de la iluminación del alma, estén asociados íntimamente con el simbolismo de las ceremonias de iniciación.

Capítulo VI

OTZ CHIIM, EL ARBOL DE LA VIDA

1. Antes de que podamos entender el significado de cualquier Sephirah en particular, deberemos captar los vastos perfiles del OTZ CHIIM, el Arbol de la Vida, en su conjunto.
2. Es un jeroglífico, es decir, un símbolo compuesto, que se propone representar al cosmos íntegramente y al alma del hombre en su relación con aquél; y cuanto más lo estudiamos, más vemos que es una representación asombrosamente adecuada; lo usamos como el ingeniero o el matemático usa su regla de cálculo, para examinar y calcular las complicaciones de la existencia, visibles e invisibles, en la naturaleza externa o en la profundidad oculta del alma.
3. Como se verá por el diagrama III, está representado como un conjunto de diez círculos ordenados en cierto dibujo, y conectados entre sí por líneas. Los círculos son los Diez Sephiroth Sagrados, y las líneas conectoras son los Senderos, veintidós en total.
4. Cada Sephirah (que es la forma singular de la palabra de la cual Sephiroth es el plural) es una fase de la evolución, y en el idioma de los rabinos se los llama las Diez Emanaciones Sagradas. Los Senderos existentes entre ellos son fases de la consciencia subjetiva, los Senderos o los grados (latín, *gradus*, peldaño) mediante los cuales el alma desarrolla su conocimiento del cosmos. Los Sephiroth son objetivos; los Senderos son subjetivos.
5. Recuérdese nuevamente que no estoy exponiendo la tradicional Cábala de los rabinos como una curiosidad histórica, sino la estructura que sobre ella erigieron generaciones de estudiosos, iniciados todos ellos, adeptos algunos de ellos, que hicieron del Arbol de la Vida su instrumento de evolución espiritual

45

y trabajo mágico. Esta es la Cábala moderna, la Cábala Alquímica como a veces se la llamó, y contiene todas las modalidades de cosas, además de la sabiduría tradicional rabínica, como se verá a su debido tiempo.

6. Consideremos ahora el esquema y el significado generales del Arbol. Se verá que los círculos que representan los Sephiroth están ordenados en tres columnas verticales (ver diagrama I), y que en la parte superior del centro, más alto que cualquier otro, formando el ápice del triángulo más elevado de los Sephiroth, está el Sephirah Kether, al que nos refiriéramos en el capítulo anterior. Para citar nuevamente las palabras de MacGregor Mathers: "El océano ilimitado de la luz negativa no procede de un centro, pues carece de centro, sino que concentra un centro, que es el número uno de los Sephiroth manifiestos, Kether, la Corona, el Primer Sephirah".

7. La señora Blavatsky saca de fuentes orientales el término "El punto dentro del círculo" para expresar el Primer Devenir de la manifestación, y la idea está contenida en el término rabínico Nequdah Rashunah, el Punto Prístino, denominación aplicada a Kether.

8. Pero Kether no representa una posición en el espacio. Al Ain Soph Aur se lo llamó un círculo cuyo centro está en todas partes y su circunferencia en ninguna, afirmación que, como tantas en ocultismo, es inconcebible, pero no obstante presenta una imagen a la mente y, por tanto, sirve para aquello que se propone. Kether, pues, (y al respecto, todos los demás Sephiroth) es un estado o condición de la existencia. Debemos tener siempre presente que los planos nos se elevan uno sobre otro en el empíreo como los pisos de un edificio, sino que son condiciones del ser, estados de la existencia de diferentes tipos, y aunque se desarrollaron sucesivamente en el tiempo, ocurren simultáneamente en el espacio; y la existencia de todos los tipos está presente en un solo ser, como lo advertimos cuando recordamos que el ser del hombre está constituido por un cuerpo físico, emociones, mente y espíritu, ocupando todos el mismo espacio al mismo tiempo.

9. Quienes hayan observado cómo un líquido calentado a punto de saturación se cristaliza al enfriarse, tendrán un símbolo útil de Kether. Llénese un vaso con agua hirviente y disuélvase en aquél todo el azúcar que quepa; luego, cuando se enfríe la

mezcla, obsérvese cómo aparecen los cristales del azúcar. Si se hace esto realmente, —no si meramente se leyó al respecto— se tendrá un concepto mediante el cual se podrá pensar en lo Primero Manifiesto que ingresa en la existencia como producto de lo Primordial Inmanifiesto. El líquido es transparente y amorfo, pero ocurre un cambio dentro de él, y empiezan a aparecer cristales, sólidos, visibles, y de forma definida. De igual modo, podemos concebir que ocurre un cambio dentro de la Luz Ilimitada, y Kether se cristaliza.

10. No propongo ahora profundizar en la naturaleza de cualquiera de los Sephiroth, sino indicar meramente el esquema general del Arbol. A lo largo de estas páginas pasaremos una y otra vez sobre lo básico, hasta armar un concepto amplio. Esto sólo puede hacerse gradualmente, y si pasamos mucho tiempo en una cuestión individual antes de que el estudiante tenga un concepto general, gran parte de ese tiempo se perderá porque no se entenderá el significado de ese concepto en el esquema en conjunto. Los mismos rabinos aplican a Kether los títulos de Oculto de lo Oculto, y la Altura Inescrutable, sugiriendo que no es mucho lo que la mente humana puede esperar conocer acerca de Kether.

11. Es digno de nota que el judaísmo exotérico, de cuyos pasivos el cristianismo no es heredero cabalmente afortunado, no contiene concepto alguno acerca de las Emanaciones, o del desborde de los Sephiroth uno respecto del otro. Declara que Dios creó el mar, los collados y las bestias del campo, y visualizamos este proceso, si es que lo visualizamos, como la obra de un artesano celestial que modela cada nueva fase de la manifestación y pone el producto terminado en su lugar en el mundo. Este concepto mantuvo atrasada a la ciencia durante centenares de años en Europa occidental, y, al final, los hombres de ciencia tuvieron que romper con la religión y soportar persecución como herejes a fin de llegar al concepto de la evolución que explícitamente se enseñaba en la Tradición Mística de Israel, una tradición con la que los autores del Antiguo Testamento estaban incuestionablemente familiarizados, pues sus obras están llenas de referencias e implicancias cabalísticas.

12. La Cábala no concibe a Dios como si este fabricase a la creación una etapa tras otra, sino que piensa en las diferentes fases de la manifestación como evolucionando una de la otra, como si cada Sephirah fuera un estanque que, al llenarse, des-

bordara en un estanque inferior. Tomando nuevamente el concepto de MacGregor Mathers, oculto en una bellota está un roble con sus bellotas, y oculto en cada una de éstas está un roble con **sus** bellotas. De modo que cada Sephirah contiene la potencialidad de todos los que vienen detrás de él en la escala de la manifestación que fluye descendentemente. Kether contiene el resto de los Sephiroth, nueve en total; y Chokmah, el segundo, contiene las potencialidades de todos sus sucesores, ocho en total. Pero en cada Sephirah se desarrolla sólo un aspecto de la manifestación; los subsiguientes permanecen latentes, y los precedentes se reciben por reflejo. Cada Sephirah es, pues, una forma pura de la existencia en su esencia; la influencia de las fases precedentes de la evolución es externa a ella, al reflejarse. Estos aspectos, por así decirlo, habiendo cristalizado en las anteriores etapas, no están más en solución en la corriente de manifestación que afluye, y que procede siempre de lo Inmanifiesto a través del canal de Kether. Por tanto, cuando queremos hallar la naturaleza esencial, la base de la manifestación, de un tipo particular de existencia, la encontramos en el Sephirah al cual corresponde cuando meditamos sobre ese Sephirah en su forma prístina; pues hay cuatro formas, o mundos, bajo las cuales los cabalistas conciben el Arbol, y consideraremos éstas a su debido tiempo. Ahora sólo se las menciona a fin de que el estudiante tenga bastantes antecedentes como para ver su cuadro en perspectiva.

13. El estudiante hallará muy útil remitirse a los capítulos de *La Sabiduría Antigua (The Anciet Wisdom)*, de Annie Besant, que tratan sobre las fases de la evolución. Estas arrojan mucha luz sobre el tema que estamos tratando, aunque el sistema de clasificación no sea el mismo.

14. Concibamos a Kether, entonces, como una fuente que llena su receptáculo, y que al desbordar alimenta a otra fuente, la que, a su vez, llena su receptáculo y se desborda. Lo Inmanifiesto, bajo presión, fluye eternamente dentro de Kether, y hubo un tiempo en el que la evolución llegó hasta donde pudo en la sencillez extrema de la forma de existencia de lo Primero Manifiesto. Formáronse todas las combinaciones posibles y éstas experimentaron todos los trueques posibles. Estereotipadas la acción y la reacción, no puede haber nueva evolución salvo que las combinaciones se combinen entre sí. Una vez que la fuerza

formó todas las unidades posibles, la próxima fase evolutiva consiste, para estas unidades, en combinarse en estructuras más complejas. Cuando esto ocurre, la existencia inicia una nueva fase, más altamente organizada; todo lo que ya evolucionó sigue como está, pero lo que ahora evoluciona es más que la suma de las partes anteriormente existentes, pues nacen nuevas capacidades.

15. Esta nueva fase representa un cambio de modalidad de la existencia.· Tal como Kether se cristalizó a partir de la Luz Ilimitada, de igual modo el segundo Sephirah, Chokmah, se cristaliza a partir de Kether en esta nueva modalidad del ser, este nuevo sistema de acciones y reacciones que cesaron de ser sencillos y directos y se convierten en complejos y tangenciales. Ahora tenemos dos modalidades de la existencia, la sencillez de Kether y la relativa complejidad de Chokmah; estos dos son tan sencillos que ningún género de vida que conozcamos podría mantenerse en ellos; no obstante, son los precursores de la vida orgánica. Podríamos decir que Kether es la primera actividad de la manifestación. del movimiento; es una condición del devenir puro, Rashith ha Gilgalim, los Primeros Torbellinos, el comienzo de los Movimientos Atorbellinados como lo llaman los cabalistas: el *Primum Mobile* como lo llaman los alquimistas. A Chokmah, el Segundo Sephirah, los rabinos lo llaman Mazloth, la Esfera del Zodíaco. Aquí hemos presentado el concepto del círculo con sus segmentos. La creación se movió hacia adelante. Del Huevo primordial se desarrolló la Serpiente que retiene su cola en su boca, como lo narra la señora Blavatsky en sus valiosísimos receptáculos de simbolismo arcaico, *La Doctrina Secreta e Isis sin Velo*.

16. De manera similar a aquella en la que Kether desbordó en Chokmah, Chokmah desborda en Binah, el Tercer Sephirah. Los Senderos perseguidos por las Emanaciones en estos sucesivos desbordes están representados sobre el Arbol de la Vida por el Resplandor de un Relámpago, o en algunos diagramas por una Espada Llameante. Se observará por referencia al diagrama I que el Resplandor del Relámpago deberá proceder de Kether hacia afuera y hacia abajo, a la derecha para llegar a Chokmah, y luego gira en un rumbo a nivel hacia la izquierda y avanza una distancia igual más allá de Kether sobre ese lado, y allí estable-

ce a Binah. El resultado es una figura triangular sobre el jeroglífico, y se lo llama el Triángulo de los Tres Supernos, o la Primera Trinidad, y está separado del resto de los Sephiroth por el Abismo, que la consciencia humana normal no puede cruzar. Aquí están las raíces de la existencia, ocultas para nuestros ojos.

Capítulo VII

LOS TRES SUPERNOS

1. Tras considerar, en un esbozo, la evolución de las tres primeras Emanaciones Divinas, estamos ahora en condiciones de obtener un conocimiento más profundo de su naturaleza y significado, pues podremos estudiarlas en su relación recíproca. Este es el único modo de estudiar los Sephiroth, pues un solo Sephirah, considerado en sí mismo, está desprovisto de significado. El Arbol de la Vida es, en esencia, un esquema de relaciones, tensiones y reflejos (ver diagrama II).

2. Los libros rabínicos aplican muchos curiosos apelativos a los Sephiroth, y de la consideración de aquéllos aprendemos mucho; pues cada palabra de estos libros tiene importante significado, y ninguno es usado a la ligera o como una ociosa imagen poética; todos son tan precisos como términos científicos, y de hecho, eso es lo que son.

3. El significado de la palabra Kether, ya lo hemos notado, es Corona. Chokmah significa Sabiduría, y Binah significa Entendimiento. Pero pendiente de estos dos últimos Sephiroth hay un tercero curioso y misterioso, que nunca es representado en el jeroglífico del Arbol; este es el Sephirah invisible, Daath, el Conocimiento, y dícese que está formado con la conjunción de Chokmah y Binah, y está situado a horcajadas en el Abismo. Crowley nos dice que Daath está en otra dimensión que los otros Sephiroth, y forma el ápice de una pirámide de la que Kether, Chokmah y Binah forman los tres ángulos basales. Para mí, Daath presenta la idea de conocimiento y consciencia.

4. Procedamos ahora a aclarar los Tres Supernos según el

método de la Cábala mística, que consiste en llenar la mente con todas las correspondencias y todos los símbolos a ella asignados y en permitir que la contemplación trabaje entre ellos.

5. Se observará que estos tres y su cuarto misterioso contienen, en su totalidad, un simbolismo que se relaciona con la cabeza, que en el hombre arquetípico representa el nivel supremo de la consciencia. Cuando buscamos en la literatura rabínica, para ver qué otros nombres se les pueden aplicar, hallamos que aun se aplica más simbolismo de la cabeza a Kether; éste, aunque no se refiera específicamente a ellos, puede considerarse que abraza también a los otros dos Supernos, pues son aspectos de Kether en un plano inferior.

6. Los rabinos llamaban a Kether, entre otros títulos, (que no es menester que ahora consideremos) Arik Anpin, El Semblante Vasto, La Cabeza Blanca, La Cabeza Que No Es. El símbolo mágico de Kether, según Crowley, es un anciano rey barbudo, visto de perfil. MacGregor Mathers dice: "El simbolismo del Semblante Vasto es el de un perfil en el que sólo se ve un lado del rostro; o como se dice en la Cábala: 'En él todo es lado derecho' ". El lado izquierdo, al volverse hacia lo Inmanifiesto, es para nosotros parecido al lado oscuro de la luna.

7. Pero Kether es primeramente la Corona. Ahora bien, la Corona no es la cabeza, sino que se apoya en ésta y está sobre ésta. Por tanto, Kether no puede ser la consciencia, sino la materia prima de la consciencia cuando se la considera microcósmicamente, y la materia prima de la existencia cuando se la considera macrocósmicamente. Pues existen estos dos modos para considerar al Arbol, como ya lo hemos notado; puede considerarse como el universo y como el alma del hombre, y estos dos aspectos se arrojan luz recíprocamente. Según las palabras de la Tabla Esmeraldina de Hermes: "Como (es) arriba, así (es) abajo".

8. Kether se diferencia en Chokmah y Binah antes que logre la existencia fenoménica, y a estos dos los cabalistas los llaman Abba, el Padre Superno, y Ama, la Madre Superna. Binah se llama también el Gran Mar, y Shabathai, la Esfera de Saturno. A medida que continuemos, descubriremos que los Sephiroth se llaman, sucesivamente, las Esferas de los planetas, pero Binah es la primera de las Emanaciones a asignar-

se así; Kether se llama los Primeros Torbellinos, y Chokmah la Esfera del Zodíaco.

9. Ahora, Saturno es el Padre de los Dioses; es el más grande de los viejos dioses que fueron los predecesores de los Olímpicos gobernados por Júpiter. En los títulos secretos atribuidos a los Arcanos Mayores del Tarot, el Sendero de Saturno, según Crowley, se llama El Grande de la Noche del Tiempo.

10. Tenemos, entonces, a Kether que se diferencia en una potencia masculina activa, Chokmah, y una potencia femenina pasiva, Binah, y estos dos están situados arriba de las dos columnas laterales formadas por la alineación vertical de los Sephiroth en su ubicación sobre el Arbol de la Vida. De estas dos columnas, la de la izquierda bajo Binah se llama Severidad; la de la derecha, bajo Chokmah, se llama Misericordia; la del medio, bajo Kether, se llama Indulgencia, y se dice que es la Columna del Equilibrio. Estas dos columnas laterales son las columnas que se alzan a la entrada del Templo del Rey Salomón y están representadas en todas las Logias de los Misterios; el candidato mismo, cuando está entre ellas, es la Columna Media del Equilibrio.

11. Aquí nos encontramos con la idea expuesta por la señora Blavatsky de que no puede haber manifestación sin diferenciación en los Pares de Opuestos. Kether diferencia sus dos aspectos como Chokmah y Binah, y la manifestación entra en existencia. Ahora, en este triángulo superno, La Cabeza Que No Es, el Padre y la Madre, tenemos el concepto radical de nuestra cosmogonía, y volveremos a ella una y otra vez bajo innumerables aspectos, y cada vez que volvamos a ella recibiremos la iluminación. Estos primeros capítulos no intentan tratar exhaustivamente ninguno de los puntos por las razones ya indicadas, pues el estudiante no familiarizado con el tema (y hay poquísimos estudiantes familiarizados con éste) no obtuvo aún los elementos mentales necesarios que le permitan apreciar el significado de un estudio más minucioso; actualmente, nos ocupamos de unir estos elementos; a su debido tiempo, empezaremos a ordenarlos y estructurarlos vívidamente, y a estudiarlos pormenorizadamente.

12. Binah, la Madre Superior (a diferencia de Malkuth, la Madre Inferior, la Novia del Microprosopos, la Isis de la Natu-

raleza, el Décimo Sephirah) es de dos aspectos, y estos aspectos se distinguen como Ama, la Madre Oscura Estéril, y Aima, la Madre Fértil Brillante. Ya hemos notado que ella se llama el Gran Mar, Marah, lo cual no sólo significa Amargo, sino que es también la raíz de María; y aquí nos encontramos de nuevo con la idea de la Madre, al principio virgen, y luego encinta por el Espíritu Santo.

13. Con la asociación de Binah con el mar se nos recuerda que la vida tuvo su principio primordial en las aguas; del mar surgió Venus, la mujer arquetípica. La asociación de Saturno sugiere la idea de la era primordial: "Antes que los dioses que crearon a los dioses hubieran bebido hasta el borde del hartazgo. . ." Sugiere las rocas antiquísimas: "Dentro de la umbría quietud del valle. . . el canoso Saturno estaba sentado, quieto como una piedra". Max Heindel habla de los Señores de la Forma que están entre las primerísimas fases de la evolución, y una obra inspirada que poseo, *La Doctrina Cósmica (The Cosmis Doctrine)*, habla de los Señores de la Forma como las Leyes de la Geología.

14. Al considerar nuevamente el simbolismo de las dos columnas laterales del Arbol, vemos a Chokmah y a Binah como la Fuerza y la Forma, las dos unidades de la manifestación.

15. No nos beneficiaría profundizar más las interminables ramificaciones de este simbolismo en el momento actual, pues nos lleva más allá de los tres Sephiroth que ya hemos estudiado. Prosigamos considerando más al misterioso Daath, que nunca aparece en el Arbol, y al que no se le asigna nombre de Deidad ni hueste angélica y que no tiene símbolo mundano en el planeta o elemento, como los tienen todas las otras situaciones del Arbol.

16. Daath es producido por la conjunción de Chokmah y Binah, como ya se ha notado. El Padre Superno, Abba, se casa con la Madre Superna, Ama, y Daath es el hijo. Ahora, a Daath los cabalistas llámanla con algunas cosas curiosas; anotaremos algunas de ellas.

17. En el versículo n° 38 del *Libro del Misterio Oculto* —*Book of Concealed Mystery*— (versión inglesa que Mathers efectuara en la traducción latina de Knorr von Rosenroth) se dice: "Pues el Padre y la Madre están perpetuamente unidos en Yesod, el Cimiento (el noveno Sephirah), pero oculto bajo el

misterio de Daath o el Conocimiento"; y en el versículo n° 40, leemos respecto de Daath: "El hombre que dirá 'Yo soy del Señor' desciende. . . Yod (la décima letra del alfabeto hebreo) es el cimiento del conocimiento del Padre; pero todas las cosas se llaman BYODO, o sea, todas las cosas se aplican a Yod, concerniente al cual es este discurso. Todas las cosas se adhieren en la lengua que se oculta en la madre. O sea, a través de Daath o el Conocimiento, por el que la Sabiduría se combina con el Entendimiento, y el Bello Sendero (Tiphareth, el Sexto Sephirah) con su novia la Reina (Malkuth, el Décimo Sephirah); y esta es la idea oculta, o el alma, que penetra en toda la emanación. Puesto que se abre hacia lo que procede de ella; o sea, Daath es el bello sendero, pero también lo interior, al que se refería Moisés; y ese Sendero está oculto dentro de la madre, y es el medio de su conjunción". Cuando se note que Yod es idéntico al *Lingam* del sistema hindú; y que Kether, Daath y el Bello Sendero, Tiphareth, el Sexto Sephirah, están en una línea en la Columna Media del Arbol, que se equipara a la columna vertebral del hombre, el microcosmos; y que Kundalini está enroscada en Yesod, también en la Columna Media, veremos que tenemos aquí una clave importante para quienes tienen instrumentos para usarla.

18. En la *Asamblea Sagrada Mayor —Greater Holy Assembly—*, versículo n° 566 (traducción de Mathers), leemos respecto de la Cabeza del Microprosopos, cuyo cuerpo íntegro se considera como un jeroglífico del cosmos: "De la Tercera Cavidad salen mil veces mil cónclaves y asambleas, en las que Daath, el Conocimiento, está contenido y habita. Y el lugar hueco de esta cavidad está entre las otras dos cavidades; y todos estos cónclaves están llenos de un lado y del otro. Esto es lo que está escrito en Proverbios: 'Y en el conocimiento (Daath) se llenarán los cónclaves'. Y aquellos tres se expanden por todo el cuerpo, por éste y por aquel lado, y con ellos se une el cuerpo íntegro, y el cuerpo es contenido por ellos por todos lados, y a través del cuerpo íntegro se expanden y difunden".

19. Cuando se recuerda que Daath está situado en el punto en el que el Abismo corta en dos a la Columna Media, y que hasta la Columna Media está el Sendero de la Flecha, el camino por el que marcha la consciencia cuando lo psíquico se eleva en los planos, y que también aquí está Kundalini, vemos que

en Daath está el secreto tanto de la generación como de la regeneración, la clave de la manifestación de todas las cosas a través de la diferenciación en los pares de Opuestos y su unión con un Tercero.

20. De esta manera el Arbol desarrolla sus secretos a los cabalistas.

21. El Segundo Triángulo sobre el Arbol de la Vida está formado por los Sephiroth Chesed, Geburah y Tiphareth. Chesed está formado por el desborde de Binah, y está situado en la Columna de la Misericordia, de la Derecha, inmediatamente debajo de Chokmah; el ángulo del Destello Centelleante, que se usa para indicar el curso de las emanaciones sobre el Arbol, se derrama hacia abajo, a la derecha, por el jeroglífico, desde Binah arriba de la Columna de la Severidad hacia Chesed, que ocupa la parte media de la Columna de la Misericordia. Luego, el Destello gira y marcha horizontalmente por el jeroglífico de vuelta nuevamente hacia la Columna de la Severidad, en cuya parte media se halla el Sephirah Geburah. Hacia abajo y a la derecha se derrama una vez más el símbolo de la fuerza emanante, e indica al Sephirah Tipharet, que ocupa el centro mismo del Arbol en la Columna de la Indulgencia o del Equilibrio. Estos tres Sephiroth constituyen el próximo triángulo funcional que tenemos que considerar, y aunque no pretendemos penetrar exhaustivamente en su simbolismo hasta que hayamos completado nuestro examen esquemático de todo el sistema, es necesario decir lo suficiente para dar alguna clave de su significado y permitir que se les asigne un lugar en el concepto que estamos constituyendo. Este concepto es tan vasto e infinito en su minuciosa elaboración que, intentar enseñarlo exhaustivamente de la *a* a la *zeta*, debe concluir en confusión. Sólo gradualmente podrá revelar su significado al estudiante cuando un aspecto interpreta a otro. Mi método de enseñar el Arbol tal vez no sea ideal desde el punto de vista del pensamiento sistemático, pero creo que es el único que permitirá al principiante "tomarle la mano" al tema. Fue sobre el Arbol que tuve mi instrucción mística, y viví, me moví y tuve mi ser en compañía de él desde hace muchísimos años, de modo que creo ser competente como para hablar de él desde el punto de vista de la mística práctica; pues por mi experiencia conozco las dificultades para dominar el sistema

cabalístico, tan intrincado, abstracto y voluminoso, y sin embargo tan comprensivo y satisfactorio una vez que se lo dominó.

22. Antes de que podamos considerar el Segundo Triángulo del Arbol como una unidad, debemos conocer el significado de sus Sephiroth componentes. Chesed significa la Misericordia o el Amor; también se llama Gedulah, la Grandeza o la Magnificencia, y se le asigna la Esfera del planeta Júpiter. Geburah significa la Fuerza; también se llama Pachad, o el Temor; se le asigna la Esfera del planeta Marte. Tiphareth significa la Belleza, y se le asigna la Esfera del Sol. Cuando los dioses de los diversos panteones paganos se correlacionan con las Esferas del Arbol, se descubrirá que los dioses que fueron sacrificados llegan invariablemente a Tiphareth, y por esta razón se le llamó el centro Crístico de la Cábala cristiana.

23. Ahora tenemos material suficiente para efectuar un examen del Segundo Triángulo. Júpiter, el benéfico gobernante y legislador, es equilibrado por Marte el Guerrero, la fuerza ardiente y destructora, y los dos se equilibran en Tiphareth, el Redentor. En el Triángulo Superno vemos al Sephirah primario que hace emanar un par de opuestos que expresan los dos lados de su naturaleza, Chokmah, la Fuerza, y Binah, la Forma, los Sephiroth masculino y femenino, respectivamente. En el Segundo Triángulo tenemos un par de opuestos que hallan su equilibrio en un tercero, ubicado sobre la Columna Media del Arbol. De esto deducimos que el Primer Triángulo deriva su significado de lo que está detrás de él, y el Segundo Triángulo deriva su significado de lo que él emana. En el Primer Triángulo hallamos una representación de las creativas fuerzas de la sustancia del universo; en el Segundo tenemos una representación de las fuerzas gobernantes de la vida en evolución. En Chesed está el rey sabio y bondadoso, el padre de su pueblo, que organiza su reino, construye su industria, fomenta su aprendizaje, y aporta los dones de la civilización. En Geburah tenemos a un rey guerrero, que conduce a su pueblo en la batalla, defiende su reino contra los ataques del enemigo, extiende sus fronteras mediante conquista, castiga el delito y destruye a los malhechores. En Tiphareth tenemos al Salvador, sacrificado en la Cruz para salvación de su pueblo, y que de ese modo pone a Geburah en equilibrio con Gedulah, o Chesed. Aquí hallamos la esfera de todos los benéficos dioses solares y dioses curativos.

Así vemos que las misericordias de Gedulah y las severidades de Geburah se unen para curar a las naciones.

24. Detrás de Tiphareth, atravesando el Arbol, se corre Paroketh, el Velo del Templo, el análogo, en un plano inferior del Abismo que separa a los tres Supernos del resto del Arbol. Como el Abismo, el Velo marca una sima en la consciencia. La modalidad de acción mental en un lado de la sima difiere del género de modalidad de acción mental prevaliciente en el otro. Tiphareth es la esfera suprema hacia la que puede elevarse la consciencia humana normal. Cuando Felipe le dijo a Nuestro Señor: "Muéstranos al Padre", Jesús le replicó: "Quien me vio a Mí, vio al Padre". Todo lo que la mente humana puede conocer de Kether es su reflejo en Tiphareth, el centro Crístico, la Esfera del Hijo. Paroketh es el Velo del Templo que se rasgó durante la Crucifixión.

25. Ahora, en nuestro breve examen preliminar, llegamos al Tercer Triángulo compuesto por los Sephiroth Netzach, Hod y Yesod. Netzach es el Sephirah basal de la Columna de la Miserocordia, Hod es el Sephirah basal de la Columna de la Severidad, y Yesod está sobre la Columna Media de la Indulgencia o del Equilibrio, en directa alineación con Kether y Tiphareth, Así, el Tercer Triángulo es una réplica exacta del Segundo Triángulo sobre un arco inferior.

26. El significado de Netzach es la Victoria, y se le asigna la Esfera del planeta Venus; el significado de Hod es la Gloria, y se le asigna la Esfera del planeta Mercurio; el significado de Yesod es el Cimiento, y se le asigna la Esfera de la Luna.

27. Si bien el Segundo Triángulo podría denominarse inadecuadamente el Triángulo Etico, el Tercero puede llamarse el Triángulo Mágico; y si asignamos a Kether la Esfera de los Tres en Uno, la Unidad indivisa, y a Tiphareth la Esfera del Redentor o del Hijo, podemos estar justificados al referir a Yesod la Esfera del Espíritu Santo, el Iluminador; esta es una atribución de la Trinidad cristiana que encuadra mejor con el Arbol que su asignación a los Tres Supernos, que pone al Hijo en el lugar de Abba, el Padre, y al Espíritu Santo en el lugar de Ama, la Madre, y evidentemente es inapropiado y causante de innumerables discrepancias en las correspondencias y simbolismos. En esto vemos un ejemplo del valor del Arbol como método de compulsa de la visión o la meditación; las atribu-

ciones correctas encuadran en el Arbol a través de interminables ramificaciones simbólicas, cuando lo vemos al considerar a Binah como la Madre; el simbolismo incorrecto se desbarata y revela sus extrañas asociaciones ante el primer intento de seguir una cadena de correspondencias. Parece que fuera solamente la extensión de nuestro conocimiento la que limita la longitud de la cadena que puede eslabonarse lógicamente; se extenderá a través de la ciencia, el arte, la matemática y las épocas de la historia; a través de ética, psicología y fisiología. Fue este método peculiar de usar la mente el que, con toda probabilidad, dio a los antiguos su conocimiento prematuro de las ciencias naturales, conocimiento que tuvo que aguardar la invención de instrumentos de precisión para ser confirmada. Tenemos las claves de este método en el análisis onírico de la psicología analítica. Podríamos describirlo como el poder de la mente subconsciente, que usa los símbolos. Es un experimento instructivo lanzar dentro de la mente un conjunto de simbolismo irrelevante y observar cómo ella lo ordena meditando sobre el Arbol, elevándose en la consciencia en largas cadenas asociativas como un análisis de los sueños.

28. Netzach es la Esfera de la Diosa de la Naturaleza, Venus. Hod es la Esfera de Mercurio, el análogo griego del Thoth egipcio, el Señor de los Libros y la Erudición. Observando su oposición, es de esperar que encontraremos dos aspectos diferentes, representados en ellos, que hallan su equilibrio en un tercero, Yesod, la Esfera de la Luna. Vemos entonces un Triángulo compuesto por la Señora de la Naturaleza, el Señor de los Libros y la Señora de la Brujería; en otras palabras, la subsconciencia y la superconsciencia se correlacionan en el psiquismo.

29. Todo aquel que esté familiarizado con la mística práctica sabe que hay tres senderos de la superconsciencia: la mística devocional, que se correlaciona con Tiphareth; la mística de la naturaleza, del tipo dionisíaco embriagador, que se equipara con la Esfera de Venus de Netzach; y la mística intelectual del tipo oculto, que se equipara con Hod, la Esfera de Thoth, el Señor de la Magia. Tiphareth, como se verá por referencia al diagrama del Arbol, pertenece a un plano superior a cualquier miembro del Tercer Triángulo; Yesod, por el otro lado, se acerca muchísimo a la Esfera de la Tierra.

30. A Yesod se le asignan todas las deidades que tienen a

la luna en su simbolismo: la Luna misma; Hécate, con su dominio sobre la magia maligna; y Diana, que preside el parto. La luna física, Yesod en Assiah, como dirían los cabalistas, con su ciclo de veintiocho días, se correlaciona con el ciclo reproductivo de la mujer. Si el simbolismo de la media luna se sigue a través de los diversos panteones, se descubrirá que las deidades asociadas con ella son predominantemente femeninas; es interesante notar, confirmando nuestra asignación del Espíritu Santo a Yesod, que, según MacGregor Mathers, el Espíritu Santo es una fuerza femenina. Aquél dice *(La Cábala Revelada, Kabbalah Unveiled* pág. 22): "Habitualmente, se nos dice que el Espíritu Santo es masculino. Pero la palabra Ruach, Espíritu, es femenina, como aparece en el siguiente pasaje del Sepher Yetzirah: 'Achath (femenino,no Achad, masculino), ruach elohim chiim: Una es *ella*, el Espíritu de los Elohim de la Vida' ". Cuando consideramos la Columna Media refiriéndose a niveles de consciencia, encontraremos más confirmación de este criterio.

31. Para nuestra consideración final queda el Sephirah Malkuth, el Reino de la Tierra. Este Sephirah difiere de los otros en diversos aspectos. En primer lugar, no es parte de un triángulo equilibrado, pero se dice que es el receptáculo de las influencias de todos los demás. En segundo lugar, es un Sephirah caído, pues fue segregado del resto del Arbol por la Caída, y las espirales del Dragón Encorvado que surge del Mundo de los Cascarones, de los reinos de la Fuerza Desequilibrada, lo separan de sus hermanos. A espaldas de la Reina, la Novia del Microprosopos (Malkuth), la Serpiente yergue su cabeza, y se dice que aquí es el lugar de los juicios severísimos. La Esfera de Makuth linda con los Infiernos de los Sephiroth Adversos, los Qliphoth, o demonios malignos. Es el firmamento en el que los Elohim separaron las aguas supernas de Binah respecto de las aguas infernales de Leviatán.

32. La significación de los Qliphoth deberá considerarse en plenitud a su debido tiempo; pero habiéndonos referido a ellos aquí a fin de explicar la posición de Malkuth, debemos decir algo más a fin de tornar inteligible la explicación.

33. Los Qliphoth (singular, Qliphah, mujer impúdica o prostituta) son los Sephiroth Malignos o Adversos, cada uno de los cuales es una emanación de la fuerza desequilibrada de su correspondiente Esfera sobre el Arbol Sagrado; estas emanaciones tu-

vieron lugar durante los períodos críticos de la evolución, cuando los Sephiroth no estaban en equilibrio. Por esta razón, se hace referencia a ellos como los Reyes de la Fuerza Desequilibrada, los Reyes de Edom, "que gobernaban antes de que hubiera un rey en Israel", como lo expresa la Biblia; y en las palabras del *Siphrah Dzenicutha*, el *Libro del Misterio Oculto* (obra citada traducción de Mathers): "Pues antes de que hubiera equilibrio, el semblante no contemplaba a semblante alguno. Y los reyes de la antigüedad estaban muertos, y sus coronas no se encontraron más; y la tierra estaba desolada".

34. Hemos completado ahora nuestro examen preliminar del Arbol de la Vida, y su ordenamiento de los Diez Sephiroth Sagrados; también tenemos alguna clave de su significado y hemos dado una sugerencia o dos sobre la manera en que la mente trabaja cuando usa estos símbolos cósmicos para sus meditaciones. En consecuencia, estamos ahora en condiciones de asignar cada trozo nuevo de información a su correcta posición en nuestro esquema; estamos armando el rompecabezas conociendo un esbozo del cuadro. Crowley comparó adecuadamente al Arbol con un fichero en el que cada símbolo es una entrada. Es difícil que este símil pueda ser mejorado. Durante nuestros estudios, empezaremos a llenar las gavetas de este fichero, y a encontrar cómo aquellos símbolos aparecen doblemente en el índice alfabético, tal como lo señala la aparición del mismo símbolo en otras asociaciones.

Capítulo VIII

LOS MODELOS DEL ARBOL

1. Hay varios métodos por los que los Diez Sephiroth Sagrados pueden agruparse en el Arbol de la Vida. De aquéllos no puede decirse que uno sea correcto y otro incorrecto; sirven a distintos fines y arrojan mucha luz sobre el significado de cada Sephiroth mediante la revelación de sus asociaciones y su equilibrio.
2. Son también valiosos porque permiten que el sistema decimal del Arbol se equipare con los sistemas de los tres, los cuatro y los siete.
3. La primera conformación del Arbol es en tres Columnas. Se observará, remitiéndose a los diagramas, que los Sephiroth se prestan fácilmente a esta triple división vertical, pues están ordenados en tres columnas. Estas se llaman la Columna Derecha de la Misericordia, la Columna Izquierda de la Severidad y la Columna Media de la Indulgencia o del Equilibrio (véase diagrama I).
4. Antes de ir más adelante, debemos aclarar el significado de los lados derecho e izquierdo del Arbol. Al mirar al Arbol en el diagrama, vemos a Binah, Geburah y Hod en el lado izquierdo, y a Chokmah, Chesed y Netzach en el lado derecho; este es el modo con que observamos al Arbol cuando lo usamos para representar al Macrocosmos. Pero cuando lo usamos para representar al Microcosmos, que es nuestro propio ser, por así decirlo le damos la espalda de modo que la Columna Media se equipara con la columna vertebral, y la Columna que contiene a Binah, Geburah y Hod con el lado derecho, y la Columna que contiene a Chokmah, Chesed y Netzach con el lado izquierdo. Estas tres Columnas pueden equipararse también con el Shushumna, Ida y Pingala del sistema yóguico. Es importantísimo recordar el revés del Arbol cuando se lo usa como símbolo subjetivo; caso contra-

rio, el resultado es confusión. En su valioso libro sobre la literatura de la Cábala, *La Sagrada Cábala (The Holy Qabalah)*, el señor Waite, en el frontispicio, por alguna razón que él muy bien conocerá, invierte la presentación habitual del Arbol; pero puede darse por sentado que las representaciones del símbolo, en su mayoría, dan el Arbol objetivo, no el Arbol subjetivo. Cuando al Arbol se lo usa para indicar las líneas de fuerza del aura, el que deberá usarse es el Arbol subjetivo, de modo que Geburah se equipara con el brazo derecho. Por supuesto, en todos los casos la Columna Media permanece firme.

5. La Columna de la Severidad se considera que es negativa o femenina, y la Columna de la Misericordia, positiva o masculina. Superficialmente, puede pensarse que estas atribuciones conducen a un simbolismo incompatible, pero un estudio de las Columnas a la luz de lo que ahora sabemos respecto de cada Sephiroth revelará que las incompatibilidades son puramente superficiales y que el significado más profundo del simbolismo está enteramente en consonancia.

6. Se observará que la línea que indica el desarrollo sucesivo de los Sephiroth zigzaguea de un lado al otro del jeroglífico y se la denominó adecuadamente, en consecuencia, el Destello Centelleante. Esto indica gráficamente que los Sephiroth son, sucesivamente, positivos, negativos y equilibrados. Esta es una representación mucho mejor del proceso de creación que si las Esferas se representaran una sobre la otra en línea recta, ya que indica la diferencia de la naturaleza de las Emanaciones Divinas y sus relaciones recíprocas; pues cuando miramos al jeroglífico del Arbol percibimos fácilmente las relaciones existentes entre los diferentes Sephiroth, y vemos cómo se agrupan, se reflejan y reaccionan entre sí.

7. Al frente de la Columna de la Severidad, la Columna negativa, femenina, está Binah, la Gran Madre. Ahora bien, a Binah se le asigna la Esfera de Saturno, y Saturno es el Dador de la forma. Al frente de la Columna de la Misericordia está Chokmah, el Padre Superno, una potencia masculina. Vemos, pues, que aquí tenemos la yuxtaposición de Forma y Fuerza.

8. En la Segunda Trinidad, tenemos la yuxtaposición de Chesed (Júpiter) y Geburah (Marte). Asimismo, tenemos los pares de opuestos de construcción en Júpiter, el legislador y gobernante benéfico, y de destrucción en Marte, el guerrero y destruc-

tor del mal. Tal vez surja la pregunta de porqué una potencia masculina como Geburah debe ubicarse en la Columna Femenina. Debe recordarse que Marte es una potencia destructiva, uno de los infortunios en astrología. Lo positivo arma: lo negativo desarma; lo positivo es una fuerza cinética, lo negativo es una fuerza estática.

9. Estos aspectos aparecen nuevamente en Netzach en la base de la Columna de la Misericordia, y Hod en la base de la Columna de la Severidad. Netzach es Venus, el Rayo Verde de la Naturaleza, la fuerza elemental, la iniciación de las emociones. Hod es Mercurio, Hermes, la iniciación del conocimiento. Netzach es instinto y emoción, una fuerza cinética; Hod es intelecto, pensamiento concreto, la reducción del conocimiento intuitivo a la forma.

10. Sin embargo, debemos recordar que cada Sephirah es negativo, es decir, femenino, en relación con su predecesor, de donde emana y de donde recibe la Influencia Divina; y positivo, masculino o estimulante respecto de su sucesor, a quien transmite la influencia Divina. Por lo tanto, cada Sephirah es bisexual, como un imán del que un polo deberá ser necesariamente negativo y el otro positivo. Tal vez podamos explicar más estas cuestiones por analogía con la astrología, y decir que un Sephirah en la Columna femenina está bien dignificado cuando funciona en su aspecto negativo, y está mal difnificado cuando funciona positivamente; y que en la Columna masculina la posición está invertida. De manera que Binah, Saturno, está bien dignificado cuando proporciona estabilidad y resistencia, pero está mal dignificado cuando el exceso de resistencia hace que sea activamente agresivo y tengamos obstrucción y aumento de materia estéril. Por otro lado, Chesed, la Misericordia, está bien dignificado cuando ordena y preserva armoniosamente todas las cosas; pero está mal dignificado cuando la misericordia se torna sentimentalismo y usurpa la Esfera de Saturno, preservando lo que la abrasadora energía de Marte, su número opuesto, el Sephirah Geburah, debe barrer de la existencia.

11. Las dos Columnas representan, pues, las fuerzas positiva y negativa de la Naturaleza, lo activo y lo pasivo, lo destructivo y lo constructivo, la forma que concreta y la fuerza que se mueve libremente.

12. Los Sephiroth de la Columna Media puede considerarse

que representan niveles de consciencia y los planos en los que funcionan. Malkuth es la consciencia sensoria; Yesod es el psiquismo astral; Tiphareth es la consciencia iluminada, el aspecto supremo de la personalidad con la que la individualidad se unió; esta es la condición que constituye realmente la iniciación; es la consciencia del yo superior introducida en la personalidad. Es un destello de la consciencia superior que llega desde detrás del velo Paroketh. Por esta razón, los Mesías y Salvadores del mundo son asignados a Tiphareth en el simbolismo del Arbol, pues ellos fueron los Lucíferos de la humanidad; y como deberían ocurrirles a todos los que traen fuego de los cielos, son letalmente sacrificados por el bien de la humanidad. Aquí también morimos nosotros ante el yo inferior a fin de que podamos resucitar en el yo superior. *In Jesu morimur.*

13. La Columna Media se eleva a través de Daath, el Sephirah Invisible, que ya hemos visto que es el Conocimiento según los rabinos, y el conocimiento consciente o la aprehensión según la terminología de los psicólogos. Al frente de esta Columna está Kether, la Corona, la Raíz de todo Ser. La consciencia, pues, llega desde la esencia espiritual de Kether, mediante el conocimiento de Daath, que le lleva a través del Abismo, introduciéndolo en la consciencia traducida de Tiphareth, adonde es llevado por el sacrificio del Cristo que rasga el velo de Paroketh; luego, en la consciencia psíquica de Yesod, la Esfera de la Luna, y de allí a la consciencia cerebral sensoria de Malkuth.

14. De manera que la consciencia desciende en el transcurso de la involución, que es el término que se aplica a la fase de la evolución que hace descender desde el Primer Manifiesto, a través de los planos sutiles de la existencia, en la materia densa; hablando estrictamente, los esoteristas sólo deben usar el término evolución cuando describen el ascenso desde la materia de retorno al espíritu, pues entonces evoluciona lo que involucionó en el descenso a través de las fases sutiles del desarrollo. Es evidente que antes de involucionar o replegarse, nada podrá evolucionar o desarrollarse. El rumbo real de la evolución sigue la huella del Destello Centelleante o de la Espada Llameante, de Kether a Malkuth en el orden evolutivo de los Sephiroth antes descriptos; pero la consciencia desciende un plano tras otro, y sólo empieza a manifestarse cuando los Sephiroth polarizadores están en equilibrio; por lo tanto, las modalidades de la consciencia se asignan a los Sephiroth Equilibradores en la Columna Media, pero los poderes mágicos se asignan a los Sephiroth opues-

tos, cada cual al final del rayo del equilibrio de los pares de opuestos.

15. El Camino de la Iniciación sigue las espirales de las Serpiente de la Sabiduría sobre el Arbol; pero el Camino de la Iluminación sigue el Sendero de la Flecha que es lanzada desde el Arco de la Promesa, Qesheth, el arco iris de los colores astrales que se esparce como un halo detrás de Yesod. Este es el camino del místico, a diferencia del camino del ocultista; es rápido y directo, y libre del peligro de la tentación de la fuerza desequilibrada que se encuentra en una u otra columna, pero no confiere poderes mágicos, salvo los del sacrificio en Tiplareth y los del psiquismo en Yesod.

16. Hemos anotado las Tres Trinidades del Arbol en nuestra discusión preliminar de los Diez Sephiroth. Recapitulemos éstos nuevamente en aras de la claridad. Mathers llama Chokmah a la Primera Trinidad de Kether, y Binah al Mundo Intelectual; Geburah a la Segunda Trinidad de Chesed, y el Mundo Moral a Tiphareth; y Hod a la Tercera Trinidad de Netzach y Yesod al Mundo Material. Según mi modo de pensar, esta terminología es equívoca, pues estas palabras no connotan en nuestras mentes lo que estos Mundos quieren decir. El intelecto es esencialmente una concreción de la intuición y la aprehensión, y como tal es un término inapropiado para el Mundo de los Tres Supernos. Estoy de acuerdo con el uso del término Mundo Moral para Chesed, Geburah y Tiphareth; es idéntico a mi término Triángulo Etico; pero enfáticamente disiento con el término Mundo Material para la Trinidad de Netzach, Hod y Yesod, pues este término pertenece exclusivamente a Malkuth. Estos tres Sephiroth no son materiales sino astrales, y para esta Trinidad propongo el término Mundo Astral, o Mundo Mágico; no está bien apartar a las palabras de su significado etimológico, aunque definamos el uso que les demos, y Mathers no se molestó en hacer esto.

17. La Esfera Intelectual no es tanto un nivel cuanto una Columna, pues el intelecto, al ser el contenido de la consciencia, es esencialmente sintético. Sin embargo, estos términos se toman aparentemente de una traducción algo imperfecta de los nombres hebreos que se dan a los cuatro niveles en los que los cabalistas dividen la manifestación.

18. Estos cuatro niveles permiten aun otra agrupación de los Sephiroth. El más elevado de aquéllos es Atziluth, el Mundo Arquetípico, que consiste en Kether. El segundo, Briah, llamado el Mundo Creativo, consiste en Chokmah y Binah, el Abba y la Ama Supernos, el Padre y la Madre. El tercer nivel es el de Yet-

zirah, el Mundo Formativo, que consiste en los seis Sephiroth centrales, a saber, Chesed, Geburah, Tiphareth, Netzach, Hod y Yesod. El cuarto Mundo es Assiah, el Mundo Material, representado por Malkuth.

19. Los Diez Sephiroth toman también la forma de Siete Palacios. En el Primer Palacio están los Tres Supernos; en el Séptimo Palacio están Yesod y Malkuth; y el resto de los Sephiroth tiene cada cual un Palacio para sí. Esta agrupación es interesante, pues revela la estrecha relación de Yesod y Malkuth, y permite que la décupla escala de la Cábala se equipare con la escala séptuple de la Teosofía.

20. Hay también una división triple de los Sephiroth que es importantísima en el simbolismo cabalístico. En este sistema, Kether recibe el título de Arik Anpin, el Semblante Vasto. Este se manifiesta como Abba, el Padre Superno, Chokmah, y Ama, la Madre Superna, Binah, siendo éstos los aspectos positivo y negativo de los Tres en Uno. Estos dos aspectos diferenciados, cuando se unen, son, según Mathers, los Elohim, aquel curioso Nombre Divino que es un sustantivo femenino con un plural masculino anexo. Esta unión tiene lugar en Daath, el Sephirah invisible.

21. Los siguientes seis Sephiroth toman la forma de Zaur Anpin, el Semblante Inferior, o el Microprosopos, cuyo Sephirah especial es Tiphareth. El Sephirah restante, Malkuth, se llama la Novia del Microprosopos.

22. A veces, al Microprosopos también se lo llama el Rey; y, por ende, a Malkuth se lo llama la Reina. A ésta también se la llama la Madre Inferior o la Eva Terrestre, para distinguirla de Binah, la Madre Superna.

23. Estos diferentes métodos de clasificación de los Sephiroth no son sistemas que rivalicen, sino que están ideados para permitir que el sistema decimal de los cabalistas se equipare con otros sistemas, usando una anotación triple, como el cristiano, o como ya lo notamos, un sistema séptuple como la Teosofía; son también valiosos en cuanto a su indicación de afiliaciones funcionales entre los Sephiroth mismos.

24. Al sistema final de clasificación que debemos anotar lo presiden las Tres Letras Madres del alfabeto ebreo: Aleph, A; Mem, M; y Shin, Sh. Estas tres, según la adjudicación yetzirática del alfabeto hebreo, se asignan a los tres elementos de Aire, Agua y Fuego. Aleph preside la tríada Aérea de Kether, en la que está la Raíz del Aire, que se refleja hacia abajo a través de Tiphareth, el Fuego Solar, en Yesod, el resplandor Lunar. En Binah está la Raíz del Agua (Marah, el Gran Mar), reflejada a

través de Chesed en Hod, presidido por Mem, la Madre del Agua. En Chokmak está la Raíz del Fuego, reflejada hacia abajo a través de Geburah en Netzach, presidido por Shin, la Madre del Fuego.

25. Estos agrupamientos deberán tenerse presentes, ya que mucho ayudan a entender el significado de cada Sephiroth, pues como ya lo señalamos en varios aspectos, a un Sephirah se lo interpreta mejor por sus asociaciones.

Capítulo IX

LOS DIEZ SEPHIROTH DE LOS CUATRO MUNDOS

1. Ya hemos notado la división de los Sephiroth en los Cuatro Mundos de los cabalistas, pues éste es uno de los métodos de clasificación muy empleados en el pensamiento cabalístico y de gran valor cuando se estudia la evolución. Sin embargo, debemos recordar que el Arbol no es un método arbitrario de clasificación, y porque una cosa esté clasificada bajo un título en un sistema, eso no significa que igualmente no pueda clasificarse, de modo apropiado, bajo otro título en otro sistema. La reaparición del mismo símbolo en una Esfera diferente proporciona a menudo valiosas claves.

2. Bajo otro método de clasificación, considérase que los Diez Sephiroth Sagrados aparecen en cada Mundo cabalístico bajo otro arco o nivel de manifestación; de modo que tal como Ain Soph Aur, la Luz Ilimitada de lo Inmanifiesto, concentraba un punto, que era Kether, y las emanaciones operaban a través de grados crecientes de densidad descendentemente hasta Malkuth, de igual modo al Malkuth de Atziluth se lo concibe suscitando al Kether de Briah, y así consecutivamente, de modo descendente, a los planos, el Malkuth de Briah suscitando al Kether de Yetzirah, el Malkuth de Yetzirah suscitando al Kether de Assiah, y el Malkuth de Assiah, en su aspecto más bajo, rematando en los Qliphoth.

3. Sin embargo, a Atziluth se lo considera la esfera natural de los Sephiroth como tales, y por esta razón se llama el Mundo de las Emanaciones. Aquí, y sólo aquí, Dios actúa directamente y no a través de Sus ministros. En Briah, El actúa por medio de los Arcángeles, en Yetzirah a través de los Ordenes Angélicos, y en Assiah a través de los centros que denominé los Chakras Mundanos: los planetas, los elementos y los signos del Zodíaco.

4. Tenemos, pues, en estos cuatro conjuntos de símbolos, un sistema completo de anotación para expresar la modalidad

de función de cualquier poder dado en cualquier nivel dado, y este sistema de anotación es la base de la magia ceremonial con sus Nombres de Poder, y también de la magia talismánica y del sistema de adivinación del Tarot. Por esta razón se dice de los "nombres bárbaros de evocación" que ni siquiera una palabra puede cambiarse, pues estos nombres son fórmulas basadas en el alfabeto hebreo, que es el lenguaje sagrado de Occidente, como el sánscrito es el lenguaje sagrado del Oriente. Además, en hebreo, cada letra es también un número, de modo que los Nombres son fórmulas numéricas; un sistema muy intrincado de matemática metafísica, llamado Gematría, se basa en este principio. Hay aspectos de la Gematría que, en la etapa presente de mi conocimiento en todo caso, los considero espurios y vanos, siendo productos de la superstición, pero la idea básica del sistema de matemática cósmica encierra incuestionablemente grandes verdades y contiene grandes posibilidades. Usando este sistema, es posible desentrañar las relaciones de toda clase de factores cósmicos si se conoce el deletreo correcto de los Nombres de Poder, pues estos Nombres se formularon según los principios de la Cematría, y, por lo tanto, la Gematría suministra la clave de aquéllos. Pero en este aspecto de nuestro tema, aunque fascinante, no podemos entrar ahora.

5. En el Mundo Arquetípico de Atziluth se asignan a los Diez Sephiroth diez formas del Nombre Divino. Todo el que haya leído la Biblia no podrá haber dejado de observar que a Dios se lo menciona con diversos títulos, como el Señor, el Señor Dios, el Padre, y con otros diversos apelativos. Ahora bien, éstos no son artificios literarios para evitar repeticiones innecesarias, sino términos metafísicos exactos, y según el Nombre que se use, conocemos el aspecto de la fuerza Divina en cuestión y el plano en el que está funcionando.

6. En el mundo de Briah se sostiene que los poderosos Arcángeles cumplen los mandatos de Dios y les dan expresión, y adjudicados a las Esferas Sephiróthicas del Arbol, en este Mundo, están los nombres de estos diez espíritus poderosos.

7. En Yetzirah están los coros de ángeles, innumerables en su concurso, que cumplen las órdenes Divinas; y aquéllos están también asignados a sus Esferas Sephiróthicas, permitiéndonos así conocer su modalidad y su nivel de función.

8. En Assiah, como ya lo notamos, ciertos centros naturales de fuerza reciben correspondencias similares. Consideraremos todas estas asociaciones cuando lleguemos a estudiar pormenorizadamente los Sephiroth.

9. En la traducción simbólica de los Diez Sephiroth Sagra-

72

dos, en los Cuatro Mundos, hay otro importante conjunto de factores a considerar, y éstos son las escalas de los cuatro colores clasificadas por Crowley como la escala del Rey, asignada al Mundo de Atziluth; la escala de la Reina, asignada al Mundo de Briah; la escala del Emperador, asignada al Mundo de Yetzirah; y la escala de la Emperatriz, asignada al Mundo de Assiah.

10. Esta clasificación cuádruple tiene significado de vasto alcance en todos los asuntos cabalísticos, y también en la magia occidental, que se basa, en gran medida, en la Cábala. Dícese que el Nombre Sagrado, traducido popularmente como Jehovah, es presidido por las Cuatro Letras del Tetragrammaton. En hebreo, que no tienen vocales en su alfabeto, esta palabra se deletrea JHVH, o, según los nombres hebreos de estas letras, Yod, Hé, Vau, Hé. En hebreo, las vocales se indican con puntos insertos en y debajo de las cuatro letras del escrito, que se escribe de derecha a izquierda. Estos puntos de vocales sólo se introdujeron en fecha comparativamente reciente, y los escritos hebreos más antiguos no tienen puntos, de modo que el lector no puede ver por sí solo la pronunciación de cualquier nombre propio, sino que necesita que se lo comunique alguien que lo sepa. Dícese que la pronunciación mística verdadera del Tetragrammaton es uno de los arcanos de los Misterios.

11. A las Cuatro Letras del Nombre se les asigna cualquier clasificación mística cuádruple, y por medio de sus correspondencias podemos seguir todas sus formas de relaciones, y éstas son importantísimas en el ocultismo práctico, como lo veremos más tarde.

12. Cuatro importantes divisiones cuádruples hallan cabida entre ellas, permitiéndonos así ver sus relaciones entre sí. Estas son los Cuatro Mundos de los cabalistas; los cuatro elementos de los alquimistas; la cuádruple clasificación de los signos del Zodíaco y los planetas en triplicidades, empleada por los astrólogos; y los cuatro palos del mazo del Tarot, usado en la adivinación. Esta clasificación cuádruple se parece a la Piedra de la Rosetta que dio la clave de los jeroglíficos egipcios, pues en ella había inscripciones en egipcio y griego; como se conocía el griego, fue posible descifrar el significado de los jeroglíficos egipcios correspondientes. El método con que se ordenan todos estos conjuntos de factores en el Arbol es el que da la real clave esotérica de cada uno de estos sistemas del ocultismo práctico. Sin esta clave, no tienen base filosófica y se convierten en asuntos empíricos o supersticiosos. Es por esta razón que el ocultista iniciado nada tendrá que ver con el adivino no iniciado, pues

sabe que, al carecer aquel de esta clave, su sistema no tiene valor. De allí la importancia vital del Arbol en el ocultismo occidental. Aquél es nuestra base, nuestra norma de medición, y nuestro libro de texto.

13. Para entender un Sephirah necesitamos, pues, conocer primero sus correspondencias primarias en los Cuatro Mundos; sus correspondencias secundarias en los cuatro sistemas del ocultismo práctico antes citadas; y tercero, cualesquiera otras correspondencias que por cualquier medio podamos reunir, a fin de que el testimonio de muchos testigos produzca la verdad. Esta reunión de correspondencias no puede tener fin, pues todo el cosmos en todos sus planos guarda correspondencias en secuencias sin término. Si somos buenos estudiantes de la ciencia oculta estamos acrecentando constantemente nuestro conocimiento. Es posible que no pudiera haberse hallado mejor símil que el del sistema de fichero.

14. Pero una vez más deberemos recordar al lector, a este respecto, que la Cábala es tanto un método de uso de la mente cuanto un sistema de conocimiento. Si tenemos el conocimiento sin haber adquirido la técnica cabalística de la acción mental, es de poca utilidad para nosotros. De hecho, podríamos llegar a decir que no es posible adquirir altos grados de conocimiento hasta que se haya dominado esta técnica de la mente; pues no es a la mente consciente a la que el Arbol apela, sino a la subconsciencia, pues el método lógico de la Cábala es el método lógico de la asociación onírica; pero; en el caso de la Cábala, quien sueña es la subconsciencia racial, la super-alma de los pueblos, el espíritu de la Tierra. En comunión con esta alma de la Tierra, el adepto entra, por medio de la meditación, en los símbolos prescriptos. Este es el significado real del Arbol y sus correspondencias.

15. Al más alto de los Cuatro Mundos, Atziluth, el plano de la Deidad pura, los cabalistas lo llaman el Mundo Arquetípico. En la traducción algo chapucera de MacGregor Mathers, también se llama el Mundo Intelectual. Este término es equívoco. Sólo es intelectual como comúnmente entendemos la palabra en relación con la mente, con el intelecto racional, en la medida en que es el reino de las ideas arquetípicas. Pero estas ideas son enteramente abstractas, y se las concibe mediante una función de la consciencia totalmente aparte del alcance de la mente como nosotros la conocemos. Por lo tanto, llamar "Mundo Inte-

lectual" a este nivel es desorientar al lector, a menos que, al mismo tiempo, digamos que, con intelecto, significamos algo muy distinto de lo que el diccionario significa. Este es un modo pobre de expresar nuestras ideas. Es mucho mejor acuñar un nuevo término, con un significado preciso, que usar un término viejo en un sentido equívoco, especialmente, en el caso de Atziluth, cuando hay un término excelente, ya en circulación, el término "Arquetípico", que lo describe exactamente.

16. Los cabalistas dicen que el Yod del Nombre Sagrado del Tetragrammaton preside al Mundo de Atziluth. De esto podemos justamente deducir que, en cualquier otro sistema cuádruple, cuanto se diga que esté presidido por Yod se referirá al aspecto de Atziluth, o aspecto puramente espiritual de esa fuerza o tema. Entre otras asociaciones que diferentes autoridades dan, están los Bastos del mazo del Tarot y el Elemento del Fuego. Para quien tenga algún conocimiento de temas ocultos será patente que tan pronto conocemos el elemento al que se le asigna un símbolo, conocemos muchísimo, pues nos abre todas las ramificaciones de la astrología, y podemos rastrear sus afinidades astrológicas a través de las triplicidades del Zodíaco y las afinidades de los planetas con aquéllas. Tan pronto sabemos qué asociaciones zodiacales y planetarias existen, estamos en condiciones de explorar el simbolismo conexo de cualquier panteón, pues todos los dioses y diosas de todos los sistemas que la mente humana inventó tienen asociaciones astrológicas. Los relatos de sus aventuras son realmente parábolas de las actividades de las fuerzas cósmicas. A través de este laberinto simbólico nunca podríamos confiar en que encontraremos nuestro camino sin ayuda, pero si anclamos el extremo de cada cadena de correspondencias a su Sephirah, tenemos la clave que necesitamos.

17. Todos los sistemas del pensamiento esotérico, lo mismo que todas las teologías populares, atribuyen la construcción y la presidencia de las diferentes partes del universo manifiesto a la mediación de los seres inteligentes y deliberados, que trabajan bajo la instrucción de la Deidad. El pensamiento moderno procuró escapar a las implicancias de este concepto reduciendo la manifestación a un asunto de mecánica; no lo logró y hay señales de que no esté distante del punto en el que perciba a la mente como en la raíz de la forma.

18. Los conceptos de la Sabiduría Antigua pueden ser imperfectos desde el punto de vista de la filosofía moderna, pero estamos obligados a admitir que la fuerza causal que está detrás de la manifestación es más afín, en su naturaleza, a la mente que a la materia. Dar un paso más y personificar los diferentes tipos de fuerza es una analogía legítima, siempre que comprendamos que el ente que es el alma de la fuerza puede diferir tanto de nuestras mentes en género y grado como nuestros cuerpos difieren de los cuerpos de los planetas en tipo y escala. Estaremos más cerca de entender la naturaleza si buscamos a la mente en el trasfondo que si rehusamos admitir que el universo visible tiene una estructura invisible. El éter de los físicos es mucho más afín a la mente que a la materia; tiempo y espacio, como los entiende el filósofo moderno, se parecen más a modalidades de consciencia que a medidas lineales.

19. Los iniciados de la Sabiduría Antigua no anduvieron con rodeos con su filosofía; tomaron cada factor de la Naturaleza y lo personificaron, le dieron un nombre y armaron una figura simbólica para representarlo, tal como los artistas británicos, mediante sus esfuerzos colectivos, produjeron su emblema nacional: una figura de mujer con un escudo que lleva el pabellón del Reino Unido, un león a sus pies, un tridente en su mano, un casco en su cabeza, y el mar detrás. Analizando esta figura, como lo haríamos con un símbolo cabalístico, comprendemos que cada símbolo de esa complicada representación tiene un significado. Las diversas cruces que componen el pabellón nacional británico se refieren a las cuatro razas unidas del Reino. El casco corresponde a Minerva, el tridente a Neptuno; el león solo necesitaría un capítulo para aclarar su simbolismo. De hecho, un jeroglífico oculto es más afín a un escudo de armas que a otra cosa, y quien arma un jeroglífico se pone a trabajar igual que un experto en heráldica diseña un escudo de armas. Pues en heráldica, cada símbolo tiene su significado exacto, que se combina en el escudo de armas que representa a la familia y la filiación de quien lo lleva, y nos habla de su posicón en la vida. Una figura mágica es el escudo de armas de la fuerza que representa.

20. Estas figuras mágicas se construyen para que representen los diferentes modos de la manifestación de la fuerza cósmica en sus distintos tipos y niveles. Reciben nombres, y el iniciado

piensa en ellas como personas, sin molestarse por sus fundamentos metafísicos. En consecuencia, para todos los fines prácticos son personas, pues sea lo que fueren en lo real, fueron personalizadas, y en el plano astral construyéronse formas de pensamiento para representarlas. Estas, al cargarse con fuerza, son de la naturaleza de los elementales artificiales; pero como la fuerza con que están cargadas es cósmica, son mucho más de lo que corrientemente implicamos cuando hablamos de elementales artificiales, y las asignamos al reino angélico y las llamamos ángeles o arcángeles según su grado. Un ser angélico, pues, puede definirse como una fuerza cósmica cuyo vehículo aparente de manifestación para la consciencia cósmica es una forma construida por la imaginación humana. En el ocultismo práctico, estas formas se construyen con gran cuidado y con la más acabada atención sobre los pormenores del simbolismo, y se las usa para evocar la fuerza que se necesita; quien haya tenido la experiencia de usarlas convendrá en que son peculiarmente eficaces para los fines para los que están diseñadas. Teniendo en la mente la imagen mágica y haciendo vibrar el nombre tradicional que tiene asignado, se obtienen notables fenómenos.

21. Como ya lo hemos notado, es necesario usar la técnica mental de los cabalistas a fin de extraer algún sentido a la Cábala; esta formulación de la imagen y la vibración del nombre tiene por fin poner al estudiante en contacto con las fuerzas que están detrás de cada Esfera del Arbol, y cuando entra en contacto de este modo, su consciencia se ilumina y su naturaleza es dinamizada por la fuerza con la que así tomó contacto, y obtiene notables iluminaciones de su contemplación de los símbolos. Estas iluminaciones no son un torrente generalizado de luz, como en el caso del místico cristiano, sino una dinamización y una iluminación específicas según la Esfera que se haya abierto; Hod da comprensión de las ciencias, Yesod comprensión de la fuerza vital y sus modalidades de mareas de funcionamiento. Cuando se toma contacto con Hod, nos llenamos de entusiasmo y energía para investigar; cuando tomamos contacto con Yesod, entramos profundamente en la consciencia psíquica y tocamos las ocultas fuerzas vitales de la tierra y nuestras propias naturalezas. Estos son asuntos de la experiencia; quienes usaron el método saben lo que les produce. Cuales quie-

ra que sean las bases racionales del sistema, como método empírico da resultados.

22. Si queremos estudiar un Sephirah —en otras palabras, si queremos investigar el aspecto de la Naturaleza al que se refiere— no sólo lo estudiamos intelectualmente y meditamos en él, sino que tratamos de entrar en contacto psíquico e intuitivo con su influencia y su Esfera. A fin de cumplir esto, empezamos siempre por la parte superior y tratamos de entrar en contacto espiritual con el aspecto de la Deidad que emanó de esa Esfera y se manifiesta en ella. Si no se hace esto, las fuerzas pertenecientes a la Esfera de los niveles elementales pueden escaparse de las manos y causar dificultades. Sin embargo, si se empieza bajo la presidencia del Nombre Divino, ningún mal podrá sobrevenir.

23. Tras adorar al Creador y Sostenedor de Todo bajo Su Sagrado Nombre en la Esfera que estamos investigando, a continuación invocamos al Arcángel de la Esfera, al potente ser espiritual en quien personificamos las fuerzas que armaron ese nivel de la evolución y continuamos funcionando en el correspondiente aspecto de la Naturaleza. Pedimos la bendición del Arcángel, y rogamos que él mande al Orden de Angeles asignado a esa Esfera que sean amistosos y auxiliadores con nosotros en el reino de la naturaleza en el que funcionan. Para cuando hayamos hecho esto, estaremos cabalmente sintonizados con la nota clave de la Esfera que estamos investigando y estaremos listos para seguir las ramificaciones de las correspondencias de ese Sephirah y sus símbolos afines.

24. Enfocadas de este modo, encontraremos las cadenas de asociaciones mucho más ricas en simbolismo de cuanto hayamos creído posible jamás, pues la mente subconsciente se agitó y se abrió una de sus muchas cámaras de imágenes, con exclusión de todas las demás. Las cadenas de asociaciones que surgen en la consciencia deben, por tanto, ser libres de toda mezcla de ideas extrañas y fieles en su tipo.

25. Primero, examinamos en nuestras mentes todos los símbolos posibles que podemos recordar, y cuando se presentan a la consciencia tratamos de ver su sentido y su conexión en los secretos de la Esfera que investigamos. Pero no nos esforzamos demasiado; pues si nos concentramos en un símbolo y nos esforzamos en él, por así decirlo, cerramos las redes del tenue velo

que escuda a la mente subconsciente. En estas investigaciones, mitad meditación, mitad ensoñación, queremos trabajar en los lindes de la consciencia y la subconsciencia para inducir a lo que es subconsciente a que cruce el umbral y se ponga a nuestro alcance.

26. Cuando procedamos así, siguiendo las ramificaciones de las cadenas de asociaciones, hallaremos que un fluido comentario intuitivo acompaña al proceso, y, luego que el experimento se repitió dos o tres veces, percibiremos que conocemos ese Sephirah de modo peculiarmente íntimo, que allí nos sentimos familiarizados, que ese sentimiento es muy distinto del de los demás Sephiroth con los que todavía no hemos trabajado. También descubriremos que algunos Sephiroth congenian con nosotros más que otros, y que obtenemos mejores resultados cuando trabajamos con ellos que el que logramos con aquellos con los que no congeniamos, en los que las cadenas de asociaciones se siguen rompiendo y las puertas de la subconsciencia rehusan decididamente abrirse ante nuestros golpes. Un discípulo mío pudo realizar excelentes meditaciones con Binah (Saturno, y Tiphareth, el Redentor), pero no anduvo nada bien con Geburah (la Severidad, Marte).

27. Jamás olvidaré mi experiencia en mi primer intento con este método. Estaba yo trabajando en el Sendero Trigésimo segundo, el Sendero de Saturno, que une a Malkuth con Yesod, un sendero muy difícil y traicionero. En mi horóscopo, Saturno no está bien aspectado, y a menudo experimenté en mis asuntos su influencia contraria. Pero luego que logré recorrer el Sendero de Saturno y entré en las tinieblas color índigo de lo Invisible hasta que la Luna de Yesod se elevó en púrpura y plata sobre el horizonte, creí haber recibido la iniciación de Saturno, que había dejado de ser mi enemigo, y era un amigo en quien, aunque franco y severo, yo tenía que confiar para protegerme de errores y juicios precipitados. Comprendí que su función era la de quien pone a prueba, no la del antagonista o vengador. Le conocí como el Tiempo con su guadaña, pero también supe porqué se llamaba, en hebreo, Shabbathai, descanso, "pues él da sueño a su amado". Luego de ello, el Sendero Trigésimo segundo se abrió para mí, no sólo en el Arbol, sino también en la vida, pues las fuerzas y los problemas simbolizados por el Sendero y sus correspondencias se habían armonizado en

mi alma. Por estos dos breves ejemplos se verá que las meditaciones sobre el Arbol forman un sistema muy práctico y exacto de desarrollo místico; y un sistema que es peculiarmente valioso porque es equilibrado, pues los diferentes aspectos de la manifestación, por así decirlo, son diseccionados y tratados a su vez, sin descuidarse nada. Para cuando hayamos recorrido todos los Senderos del Arbol, habremos aprendido las lecciones de la Muerte y del Demonio, lo mismo que del Angel y del Sumo Sacerdote.

Capítulo X

LOS SENDEROS DEL ARBOL

1. El *Sepher Yetzirah* se refiere tanto a los Diez Sephiroth como a las líneas que los conectan, como Senderos, y esto precisamente porque todos son, por igual, canales de la influencia Divina; pero es habitual, en el trabajo práctico, considerar a las líneas existentes entre los Sephiroth sólo como los Senderos, y a los Sephiroth como Esferas sobre el Arbol. Este es uno de los muchos ardides y subterfugios que se hallarán en el sistema cabalístico, pues si pensamos en los Senderos como treinta y dos en total, como aparecen en el *Sepher Yetzirah*, no podremos equipararlos con las veintidós letras del alfabeto hebreo que, con su valor y correspondencias de carácter numérico, forman la clave de los Senderos.

2. Dícese que cada Sendero representa el equilibrio de los dos Sephiroth que conecta, y tenemos que estudiarlo a la luz de nuestro conocimiento de estos Sephiroth si hemos de apreciar su significado. Ciertos símbolos se asignan también a los Senderos mismos. Como ya se notó, éstos son las veintidós letras del alfabeto hebreo; los signos del Zodíaco, los planetas y los elementos. Ahora bien, hay doce signos del Zodíaco, siete planetas y cuatro elementos, que en total suman veintidós símbolos. ¿Cómo están ordenados en Veintidós Senderos? He aquí otro subterfugio cabalístico para desconcertar a los no iniciados. La respuesta es muy sencilla cuando se la conoce. Como nuestra consciencia está en el elemento Tierra, no necesitamos el símbolo de tierra en nuestros cálculos cuando efectuamos contacto con lo Invisible, de modo que lo dejamos y luego nos encontramos con el conjunto correcto de correspondencias. Malkuth es toda la tierra que necesitamos para los fines prácticos.

3. El tercer conjunto de símbolos para recorrer los Senderos es los veintidós arcanos mayores del mazo del Tarot. Con estos tres conjuntos de símbolos y los colores de las escalas de los cuatro colores, se completa nuestro simbolismo mayor; el simbolismo menor consiste en innumerables ramificaciones de las correspondencias a través de todos los sistemas y planos.

4. El Arbol de la Vida, la astrología y el Tarot no son tres sistemas místicos, sino tres aspectos de un mismo sistema, y cada uno es ininteligible sin los otros. Sólo cuando estudiamos la astrología sobre la base del Arbol tenemos un sistema filosófico; de igual modo, esto se aplica al sistema de adivinación del Tarot, y el Tarot mismo, con sus vastas interpretaciones, da la clave del Arbol como se aplica a la vida humana.

5. La astrología es tan esquiva porque el astrólogo que no está iniciado trabaja en un solo plano; pero el astrólogo iniciado, con el Arbol como su plan básico, interpreta los cuatro planos de los Cuatro Mundos, y el efecto, por ejemplo, de Saturno, es muy diferente en Atziluth, donde está la Madre Divina, Binah, que el que está en Assiah.

6. Todos los sistemas de adivinación y todos los sistemas de magia práctica hallan sus principios y su filosofía sobre la base del Arbol; quien trate de usarlos sin esta clave se parece a la persona temeraria que tiene una farmacopea de medicinas de venta pública y se receta y hace lo propio con sus amigos según las descripciones que se dan en la publicidad, en las que el dolor de espaldas incluye todos los malestares que no causan dolor en la parte delantera del cuerpo. El iniciado que conoce a su Arbol se parece al médico profesional que entiende los principios de la fisiología y la farmacopea, y las precribe en consecuencia.

7. A paritr de fuentes tradicionales elaboráronse diversos métodos característicos del Tarot. En su opúsculo *La Clave del Tarot (The Key to the Tarot)*, A. E. Waite da los principales métodos; pero se abstiene de indicar cuál es el correcto según su opinión. En sus valiosas tablas sobre simbolismo esotérico. "777", Crowley no tiene semejante reticencia, pero da el sistema como lo conocen los iniciados. Este es el método que propongo seguir en estas páginas, pues creo que es el correcto porque las correspondencias resultan sin discrepancias, lo cual no ocurre en ninguno de los otros sistemas.

8. Según este sistema, los cuatro palos del mazo del Tarot se adjudican a los Cuatro Mundos de los cabalistas y a los cuatro elementos de los alquimistas. El palo de Bastos se adjudica a Atziluth y Fuego. El palo de Copas de Briah y Agua. El palo de espadas a Yetzirah y Aire. El palo de Pentáculos u Oros a Assiah y Tierra.

9. Los cuatro ases se adjudican a Kether, el primer Sephirah; los cuatro dos a Chokmah, el segundo Sephirah; y así sucesivamente, en forma descendente, en el mazo; los cuatro diez se asignan a Malkuth. Así se verá que las cartas de los cuatro palos del mazo del Tarot representan la acción de las Fuerzas Divinas en cada esfera y en cada nivel de la naturaleza. De igual modo, si conocemos el significado de las cartas del Tarot, obtendremos mucha luz sobre la naturaleza de los Senderos y las Esferas a los que están adjudicadas. Estos dos sistemas, el Tarot y el Arbol, por ser de antigüedad inmemorial, con sus orígenes que se pierden en el horizonte de los siglos, tienen un conjunto enorme de correspondencias simbólicas que se acumularon alrededor de cada uno de ellos. Cada ocultista práctico que trabajó con el Arbol hizo su aporte a estas, surtidas de asociaciones, haciendo que los símbolos vivan en el Astral por medio de sus operaciones. El Arbol y sus claves son de adaptabilidad infinita.

10. Las cuatro figuras del Tarot se llaman, en los naipes modernos: el Rey, la Reina, el Caballero y la Sota; pero en los mazos tradicionales, según Crowley, su ordenamiento y su simbolismo es diferente. El Rey es la figura de a caballo, e indica la rauda acción del Yod del Tetragrammaton en la esfera del palo, y se equipara, pues, con el Caballero del mazo moderno. La Reina, como en los mazos modernos, es una figura sentada, que representa las fuerzas firmes del Hé del Tetragrammaton; el Príncipe del Tarot esotérico es una figura sentada, que corresponde al Vau del Tetragrammaton; y la Princesa, la Sota de los mazos modernos, corresponde al Hé final del Nombre Sagrado.

11. Los veintidós Arcanos Mayores son ordenados de diversos modos por distintas autoridades, de lo cual el señor Waite da una selección, pero en nuestro sistema seguiremos el orden que Crowley da, por las razones que hemos formulado.

12. En estas páginas, proponemos dar el Arbol filosófico de la Vida, y bastante instrucción práctica para tornarlo asequible a los fines de la meditación; pero no nos proponemos dar la Cá-

bala Práctica que se usa con fines mágicos; porque eso sólo puede aprenderse adecuadamente y practicarse con seguridad en el Templo de los Misterios. Sin embargo, debe hacerse referencia a la Cábala Práctica a fin de tornar inteligibles algunos conceptos, pero quienes están en legítima posesión de sus claves no es menester que teman que éstas se revelarán en estas páginas a los que no estén iniciados, pues percibo muy bien las consecuencias de obrar así.

13. Si por la información que aquí se da, y como resultado de seguir los métodos que aquí se describen, alguien puede desentrañar por sí solo las claves de la Cábala Práctica, como tal puede ser el caso, ¿podrá alguien discutir que está autorizado a ellas?

14. El Arbol es enormemente valioso como jeroglífico de meditación, dejando enteramente de lado su uso en magia. Mediante meditaciones como las que describí al relatar mis propias experiencias en el Trigésimo segundo Sendero, es posible equilibrar los elementos en pugna en nuestra propia naturaleza y ponerlos en equilibrio armónico. También es posible entrar en relación simpática con los distintos aspectos de la Naturaleza que estos símbolos representan cuando se los aplica al Macrocosmos, aunque estas fuerzas no reciban una forma clara en la magia talismánica. La información que se obtiene del estudio de nuestro horóscopo no se ha de aceptar pasivamente como aquello que el Destino depara y es inapelable. Tenemos la obligación de comprender que la magia talismánica, o el menos concentrado método de la meditación sobre el Arbol, debe usarse para compensar toda la desequilibrada fuerza del horóscopo y para poner todo en equilibrio. La magia talismánica es respecto de la astrología lo que el tratamiento médico es respecto del diagnóstico médico.

15. No me es posible dar aquí fórmulas de magia práctica; antes de poder usar semejantes fórmulas es necesario haber recibido los grados de iniciación a los cuales pertenecen. Sin estos grados, el estudiante no aventajaría a la persona que procura diagnosticar y trata sus males luego de leer un libro de texto sobre medicina. El delicioso humorista Jerome K. Jerome nos ha contado qué ocurre en tal caso. El desdichado imagina tener todas las enfermedades que allí se describen, salvo la rodilla

de fregona, y no puede decidirse por el tratamiento apropiado, pues todo lo que imagina está contraindicado.

16. Las iniciaciones rituales de los Misterios Mayores de la Tradición Esotérica occidental se basan en los principios correspondientes al Arbol de la Vida. Cada grado corresponde a un Sephirah y confiere, o debería conferir, si el Orden que los trabaja es digno del nombre, los poderes de esa esfera de la naturaleza. De modo parecido, franquea los Senderos que conducen hacia ese Sephirah, de modo que se dice que el iniciado es el Señor del Trigésimo segundo Sendero cuando tomó la iniciación que corresponde a Yesod, o el Señor de los Senderos Vigésimo cuarto, Vigésimo quinto y Vigésimo sexto cuando tomó la iniciación correspondiente a Tiphareth, que le constituye en iniciado pleno. Más allá de esto están los grados superiores del adeptado.

17. El objetivo de cada grado de iniciación de los Misterios Mayores es introducir al candidato en al Esfera de cada Sephirah por vez, trabajando desde Malkuth hasta el Arbol. Las instrucciones que se dan en cada grado conciernen al simbolismo y a las fuerzas de la Esfera a los que se refiere y los Senderos que lo equilibran. El signo y la palabra del grado se usan cuando se recorren estos Senderos en visión espiritual o proyectándolos en el plano astral. En consecuencia, el iniciado puede moverse con exactitud y certidumbre en cualquier esfera de lo Invisible en que desee penetrar, y contrarrestar a todos los seres y visiones que afronte, pues sabe cuáles son los colores de los Senderos de las cuatro escalas, y a través de aquellos colores verifica lo que ve. Si trabaja el Trigésimo segundo Sendero de Saturno, cuyos colores se hallan todos dentro de los oscuros matices del índigo, del azul marino y del negro, sabe que algo está de más si se presenta una figura con atavío escarlata. Esa figura es ilusoria o el iniciado mismo se apartó del Sendero.

18. Es necesario por muchas razones proyectar el cuerpo astral a lo largo de los Senderos para mantener los grados de iniciación a los cuales corresponden; y la principal razón es que, a menos que hayamos recibido el grado, los guardianes de los Senderos nos desconocerán, y serán más bien hostiles que auxiliadores, y harán todo lo que puedan para hacer que el extraviado regrese. En segundo lugar, si se ha de lograr forzar el paso frente al guardián, se carece aún de los medios para contrarrestar la

visión o para saber si se está dentro o fuera del Sendero, y en la esfera inferior hay muchos seres demasiado dispuestos a aprovechar la presuntuosa ignorancia.

19. Sin embargo, estas consideraciones de ningún modo necesitan desanimar a todo aquel que desee meditar sobre los Senderos y las Esferas de la manera que he descripto; y en el transcurso de sus meditaciones tal vez entre de tal modo en el espíritu del Sendero que el guardián de éste llegue a conocerle y darle la bienvenida. Entonces, se habrá literalmente iniciado a sí mismo, y nadie podrá negarle el derecho a estar allí.

20. Considerado desde el punto de vista iniciático, el Arbol es el eslabón entre el microcosmos, que es el hombre, y el Macrocosmos, que es Dios manifestado en la Naturaleza. Una iniciación ritual es el acto de eslabonar al Sephirah microcósmico, al *chakra*, con el Sephirah Macrocósmico; es una introducción de un recién llegado, en la Esfera, por parte de quienes ya están allí. Ellos construyen una representación simbólica de la Esfera en el plano físico de los avíos del templo; ellos construyen una réplica astral de éste, concentrando su imaginación; y por medio de la invocación, en este templo que no fue fabricado con las manos, hacen descender las fuerzas de la Esfera del Sephirah sobre el cual están trabajando.

21. Estas fuerzas estimulan a los correspondientes *chakras* del iniciado y los despiertan para que actúen en el aura de éste. El proceso de autoiniciación mediante las meditaciones que describí es más lento que los procesos de iniciación ritual, pero es bastante seguro si una persona adecuada tiene perseverancia; sin embargo, a una medusa no se le podrá enseñar a cantar alimentándola con alpiste.

Capítulo XI

LOS SEPHIROTH SUBJETIVOS

1. Tal como es arriba, así es abajo: el hombre es un macrocosmos en miniatura. Todos los factores que estructurarán al universo manifiesto están presentes en la naturaleza del hombre. De allí que, por su perfección, dícese que es usperior a los ángeles. En la actualidad, sin embargo, los ángeles son seres plenamente evolucionados, y el hombre no lo es. De manera que es muy inferior a los ángeles, como un niño de tres años está menos desarrollado que un perro de tres años.

2. Hasta aquí hemos considerado al Arbol de la Vida como un epítome del Macrocosmos, del universo, y al uso de sus símbolos para ponernos en contacto con las diferentes esferas de la Naturaleza objetiva. Consideraremos ahora al Arbol de la Vida en relación con la esfera subjetiva de la naturaleza del individuo.

3. Las correspondencias aceptadas, como las ofrece Crowley (quien, desdichadamente, nunca da las autoridades en que se funda, de modo que no sabemos cuándo usa el sistema de MacGregor Mathers y cuándo se apoya en sus investigaciones independientes), se basan, en parte, en la adjudicación astrológica de los planetas asignados a los diferentes Sephiroth, y, en parte, en un imperfecto esquema anatómico de la forma humana que se alza de espaldas al Arbol. Esto es demasiado imperfecto para nuestros fines, y probablemente represente la labor de posteriores generaciones de escribas; durante la Edad Media, la Cábala fue redescubierta por los filósofos europeos, y ellos injertaron el simbolismo astrológico y alquímico en su sistema. Además, los rabinos mismos usaron un conjunto extremadamente minucioso de metáforas anatómicas, discutiendo

pormenorizadamente el significado de cada pelo de la cabeza de Dios, e incluso las partes más íntimas de Su anatomía. Tales referencias no pueden tomarse al pie de la letra y aplicarse a la forma humana.

4. Los Sephiroth, individualmente y en su modelo de relaciones, representan, respecto del Macrocosmos, las fases sucesivas de evolución, y, respecto del Microcosmos, los diferentes niveles de consciencia y factores del carácter. Una suposición razonable es que estos niveles de la consciencia tienen alguna relación con los centros psíquicos del cuerpo físico, pero no debemos ser toscos y medievales en las conclusiones que extraigamos. La anatomía y la fisiología ocultas fueron elaboradas minuciosamente en la ciencia yóguica de los hindúes, y podemos aprender mucho de las enseñanzas de éstos. Los últimos adelantos en fisiología señalan la conclusión de que el vínculo entre la mente y la materia ha de buscarse, en primer lugar, en el sistema endócrino de las glándulas sin conducto y sólo en segundo lugar en el cerebro y el sistema nervioso central. También podemos aprender mucho de esta fuente de conocimiento, y ensamblando toda la información que podamos recoger de todas las fuentes, tal vez lleguemos finalmente, mediante razonamiento inductivo, a lo que los antiguos aprendieron por medio de los métodos intuitivo y deductivo que llevaron a tan alto grado de perfección en sus escuelas de los Misterios.

5. Por lo general, hay concordancia en que los *chakras*, o los centros psíquicos descriptos en la literatura yóguica, no están situados dentro de los órganos con los que están asociados, sino en la envoltura áurica, en sitios que son más o menos cercanos a aquéllos. Por tanto, haremos bien en no asociar los diferentes Sephiroth con los miembros y otras partes de nuestra anatomía, y a considerar como metafórico el uso de tales analogías, y buscar los principio psíquicos que se afirma que representan.

6. Antes de proceder a un estudio minucioso de cada Sephirah desde este punto de vista, es utilísimo contar con un estudio general del Arbol en conjunto, porque en tal medida el esclarecimiento del simbolismo depende de la relación de un símbolo con otro en el dibujo del Arbol. Este capítulo deberá necesariamente ser expositivo y no exhaustivo, pero permitirá

que el estudio pormenorizado de cada Sephiroth se lleve a cabo mucho más eficazmente.

7. La primera y más evidente división del Arbol es en las tres Columnas, y esto nos recuerda de inmediato a los tres canales del *Prana* descriptos por los *yogis*: Ida, Pingala y Shushumna; y los dos principios, el *Yin* y el *Yang* de la filosofía china, y el *Tao*, o Camino, que es el equilibrio entre ellos. La verdad se establece mediante coincidencia de testimonios, y cuando encontramos tres de los grandes sistemas metafísicos del mundo en plena coincidencia, podemos sacar en conclusión que estamos tratando los principios establecidos y debemos aceptarlos como tales.

8. Según mi opinión, la Columna Central debe considerarse que representa la consciencia, y las dos columnas laterales, los factores positivo y negativo de la manifestación. Es digno de nota que, en el sistema yóguico, la consciencia se extiende cuando Kundalini se eleva a través del canal central del Shushumna, y que la operación mágica occidental de Elevación en los Planos tiene lugar hasta la Columna Central del Arbol; es decir, el simbolismo que se emplea para inducir esta extensión de la consciencia no toma a los Sephiroth en su orden numérico, comenzando con Malkuth, sino que marcha de Malkuth hasta Yesod, y desde Yesod, hasta Tiphareth, por lo que se llama el Sendero de la Flecha.

9. Malkuth, la Esfera de la Tierra, consideran los ocultistas que significa la consciencia cerebral, como lo demuestra el hecho de que, luego de cualquier proyección astral, el retorno ceremonial se efectúa hacia Malkuth y allí se restablece la consciencia normal.

10. A Yesod, la Esfera de Levanah, la Luna, se lo considera la consciencia psíquica, y también el centro de la reproducción. A Tiphareth se lo considera el psiquismo superior, la visión iluminada verdadera, y se lo asocia con el grado supremo de la iniciación de la personalidad, como lo evidencia el hecho de que se le asigna, en el sistema que Crowley toma de Mathers, el primero de los grados de la condición de adepto.

11. Daath, el Sephirah misterioso e invisible, que nunca se marca sobre el Arbol, está asociado, en el sistema occidental, con la nuca, sitio en el que la columna vertebral se encuentra con el cráneo, lugar en el cual, en nuestros prístinos antepasa-

dos, tuvo lugar el desarrollo del cerebro desde el notocordio. Sostiénese habitualmente que Daath representa la consciencia de otra dimensión, o la consciencia de otro nivel o plano; representa esencialmente la idea del cambio de clave.

12. Kether se llama la Corona. Ahora bien, una corona está encima de la cabeza, y habitualmente se afirma que Kether representa una forma de consciencia que no se logra durante la encarnación. Está esencialmente fuera del esquema de las cosas en lo que concierne a los planos de la forma. La experiencia espiritual asociada con Kether es la Unión con Dios, y de quien logra esa experiencia se dice que entra en la Luz y no sale nuevamente.

13. Estos Sephiroth tienen incuestionablemente sus correlaciones en los *chakras* del sistema hindú, pero diferentes autoridades dan correspondencias distintas. Como el método de clasificación es diferente, y Occidente usa un sistema cuádruple y Oriente un sistema séptuple, no es fácil obtener la correlación, y, según mi opinión, es mejor buscar los primeros principios que obtener un pulcro modelo de ordenamiento que violente las correspondencias.

14. Los únicos dos autores que conozco que intentaron esta correlación son Crowley y el general J.F.C. Fuller. El general Fuller adjudica el Loto Maladhara a Malkuth, señalando que sus cuatro pétalos corresponden a los cuatro elementos. Es interesante notar que en la escala del color, de la Reina, como la da Crowley, a la Esfera de Malkuth se la representa dividida en cuatro sectores, de colores, respectivamente, limón, oliva, bermejo y negro, que representan los cuatro elementos, y tienen la más cercana semejanza con las representaciones habituales del Loto de Cuatro pétalos.

15. A este Loto se lo representa situado en el perineo y se lo asocia con el ano y la función excretoria. En la columna XXI de la tabla de correspondencias que Crowley da en "777", él adjudica las nalgas y el ano del Hombre Perfeccionado a Malkuth. Considero que, desde todo punto de vista, la adjudicación de Fuller, que refiere el Loto del Muladhara a Malkuth, ha de preferirse a la de Crowley, quien en la columna CXVIII lo refiere a Yesod, contradiciéndose de esta manera. Según Freud, en la mente infantil, las funciones de reproducción y excreción

se confunden, pero no considero que esta adjudicación pueda aceptarse en general o deba perpetuarse.

16. Malkuth, contemplado como el Loto del Muladhara, representa, (podemos considerarlo) el resultado final de los procesos biológicos, su concreción final en la forma, y su sometimiento a las desintegradoras influencias de la muerte para que la sustancia de aquéllas pueda utilizarse nuevamente. La forma en que se organizaron con los lentos procesos evolutivos sirvió a su finalidad, y la fuerza deberá ser puesta en libertad; este es el significado espiritual de los procesos de excreción, putrefacción y descomposición.

17. El Chakra Svadisthana, el Loto de los Seis pétalos, en la base de los órganos de la generación, el general Fuller lo adjudica a Yesod. Esto concuerda con la tradición occidental, que adjudica Yesod a los órganos de la reproducción, correspondientes al Hombre Divino; su correspondencia astrológica con la Luna, Diana-Hécate, también concuerda con esta adjudicación. Aunque Crowley asigna Yesod al falo en la columna XXI de "777", atribuye el Loto del Svadisthana a Hod, Mercurio. Es difícil entender esta adjudicación, y como él no da su autoridad, considero que es mejor adherir al principio de referir los niveles de la consciencia a la Columna Central.

18. Tiphareth, por consenso universal, representa al plexo solar y el pecho; por tanto, parece razonable adjudicarlo a los Chakras Manipura y Anahata, como lo hace Crowley. Fuller atribuye estos chakras a Geburah y Chesed, pero como estos dos Sephiroth hallan su equilibrio en Tiphareth, esta adjudicación no presenta dificultad y no causa discrepancia.

19. Del mismo modo, el Chakra Visuddhu, que en el sistema hindú se correlaciona con la laringe y Crowley lo refiere a Binah, y el Chakra Ajna en la base de la nariz, que se correlaciona con la glándula pineal y la misma autoridad lo refiere a Chokmah, puede considerarse que se une funcionalmente en Daath, situado en la base del cráneo.

20. Al Chakra Sahasrara, el Loto de Mil pétalos, situado encima de la cabeza, Crowley lo refiere a Kether, y puede haber escasa razón para disentir con esta adjudicación, pues se presagia en el nombre mismo del Primer Sendero, Kether, la Corona, que descansa sobre la cabeza.

21. Las dos columnas de los flancos, de la Severidad y la

Misericordia, puede verse fácilmente que representan los principios positivo y negativo, y que sus Sephiroth respectivos representan las modalidades de funcionamiento de estas fuerzas en los diferentes niveles.

22. La Columna de la Severidad contiene a Binah, Geburah y Hod, o Saturno, Marte y Mercurio. La Columna de la Misericordia contiene a Chokmah, Chesed y Netzach, o el Zodíaco, Júpiter y Venus. Chokmah y Binah, en el simbolismo de la Cábala, son representados por figuras masculina y femenina y son el Padre y la Madre supernos, o, en lenguaje más filosófico, los principios positivo y negativo del universo, el Yin y el Yang de los que la masculinidad y la feminidad son sólo aspectos especializados.

23. Chesed (Júpiter) y Geburah (Marte) están representados, en el simbolismo cabalístico, como figuras coronadas, el primero como un legislador sobre su trono, y el último como un rey guerrero en su carro. Estos son, respectivamente, los principios construcitivo y destructivo. Es interesante notar que Binah, la Madre superna, es también Saturno, el consolidador, quien con su hoz se conecta con la Muerte y su guadaña, y con el Tiempo y su reloj de arena. En Binah encontramos la raíz de la Forma. En el *Sepher Yetzirah*, dícese que Malkuth está sentado sobre el trono de Binah: la materia tiene su raíz en Binah, Saturno, la Muerte; la forma es la destructora de la fuerza. Con esta destructora pasiva marcha también la destructora activa, y encontramos a Marte-Geburah inmediatamente debajo de aquélla en la Columna de la Severidad; la fuerza está, pues, encerrada en la forma puesta en libertad por la destructiva influencia de Marte, el aspecto de Siva, correspondiente a la Deidad. Chokmah, el Zodíaco, representa a la fuerza cinética; y Chesed, Júpiter, el rey benigno, representa a la fuerza organizada; y los dos se sintetizan en Tiphareth, el centro Crístico, el Redentor y el Equilibrador.

24. La siguiente trinidad, de Netzach, Hod y Yesod, representa el lado mágico y astral de las cosas. Netzach (Venus) representa los aspectos superiores de las fuerzas elementales, el Rayo Verde; y Hod (Mercurio) representa el lado mental de la magia, Uno es el místico y el otro el oculto, y sintetízanse en el Yesod elemental. Este par de Sephiroth no deben considerarse por separado, como tampoco lo han de ser la parte superior de

Geburah y Gedulah, que es otro nombre de Chesed. Esto lo indica el hecho de que la Cábala los adjudica, respectivamente, a los brazos derecho e izquierdo y a las piernas izquierda y derecha.

25. Se verá, pues, que los tres Sephiroth de la forma están en la Columna de la Severidad, y los tres Sephiroth de la fuerza están en la Columna de la Misericordia, y entre ellas, en la Columna del Equilibrio, están ubicados los diferentes niveles de la consciencia. La Columna de la Severidad, con Binah al frente, es el principio femenino, el *Pingala* de los hindúes y el *Yang* de los chinos; la Columna de la Misericordia, con Chokmah al frente, es la *Ida* de los hinfúes y el *Yin* de los chinos; y la Columna del Equilibrio es *Sushumna* y el *Tao*.

Capítulo XII

LOS DIOSES DEL ARBOL

1. Todos cuantos estudian religiones comparadas y su pariente pobre, el folklore, coinciden en que, cuando el hombre primitivo observaba y empezaba a analizar los fenómenos naturales que le rodeaban, los atribuía a la intervención de seres afines a él en naturaleza y tipo, pero que lo trascendían en poder. Como aquél hombre no podía verlos, los llamaba, naturalmente, invisibles; y como durante su vida no podía ver su propia mente ni el alma de su amigo, al morir éste, sacó en conclusión que los seres que producían fenómenos naturales eran de la misma naturaleza que la mente y el alma, invisibles pero activas.

2. Ahora bien, todo esto suena muy burdo como lo plantean los antropólogos, pero ello ocurre sólo porque, al traducir las ideas de los salvajes, escogen palabras que son asociaciones burdas. Por ejemplo, en su tradución corriente, una de las principales escrituras de la China refiérese al venerable filósofo Lao Tse como "el Niño Viejo". A un europeo que lo oiga, esto le sonará cómico, pero no difiere muchísimo de lo que expresa otra Escritura bastante afortunada como para que su traducción estuviera en manos de quienes la reverenciaban: "Si no os hiciéreis como niños...". No soy sinóloga, pero me inclino a opinar que "Niño Eterno" hubiera sido una traducción igualmente exacta y de mejor gusto.

3. En los Misterios hay un proverbio: "Procurad no cometer blasfemia contra el Nombre con el que otro conoce a su Dios. Pues, si hacéis esto con Alá, lo haréis con Adonai".

4. Después de todo, ¿el hombre primitivo estaba tan equivocado cuando la causalidad de los fenómenos naturales la atribuía a actividades de la misma naturaleza que los procesos de

pensamiento de la mente humana, pero en su nivel superior? ¿No es ese el punto hacia el cual tanto la física como la metafísica están convergiendo gradualmente? Supongamos que remodeláramos la afirmación del filósofo salvaje y dijéramos: "La naturaleza esencial del hombre es de tipo parecido a la de su Creador"; ¿sostendríase que dijimos algo blasfemo o ridículo?

5. Podemos personalizar a las fuerzas naturales en términos de consciencia humana; o podemos compendiar a la consciencia humana en términos de fuerzas naturales; ambos son procedimientos legítimos en metafísica oculta, y el proceso de algunas claves interesantísimas y algunas aplicaciones prácticas importantísimas. Sin embargo, no debemos cometer el error del ignorante, y decir que *A* es *B* cuando lo que queremos decir es que *A* es de la misma naturaleza que *B*. Pero, de igual modo, podemos valernos legítimamente del axioma hermético: "Como es arriba, es abajo", porque si *A* y *B* son de la misma naturaleza, las leyes que gobiernan a *A* pueden afirmarse respecto de *B*. Lo que es cierto respecto de la gota, es cierto respecto del océano. En consecuencia, si sabemos algo respecto de la naturaleza de *A,* podemos sacar la conclusión de que, descontando la diferencia de escala, se aplicará a *B.* Este es el método analógico usado en la ciencia inductiva de los antiguos, y siempre que se lo compruebe mediante observación y experimentación, podrá dar algunos resultados muy fructíferos y ahorrar muchas leguas de fatigoso vagabundeo en las tinieblas.

6. La personificación y la deificación de las fuerzas naturales fue, por parte del hombre, su primer intento burdo y astuto de hacer evolucionar una teoría monística del universo y subtraerse de la influencia destructiva y paralizante de un dualismo no resuelto. A medida que, siglo tras siglo, expandió su conocimiento y elaboró sus procesos intelectuales, leyó cada vez más significado en las primeras clasificaciones sencillas. No obstante, no desechó sus clasificaciones originales, porque eran fundamentalmente sensatas y representaban realidades. Sencillamente, las elaboró y representó, y al final, cuando le tocaron épocas malas, las recubrió con superstición.

7. Por tanto, no debemos considerar a los panteones paganos como otras tantas aberraciones de la mente humana; ni debemos tratar de entenderlos desde el punto de vista de los que

no están instruidos ni iniciados; hemos de procurar averiguar qué debieron significar para los inteligentísimos y educados sumos sacerdotes de los cultos en el apogeo de éstos. Compárense a la señora David Neel y a W.B.Seabrook en el tema de los ritos paganos con los informes de un misionero corriente. Seabrook nos muestra el significado espiritual del vudú, y la señora David Neel nos muestra el aspecto metafísico de la magia tibetana. Estas cosas se le presentan de un modo al observador que simpatiza y se gana la confianza de quienes exponen estos sistemas y logra ser recibido en el *Sancta sanctorum* de aquéllos como un amigo, y acude para aprender en vez de meramente observar y ridiculizar, y se le presentan de otro modo al extranjero fanático que ingresa en ese sitio sagrado con sus botas sucias y es apedreado por los indignados fieles.

8. Al juzgar estas cosas consideremos la forma con que el cristianismo se presentaría si se lo enfocara del mismo modo. Los observadores que no simpaticen con él, sacarían probablemente en conclusión que adorábamos una oveja, y el Espíritu Santo produciría algunas interpretaciones espectaculares. Acreditémosles a los demás el empleo de metáforas si esperamos que a nosotros no nos tomen al pie de la letra. La forma externa de los antiguos credos paganos no es más burda que el cristianismo de países latinos atrasados, en los que a Jesucristo se lo representa con sombrero de copa y frac, y a la Virgen María con pantalones con encajes. La forma interior de los credos antiguos puede compararse muy favorablemente con lo mejor de nuestros metafísicos modernos. Después de todo, produjeron a Platón y a Plotino. La mente humana no cambia, y lo que es cierto respecto de nosotros, es probable que sea cierto respecto de los paganos. El Cordero de Dios que quita los pecados del mundo es sólo otra versión del Toro de Mitra que realiza lo mismo, con la única diferencia de que el iniciado de la antigüedad era literalmente "lavado en sangre" y el moderno asume esto metafóricamente. *Autres temps, autres moeurs*. Otros tiempos, otras costumbres.

9. Si nos acercamos con reverencia y simpatía a quienes optamos por llamar paganos (tanto antiguos como modernos) y sabemos que Alá, Brahma y Amon Ra son sólo denominaciones de lo que nosotros adoramos como Dios, aprenderemos mu-

chísimo de lo que en Europa olvidaron cuando extirparon a la Gnosis y destruyeron su literatura.

10. Sin embargo, descubriremos que los credos paganos presentan su enseñanza de una forma que la mente europea no puede asimilar con facilidad, y que si hemos de llegar a su significado, deberemos reexpresarlo en nuestros propios términos. Deberemos correlacionar el concepto metafísico con el símbolo pagano; entonces seremos capaces de aplicar al primero el vasto conjunto de experiencia mística que generaciones de contemplativos y psicólogos experimentales organizaron acerca del último. Y cuando hablemos de psicólogos experimentales, no deberemos cometer el error de pensar que son un producto exclusivamente moderno, porque los sacerdotes de los antiguos Misterios, que al dormirse en los templos tenían visiones hipnogógicas inducidas deliberadamente, eran nada más ni nada menos que psicólogos experimentales, aunque se perdiera su arte, como muchas otras artes antiguas, y que se están recobrando sólo parceladamente en los más avanzados círculos del pensamiento científico.

11. El método que el iniciado moderno usa para interpretar el lenguaje del que los antiguos mitos hablaban es muy sencillo y eficaz. Aquél descubre en el Arbol cabalístico de la Vida un eslabón entre los muy estilizados sistemas paganos y sus propios métodos más racionales; el judío, asiático por sangre y monoteísta por religión, tiene un pie en cada mundo. Sobre el Arbol de la Vida con sus Diez Sephiroth Sagrados, el ocultista moderno basa tanto una metafísica como una magia. Usa un concepto filosófico del Arbol para interpretar lo que éste representa para su mente consciente, y usa una aplicación mágica y ceremonial de su simbolismo para vincularlo con su mente subconsciente. En consecuencia, el iniciado saca el mejor partido de ambos mundos, antiguo y moderno; pues el mundo moderno es todo consciencia superficial, y olvidó y reprimió la subconsciencia, perjudicándose mucho; y el mundo antiguo era principalmente subconsciencia tras haber hecho evolucionar hace poco la consciencia. Cuando arnbas se vinculan y ponen en función polarizada, producen la superconsciencia, que es la meta del iniciado.

12. Teniendo presentes los conceptos precedentes, procuremos ahora coordinar los panteones antiguos con las Esferas que están encima del Arbol de la Vida. Hay diez de esas Esferas, los

Diez Sephiroth Sagrados, y entre ellas deberemos distribuir, según el tipo, los diferentes dioses y diosas de cuanto panteón deseemos estudiar; entonces estamos en condiciones de interpretar su significado a la luz de lo que ya conocemos respecto de los principios que el Arbol representa, y sumar a nuestro conocimiento del Arbol todo aquello de que se dispone sobre el significado de las deidades antiguas.

13. Evidentemente, esto es de gran valor intelectual, pero hay otro valor que no se le patentiza con tanta facilidad al hombre del común que no ha tenido experiencias sobre el accionar de los Misterios; la celebración de un rito ceremonial que simbólicamente representa el accionar de la fuerza personificada como un dios, tiene un efecto muy marcado y hasta drástico sobre la mente subconsciente de cualquier persona que sea susceptible a las influencias psíquicas. Los antiguos llevaron estos ritos a un altísimo grado de perfección, y cuando nosotros, los modernos, tratamos de reconstruir el perdido arte de la magia práctica podemos acudir a ellos con gran provecho. Toda la filosofía de la magia europea se basa en el Arbol, y nadie que no haya sido instruido en los métodos cabalísticos podrá esperar entenderla o usarla con inteligencia. Esta falta de instrucción es la que hace que el ocultismo popular sea muy apto para degenerar en la más cruda superstición. "Su número es su nombre" resulta algo distinto cuando entendemos la Cábala matemática; la adivinación por las tazas de te es otra cuestión cuando entendemos el significado de las Imágenes Mágicas y el método de su formulación e interpretación como un recurso psicológico para penetrar el velo del inconsciente.

14. Hablando pues, en general, clasificamos a los dioses y diosas de todos los panteones paganos en los diez casilleros de los Diez Sephiroth Sagrados, apoyándonos principalmente en sus asociaciones astrológicas para guiarnos, porque la astrología es un solo lenguaje universal, pues todas las personas ven los mismos planetas. El espacio se refiere a Kether, el Zodíaco a Chokmah, los siete planetas a los siguientes siete Sephiroth, y la Tierra a Malkuth. En consecuencia, todo dios que tenga analogía con Saturno se referirá a Binah, como lo hará toda diosa que pudiera denominarse la madre primordial, la Eva Superior, para distinguirla de la Eva Inferior, la Novia del Microprosopos, Malkuth. El triángulo Superno de Kether, Chokmah y Binah se

refiere a los Viejos Dioses, que todo panteón reconoce como los predecesores de las formas de la deidad que la fe corriente adora. Así, Rhea y Cronos suelen referirse a Binah y Chokmah, y Júpiter a Chesed. Todas las diosas de las mieses se refieren a Malkuth, y todas las diosas lunares a Yesod. Los dioses de la guerra y los dioses destructivos, o los demonios divinos, se refieren a Geburah, y las diosas del amor a Netzach. Los dioses iniciadores de la sabiduría se refieren a Hod, y los dioses que fueron sacrificados y los redentores a Tiphareth. Una autoridad tan grande como Richard Payne Knight, en su valioso libro *El Lenguaje Simbólico del Arte Antiguo y la Mitología (The Symbolic Language of Ancient Art and Mythology*)* habla de "la notable concurrencia de alegorías, símbolos y títulos de la mitología antigua en favor del sistema místico de las emanaciones". Con esta clave clasificamos los panteones, permitiéndonos comparar lo semejante con lo semejante y hacer que uno ilumine al otro.

15. En el sistema que da en su libro de correspondencias, "777", Crowley asigna los dioses a los Senderos, lo mismo que a los Sephiroth. Según mi opinión, este es un error e induce a confusión. Sólo los Sephiroth representan a las fuerzas naturales; los Senderos son estados de consciencia. Los Sephiroth son objetivos y los Senderos son subjetivos. Por esta razón, al trabajar los iniciados el jeroglífico del Arbol, a los Sephiroth se los representa siempre en una Escala de Colores y a los Senderos en otra. Quienes posean este jeroglífico sabrán a qué me refiero.

16. Según mi opinión, a los Senderos mismos se los debe considerar como presididos dierectamente por los Nombres Sagrados que gobiernan solamente sus adjudicaciones sephiróthicas, y no se los debe confundir con otros panteones; pues aunque acudamos a otros sistemas en procura de iluminación intelectual, somos imprudentes al intentar mezclar los métodos del accionar práctico y el desarrollo de la consciencia.

17. Por ejemplo, el Sendero Décimo séptimo, entre Tiphareth y Binah, el *Sepher Yetzirah* lo adjudica al Elemento Aire. Somos mucho más sabios trabajándolo con el rito del Elemento Aire y los Nombres Sagrados que tiene asignados, y enfocándolo a través del Tattva apropiado, más bien que confundiendo el resultado con las asociaciones de la surtida colección de deida-

des, Cástor y Pólux, Jano, Apolo, Merti y otros incompatibles asignados a él por Crowley, cuyas correspondencias presentan un enredo inextricable de asociaciones.

18. Los Sephiroth deben interpretarse macrocósmicamente, y los Senderos microcósmicamente; así encontraremos la clave del Arbol, tanto en el hombre como en la naturaleza.

Capítulo XIII

TRABAJO PRACTICO SOBRE EL ARBOL

1. Si entre los lectores que siguieron hasta aquí estos estudios sobre la Cábala hay algún avanzadísimo estudioso del ocultismo occidental, habrá descubierto, sin duda, que lo familiar supera a lo nuevo u original. Al trabajar con este almacén del conocimiento antiguo, nuestra posición es la de los excavadores que trabajan sobre un templo enterrado: más bien desenterramos fragmentos que estudiamos un sistema coherente; pues el sistema, aunque bastante coherente en su apogeo, fue interrumpido, dispersado y borrado por las persecuciones de veinte siglos de fanatismo oscurantista y celos espirituales.

2. Sin embargo, sobre estos fragmentos dispersos se ha efectuado más trabajo del que generalmente se advierte. La señora Blavatsky reunió gran cantidad de datos, exponiéndolos a la vista de un público que los entendió poco mejor que el niño que observa en un museo las vitrinas y se maravilla ante las cosas raras que contienen. El erudito trabajo de G.R.S. Mead nos dio mucha información respecto de la Gnosis, la tradición esotérica de Occidente durante los primeros siglos de nuestra época; el monumental libro de la señora Atwood nos reveló el significado del simbolismo alquímico. Sin embargo, ninguno de ellos expuso la Tradición occidental como iniciados de esa Tradición, sino que la enfocó desde fuera y ensambló sus fragmentos, o, como en el caso de la señora Blavatsky, la interpretó por analogía a la luz del sistema más familiar, perteneciente a otra Tradición.

3. Quienes enfocaron el estudio del tema desde dentro (es decir, con las claves iniciáticas) y lo emplearon como un sistema práctico para elevar la consciencia, mantuvieron, en su ma-

yoría, el secreto que, aunque pudiera haber sido no sólo justificable sino incluso esencial en la época en la que la Santa Inquisición recompensaba tales investigaciones con la hoguera, en nuestra era liberal es difícil atribuir a nadie una motivación más creíble que un deseo de crear y mantener prestigio. Un reducto eficacísimo de la práctica oculta (si es que no lo fue del conocimiento oculto) se estableció y mantuvo entre los pueblos de habla inglesa durante el último cuarto de siglo, y tal reducto derrotó eficazmente al impulso espiritual que debió haber suscitado un renacimiento de los Misterios durante los últimos veinticinco años del siglo pasado. En consecuencia, como la tierra estaba madura para la siembra y allí no esparcieron trigo, los cuatro vientos llevaron extrañas semillas al suelo que estaba expectante, y hubo un brote tropical que, por carecer de raíces en la tradición racial, se marchitó y desarrolló formas extrañas.

4. De todos modos, al templo enterrado de nuestra tradición vernácula se lo excavó realmente, pero los fragmentos rescatados no quedaron a disposición de los estudiosos según las honorables tradiciones de la erudición europea, sino que se los reunió en colecciones particulares cuyas llaves permanecieron en los bolsillos de individuos que abrieron y cerraron las puertas de manera enteramente arbitraria. No dudo que estas páginas causarán animosidad en ciertos sectores dueños de colecciones privadas cuyo valor ellos rebajan. Pero tampoco dudo que los innumerables estudiosos que ensayaron en vano el Sendero occidental, tal vez hallen en estas páginas las claves de lo que para ellos era incomprensible en el método (o quizá, para ser más exacta, la falta completa de método) en que fueron instruídos. En lo que a mí concierne, pasé diez años trabajando en tinieblas hasta encontrar las claves, y sólo las descubrí al final porque fui bastante psíquica como para captar los contactos del Plano Interno. Me resulta difícil creer que se sirva a algún propósito útil echando sombras sobre lo secreto o substrayendo al estudioso las claves y las explicaciones que son esenciales para su trabajo. Si el estudiante no es digno de ser instruido, no lo instruyamos. Si se le debe instruir, instruyámoslo adecuadamente.

5. En las siguientes páginas, me esforcé en aclarar los principios que gobiernan el uso del simbolismo mágico. El uso

práctico del método ceremonial se ensaya bajo la guía de quien ya experimentó su uso; el trabajar solo o con camaradas igualmente inexpertos es correr riesgos innecesarios, pero no hay razón de porqué alguien no deba experimentar con el método de meditación.

6. A fin de usar eficazmente los símbolos mágicos tenemos que tomar contacto con cada símbolo en particular. Es de poca utilidad hacer una lista de símbolos y proceder a construir un ritual. En magia, como en el hecho de tocar el violín, tenemos que "crear nuestras propias notas"; no las encontramos fabricadas de antemano o en el piano. Quien estudia violín tiene que aprender a fabricar cada nota en particular, antes de poder tocar una melodía. Lo mismo ocurre con cualquier quehacer oculto; debemos saber cómo construir y tomar contacto con las imágenes mágicas antes de poder trabajar con ellas.

7. El iniciado usa los conjuntos de símbolos asociados con cada uno de los Treinta y dos Senderos para construir las imágenes mágicas; es necesario que deba conocer estos símbolos no sólo en teoría, sino también en la práctica; es decir, no sólo deberá tenerlos cabalmente bien arraigados en su memoria, sino que también deberá haber realizado meditaciones con cada uno de ellos hasta penetrar en su significado y experimentar la fuerza que ellos representan. Conocer el vasto alcance de los símbolos asociados con cada Sendero es, por supuesto, el trabajo de toda una vida, pero el estudioso debe aprender los símbolos claves de cada Sendero como lo preliminar que es esencial para sus estudios; entonces es capaz de reconocer todas las demás formas simbólicas cuando se le presentan, y de adjudicarles su clasificación adecuada. Su conocimiento evolucionará, pues, bajo dos aspectos; primero, el conocimiento del simbolismo en sus ramificaciones infinitas; y segundo, la filosofía de la interpretación de ese simbolismo. Una vez que dominó un conocimiento operativo de los conceptos de la cosmogonía esotérica y tiene el esquema general del simbolismo asignado a cada Sephirah bien fijo en su memoria, el estudiante está dotado de un sistema de fichero y podrá comenzar a archivar, recoger el material para sus fichas de todas las fuentes imaginables de arqueología, folklore, religión mística, relatos de viajeros y especulaciones de la filosofía antigua y moderna, y de la ciencia ultramoderna.

8. Tal vez el indagador no iniciado se pregunte cómo ese enorme conjunto de datos se mantiene clasificado en la memoria. Para empezar, el estudiante serio que usa el Arbol como su método de meditación trabaja con él regularmente todos los días. Además, se descubrirá, por experiencia, que la asignación de los símbolos a cada Sephirah tiene una peculiar base lógica, oculta en algún sitio en la profundidad de la mente subconsciente, y las secuencias de símbolos casi no son tan difíciles de recordar como podría suponerse, especialmente si se los usó para meditar. Algunos símbolos se refieren a los conceptos de la filosofía esotérica, algunos a los métodos de proyectar la consciencia en la visión, y otros a la composición del ceremonial. El estudiante deberá recordar, sin embargo, que los símbolos jamás darán su significado sólo a la meditación consciente, por concreta y completamente que se conozcan; se los deberá usar como los iniciados se propusieron usarlos, para suscitar imágenes de la mente subconsciente en el contenido consciente.

9. Un conjunto de símbolos se asigna a los Diez Sephiroth Sagrados, y otro conjunto a los Veintidós Senderos que los conectan. Sin embargo, algunos símbolos ocurren en ambos conjuntos, y todos se interconectan a través de sus correlaciones astrológicas y numéricas. Esto suena muy desconcertantemente complicado, pero, en la práctica real, es mucho más sencillo de lo que parece, porque el trabajo no se realiza con la mente consciente sino con la mente subconsciente, y es muy poco lo que importa de qué manera los símbolos se amontonan en él, el extraño numen que está sentado detrás del censor los clasifica, tomando lo que él necesita y desechando todo lo demás, hasta que, al final, reaparece una imagen coherente en la consciencia, que sólo exige análisis para que dé su significado de la misma manera que ocurre con un sueño.

10. Una visión evocada por el uso del Arbol es, en realidad, un sueño en vigilia, producido artificialmente, motivado deliberadamente y relacionado conscientemente con algún objeto escogido por el que no sólo el contenido subconsciente, sino también las percepciones superconscientes son suscitados y vueltos inteligibles para la consciencia. En un sueño espontáneo, los símbolos se extraen de la experiencia, al azar, sin embargo, en la visión cabalística, el cuadro se suscita a partir de un limitado conjunto de símbolos a los que la consciencia se limita riguro-

samente mediante entrenadísimo hábito de concentración. Este poder peculiar de dejar a la mente libre dentro de determinados límites es lo que constituye la técnica de la meditación oculta, y sólo se lo adquirirá mediante práctica constante en un período considerable. Esto es lo que constituye la diferencia entre el ocultista entrenado y el no entrenado; la persona no entrenada tal vez sea capaz de separar a la consciencia del control de la personalidad que dirige y, de esta manera, de permitir que las imágenes aparezcan, pero no tiene poder para restringir y escoger lo que aparecerá, y en consecuencia algo puede aparecer, incluida una variable proporción del contenido subconsciente. Sin embargo, el ocultista entrenado, acostumbrado a usar este método en sus meditaciones, puede librarse al instante del contenido subconsciente normal, a menos que la emoción le perturbe, en cuyo caso tiende a enmarañarse en sus redes; pero incluso en este caso, su método es su protección, pues puede reconocer de inmediato el simbolismo confuso de las imágenes porque tiene una norma clara de comparación con la cual parangonarlas.

11. Al estudiar el Arbol, el estudiante debe pensar siempre en cada Sephirah bajo el triple aspecto que ya hemos mencionado: filosofía, psiquismo y magia; con este fin, debe pensar siempre en él primeramente como representando cierto factor de la evolución del cosmos en el inmemorial pasado del tiempo cósmico, ya sea que éste permanezca en la manifestación, haya desaparecido o no haya llegado todavía al nivel de la materia densa.

12. Con este aspecto del Arbol se consideran también los curiosos textos crípticos del *Sepher Yetzirah,* uno para cada Sendero. Estas expresiones muy desconcertantes brindan, de moco curioso, destellos repentinos de iluminación a la meditación y de ningún modo han de rechazarse como desecho, por incomprensibles que parezcan a primera vista.

13. Otra fuente de iluminación ha de hallarse en los títulos adicionales de los Sephiroth; cada uno de éstos tiene entre dos y tres docenas. Estos son nombres descriptivos gráficos que los rabinos de la antigüedad aplicaban a los diversos Sephiroth y que se hallan dispersos en la literatura cabalística, nos dicen muchísimas cosas. Por ejemplo, los títulos de "Oculto de lo Oculto" y "Punto Primordial" que se apli-

can a Kether, nos transmiten muchísimo a quienes sabemos dónde buscarlo.

14. Asimismo, una vez que nos familiarizamos con el simbolismo, podemos asignar a los diversos Sephiroth sus dioses equivalentes en otros sistemas, y cuando observamos los símbolos, funciones, conceptos cósmicos y métodos de adoración asignados a estas deidades obtenemos un fresco torrente de iluminación. Con el empleo de un buen diccionario mitológico o de una enciclopedia, *La Rama Dorada, (The Golden Bough)*, de Frazer, o *La Doctrina Secreta* e *Isis sin Velo*, de la señora Blavatsky, mediante la mera aplicación de diligencia, podemos leer muchísimos enigmas que a primera vista parecían insolubles, y el ejercicio es fascinante. Cuando se lo usa de esta manera, el Arbol es peculiarmente valioso, porque su forma diagramática hace que las cosas se vean en relación recíproca, haciendo, pues, que se esclarezcan entre sí.

15. A fin de manejar el aspecto psíquico del Arbol y sus Senderos, el ocultista usa imágenes, porque es por medio de las imágenes, y de los nombres que las suscitan, que la visión se formula. Asocia con cada Sephirah un símbolo primario, que se llama su Imagen Mágica. Segundo, asocia con él, en su mente, una forma geométrica que, de diversos modos, encarna sus características, y, cuando compone símbolos, usa esa forma como base. Por ejemplo, Geburah, Marte, el Quinto Sephirah, tiene asignado un pentágono o una figura de cinco lados. Todo símbolo de Geburah, ya sea un talismán, un altar de Marte o una representación mental de un símbolo, suele ser en forma de pentágono coloreado con uno de los tonos de la escala cromática de Marte.

16. Sin embargo, las formas más importantes del Arbol son las asociadas con los cuatro Nombres de Poder asignados a cada Sephirah; con éstos se asocian cuatro colores en los que se los concibe manifestándose de forma simbólica en cada uno de los Cuatro Mundos de los cabalistas. El más elevado de éstos es el nombre de Dios, que se manifiesta en Atziluth, el plano del espíritu, y es el supremo Nombre de Poder de la Esfera Sephiróthica y domina todos sus aspectos, cósmico, evolutivo o subjetivo. Representa la idea que subyace en el desarrollo de la manifestación en esa Esfera; la idea que corre a

través de toda la evolución subsiguiente y se expresa en todos los efectos y manifestaciones siguientes.

17. El segundo Nombre de Poder es el del Arcángel de la Esfera, y representa la consciencia organizada del ser a través de cuyas actividades se inaugura y dirige la evolución de esa fase. Aunque a estos seres se los representa pictóricamente como de forma humana, aunque eterizados, no debe pensarse que la vida y la consciencia como las conocemos correspondan de algún modo a su naturaleza. En esencia, son más afines con las fuerzas naturales, pero, si los consideramos sencillamente como energía no inteligente, no tendremos un concepto adecuado de su naturaleza, porque esencialmente son individualizados, inteligentes y deliberados. Estas dos ideas deberán entrar en nuestro concepto, modificándose recíprocamente, hasta que al final lleguemos a un conocimiento que difiera muy vastamente de todo aquello a lo que el pensamiento occidental está acostumbrado.

18. El tercer Nombre de Poder no denomina a un solo ser sino a toda una clase de seres, los coros de los ángeles, como los rabinos los llaman, y aquéllos, a su vez, representan fuerzas naturales inteligentes.

19. El cuarto denomina lo que hemos llamado el Chakra Mundano, es decir, el objeto celestial que se considera producto de la fase particular de evolución que tuvo lugar presidido por aquel Sephirah y que lo representa.

20. El tercer aspecto bajo el cual consideramos a los Sephiroth es el aspecto mágico, y es esencialmente práctico. Para llegar a esto, pensamos en lo que puede experimentarse bajo la presidencia de estos diferentes aspectos de la manifestación de las deidades, y qué poderes puede ejercer el mago cuando ha dominado sus lecciones.

21. Cada Sephirah tiene asignada una virtud, que representa su aspecto ideal, cuyo don procura evolución; y un vicio que es el resultado del exceso de sus cualidades. Por ejemplo, Geburah, Marte, tiene como sus virtudes a la energía y a la valentía, y como sus vicios a la crueldad y la destructividad. El estudiante de astrología reconocerá de inmediato que las virtudes y los vicios atribuidos a los diversos Sephiroth derivan de las características de los planetas asociados con ellos, y

descubrirá que en esta correspondencia se abre toda una nueva línea de enfoque de la astrología.

22. La experiencia espiritual, como prefiero llamarla, o el poder oculto como lo llama Crowley, es un conocimiento profundo o una visión profunda de algún aspecto de la ciencia cósmica. Esto constituye la esencia de la iniciación del grado asignado a cada Sephirah, pues en los Misterios Mayores de Occidente los grados se asocian con los Sephiroth.

23. Los cabalistas medievales asignaban también una parte del cuerpo a cada Sephirah, pero esto no debe tomarse demasiado al pie de la letra; la clave real ha de hallarse en el conocimiento de que los diferentes Sephiroth representan factores de la consciencia, y si a Geburah lo consideramos el brazo derecho fuerte, deberemos comprender que realmente significa la voluntad dinámica, la capacidad ejecutiva y la destrucción de lo gastado y desequilibrado.

24. Cada Sephirah y cada Sendero tienen asignados animales, plantas y piedras preciosas, de carácter simbólico. Es necesario que el estudiante conozca esto por dos razones: primero, dan algunas claves importantísimas de las relaciones de los dioses de los distintos panteones respecto de los Sephiroth; y segundo, forman parte del simbolismo de los Senderos Astrales y sirven de hitos cuando se viaja por la visión del espíritu. Por ejemplo, si viéramos a un caballo (Marte) o a un chacal (Luna) en la esfera de Netzach (Venus), sabríamos que hubo confusión de plano y que la visión no es confiable. En la Esfera de aquélla, sería de esperar que viéramos palomas, y una bestia moteada, como lo sería un lince o un leopardo.

25. Puede pensarse que la asociación de las bestias simbólicas con los dioses y diosas de los antiguos mitos es enteramente arbitraria y fruto de la imaginación poética, la cual, como el viento, sopla donde quiere. El ocultista responde a esto que la imaginación poética no es algo arbitrario y remite al escéptico a las obras del doctor Jung, de Zurich, el famoso psiquiatra, y a los ensayos del poeta irlandés "A.E.", en particular *El Canto y sus Fuentes (Song and its Fountains)*, donde analiza la naturaleza de sus propias fuentes de inspiración. Por la naturaleza intrínseca de su poesía, y por las muchas referencias que sus obras presentan a cada paso, creo que podemos tener derecho a afirmar que "A.E." pertenece al grupo de estudiantes que se

nutrieron en la Cábala mística. En todo caso, lo que él tiene que decir es sólida doctrina cabalística y extremadamente esclarecedora del tema que ahora nos ocupa.

26. El doctor Jung tiene mucho que decir respecto de la facultad mitificadora de la mente humana, y el ocultista sabe que eso es cierto. Sin embargo, también sabe que sus implicancias son de mucho más largo alcance de lo que la psicología sospechó. La mente del poeta o del místico, al morar en las grandes fuerzas y factores naturales del universo manifiesto, mediante el creativo uso de la imaginación penetró mucho más profundamente que el científico en las causas y resortes secretos del ser: no por nada la imaginación racial, que trabaja así, llegó a asociar a ciertos animales con ciertos dioses; un breve examen de los ejemplos citados sirve para mostrar la base de la asociación. Las palomas de Venus muestran su aspecto más apacible, y las bestias felinas su belleza siniestra.

27. La asociación de las plantas con los diferentes Senderos se apoya en un doble basamento. Primero, hay plantas asociadas tradicionalmente con las leyendas de los dioses, como lo es la mies con Ceres y el vino con Dioniso; descubrimos que estos están asociados con los Sephiroth, con los cuales se correlacionan las funciones de estos dioses: la mies con Malkuth y el vino con Tiphareth, el Centro Crístico con el que están asociados todos los Dioses Sacrificados y dadores de iluminación.

28. A las plantas también se las asocia, de otro modo, con los Sephiroth; la vieja doctrina de las signaturas asignaba a diversas plantas la presidencia de varios planetas de un modo algo irregular. En algunos casos, había una asociación genuina; en otros, era arbitraria y supersticiosa. El viejo Culpepper y otros antiguos botánicos tienen mucho que decir sobre el tema, y en las granjas experimentales antroposóficas se están efectuando algunas investigaciones interesantísimas.

29. De modo parecido, ciertas drogas están asociadas con los diferentes Sephiroth; y aquí necesitamos nuevamente distinguir entre lo supersticioso y lo místico. La adjudicación arbitraria de drogas no podrá justificarse siempre con un experimento real, pero con seguridad podemos decir que a todas las clases de drogas se las podría considerar como presididas por ciertos Sephiroth porque participan de la naturaleza de ciertas modalidades de actividad que se clasifican bajo estos Sephiroth. Por

ejemplo, todos los afrodisíacos podrían asignarse con justicia a Netzach (Venus), y todos los abortivos a Yesod en su aspecto de Hécate; los analgésicos a Chesed (la Misericordia), y los irritantes y cáusticos a Geburah (la Severidad).

30. Esto abre un intersantísimo aspecto del estudio de la medicina: el aspecto psíquico y psicológico de la actividad de las drogas. Fue este aspecto el que estudiaron especialmente médicos iniciados como Paracelso, y el maltrato ignorante y supersticioso de este aspecto por parte de médicos no iniciados fue el que indujo las extraordinarias aberraciones de la medicina popular.

31. El ocultista sabe que hay un aspecto psicológico para cada acción y función fisiológica; sabe también que es posible reforzar poderosamente la acción de todas las drogas mediante la adecuada acción mental, y que ciertas sustancias químicamente inertes se prestan eficazmente a la transmisión y almacenamiento de actividades mentales, así como otras sustancias son eficaces conductoras o aisladoras de la electricidad.

32. Esta consideración nos trae a la cuestión de la asociación de ciertas piedras preciosas y ciertos metales preciosos con los diferentes Sephiroth, asociación ésta determinada tanto por asociaciones astrológicas como alquímicas. Como bien lo saben los psíquicos, las sustancias cristalinas, los metales y ciertos líquidos son los mejores medios para transmitir o almacenar fuerzas sutiles. El color representa importante papel en las visiones inducidas por la meditación sobre los diversos Sephiroth, y por experiencia se descubre que un cristal del color adecuado es el mejor material con que se fabrica un talismán: un rubí rojo sangre para las abrasadoras fuerzas marcianas de Geburah; una esmeralda para las fuerzas naturales del Rayo Verde, pertenecientes a Netzach.

33. A los perfumes, especialmente el incienso, también se los asocia con los distintos Sephiroth. Como ya se notó, ciertas experiencias espirituales y ciertas modalidades de conciencia se asignan a cada Esfera del Arbol; es bien sabido que nada induce más eficazmente estados mentales o estimula la conciencia psíquica que los olores. El más objetivo de los poetas dice que "los aromas son más seguros que las visiones o los sonidos para hacer que vibren las cuerdas de tu corazón", y la experiencia de los ocultistas prácticos demuestra que esto es cier-

to. Hay ciertas sustancias aromáticas asociadas por tradición con los distintos dioses y diosas, y aquéllas son muy eficazmente potentes para estimular la disposición anímica que esté en armonía con la función de esa deidad.

34. Las armas mágicas también están incluidas en las largas listas de símbolos y sustancias asociados con cada Sendero. Un arma mágica es un instrumento de alguna clase que se usa para suscitar de una fuerza particular, o es el vehículo de su manifestación, como lo es la vara del mago o el cuenco de agua o la esfera de cristal del vidente. La asignación de las armas mágicas a los Senderos mucho nos dice acerca de la naturaleza de los Senderos, porque de ello podemos deducir el género de poder que opera en la esfera particular en cuestión.

35. Como ya se notó, los diversos sistemas adivinatorios tienen sus relaciones con el Arbol y hallan sus claves más sutiles allí. Las asociaciones de la astrología se siguen con facilidad a través del simbolismo de los planetas y elementos y sus triplicidades, causas y regencia; la geomancia se vincula con el Arbol a través de la astrología; y el Tarot, el más satisfactorio de todos los sistemas de adivinación, surge y halla su explicación en el Arbol y en ningún otro lado. Eso tal vez parezca una afirmación dogmática al historiador erudito que busca las huellas del origen de esas cartas misteriosas, y, podemos añadir, que muy lamentablemente no logra hallarlo; pero cuando se comprende que el iniciado trabaja el Tarot y el Arbol juntos, y que éstos se ensamblan mutuamente en todos los ángulos imaginables, se verá que tal ordenamiento de correspondencias no podría ser arbitraria ni fortuita.

36. Un aspecto muy interesante e importante del trabajo práctico del Arbol concierne a la manera en la que la magia ceremonial y talismánica se usan para compensar los hallazgos de las ciencias adivinatorias. Cada símbolo punteado de la geomancia, cada carta del Tarot y cada factor horoscópico tienen sus lugares asignados en los Senderos del Arbol, y el ocultista con el conocimiento necesario puede ensamblar un ritual o diseñar un talismán para compensar o reforzar a todos y cada uno de éstos.

37. Es por esta razón que la adivinación por parte del no iniciado suele traer mala suerte, pues agita las fuerzas sutiles, concentrando la mente en ellas, sin compensar, mediante el adecuado esfuerzo mágico, lo que está fuera de equilibrio.

Segunda Parte

Capítulo XIV

CONSIDERACIONES GENERALES

1. En la Primera Parte, hemos considerado el esquema general y el método de empleo del Arbol Cabalístico de la Vida. Ahora llegamos al estudio pormenorizado de cada Sephirah. Este estudio deberá ser necesariamente tentativo, pues podría entregarse toda una vida a la investigación del significado de las correspondencias que se esparcen en interminables ramificaciones, desde cada símbolo asociado con cada Sephirah. Pero debe efectuarse un comienzo, y tal es la causa de estos apuntes tentativos; pues no considero que los siguientes capítulos sobre los Sephiroth en particular merezcan llamarse de un modo mejor que apuntes, aunque sean el fruto de diez años de meditación sobre ese maravilloso símbolo compuesto.

2. Las Tablas de Correspondencias al comienzo de cada sección consisten en una selección de los símbolos e ideas principales asociados con cada Sephirah, y no se proponen ser exhaustivas. Sin embargo, contienen los símbolos más significativos, y son suficientes como para permitirle al estudiante que gane, una sólida captación filosófica del tema, y experimente por sí en el uso del Arbol como un símbolo de meditación.

3. Las referencias se toman principalmente de "777", de Aleister Crowley, quien las obtuvo de los manuscritos de MacGregor Mathers. Este, hasta donde pude rastrear sus referencias, pues no da autoridades, las extrajo de la obra del doctor Dee y de Sir Edward Kelly, Cornelio Agrippa, Raimundo Lulio y Pietro de Abana, entre los autores que más se anticiparon en esto. Entre los modernos, el mismo material se halla disperso en las obras de Knorr von Rosenroth, Wynn Westcott, Eliphas Levi, la señora Atwood, la señora Blavatsky, Anna Kingsford,

Mabel Collins, Papus (Encausse), St. Martin, Gerald Massey, G.R.S. Mead y muchos otros. Es probable que estuviera en deuda con algunos de éstos; otros tal vez hayan estado en deuda con él. Algunos de ellos fueron realmente miembros de la Orden del Aureo Amanecer *(Golden Dawn)* que él fundara.

4. Otras fuentes de información fueron *La Rama Dorada (The Golden Bough)* de Frazer; las obras de Wallis Budge; los escritos de los doctores Jung y Freud; las traducciones del griego hechas por el doctor Jowett; los Libros Sagrados de la Serie de Oriente, la Biblioteca Clásica Loeb; la traducción de Plotino efectuada por Stephen MacKenna; la traducción del Zohar editada por Soncino Press; y por último, pero de ningún modo la fuente menos valiosa de información, la Santa Biblia. ¡Todo esto en cuanto al secreto oculto!.

5. Se observará que los símbolos que se asignan a cada Sephirah se clasifican, en orden regular, bajo determinados títulos. Es necesario explicar el método de clasificación, de modo pormenorizado, para entender el significado que el ocultista atribuye a las distintas secciones y cómo las usa.

6. SECCION 1. *El Título asignado al Sephirah*. Se da su nombre primero en hebreo y luego en castellano, y se anexa la grafía hebrea. La grafía exacta de todos los nombres propios que se usan en la Cábala es vitalmente importante, debido al valor numérico que los cabalistas les asignan y al uso del significado de estos números por parte de quienes trabajan los métodos numerológicos. No soy numeróloga ni matemática, y por tanto no me propongo comentar lo que está fuera de la esfera de mi conocimiento. Meramente, doy los datos para conveniencia de quienes podrán apreciar su significado.

7. SECCION 2. *La Imagen Mágica y los Símbolos asociados con cada Sephirah*. La imagen mágica es el cuadro mental que el ocultista arma para representar al Sephirah, y sus pormenores dan a la meditación muchos símbolos significativos. Estas imágenes son tan antiguas, y se las armó con tal riqueza de operaciones mágicas, que tienden a armarse por sí solas cuando se medita sobre los Sephiroth. Durante mi trabajo sobre la Cábala las percibí en su mayoría antes de tener acceso a las tablas que las proporcionaban. En el trabajo práctico, el adepto iniciado las arma con minucioso simbolismo, y es valiosísimo ejercicio mágico practicar muy pormenorizadamente la visualiza-

ción de las imágenes mágicas. Gran parte de esta relación podrá recogerse de informes que doy sobre cada Sephirah, pero los lectores con algún conocimiento especializado sobre los panteones orientales o clásicos podrán elaborar estas imágenes en toda su extensión, rodeándolas con todos los arreos de los dioses asignados a cada estación del Arbol; éstos podrán identificarse a través de sus asociacioens astrológicas.

8. SECCION 3. *La Situación en el Arbol.* Esto arroja inconmensurable luz sobre toda meditación, pues revela el equilibrio de las fuerzas espirituales que operan en la naturaleza. Por ejemplo, en el Arbol, Geburah (Marte) y Chesed o Gedulah (Júpiter) son mutuamente contrarios. El rey guerrero y el sabio y benigno legislador de la paz se equilibran entre sí. Cuando Geburah se desequilibra, es crueldad y opresión, y cuando el desequilibrado el Gedulah, sufre el mal multiplicadamente.

9. SECCION 4. *El Texto del Yetzirah.* Esto consiste en la descripción de la Esfera o del Sendero que se da en el *Sepher Yetzirah*, o el *Libro de las Formaciones.* La traducción que he usado es la de Wynn Westcott.

10. Estas descripciones son por demás crípticas, pero cada tanto darán un destello de inspiración, e indudablemente contienen la esencia de la filosofía cabalística.

11. SECCION 5. *Títulos Descriptivos.* Un catálogo de los nombres aplicados a ese Sephirah particular en la literatura rabínica. Aquéllos arrojan gran luz sobre el tema y también son útiles para el estudiante, a los fines de referencia, cuando se rastrean las ideas asociadas con un Sephirah en particular.

12. SECCION 6. *Los Nombres de Poder asignados a cada Sephirah.* El nombre de Dios representa la forma más espiritual de la fuerza y se lo concibe representando el funcionamiento de esa fuerza en el Reino de Atziluth, el más elevado de los Cuatro Reinos de los cabalistas.

13. Los Nombres Arcangélicos representan el funcionamiento de la misma fuerza en Briah, el Reino de la mente superior, en el que están las ideas arquetípicas.

14. Los Coros Angélicos corresponden al Reino de Yetzirah, o el Plano Astral, y los Chakras Mundanos son los representantes de cada fuerza en el Reino de Assiah, o el Plano Material.

15. Lo que en mis tablas yo llamo la experiencia espiritual asignada a cada Sephirah, Crowley lo llama el poder mágico. Pero si bien este término puede asignarse correctamente a los Veintidós Senderos, es equívoco cuando se lo aplica a los Sephiroth. Por tanto, cambié el término en relación con los Sephiroth mismos, pero lo retuve con referencia a los Senderos por razones que ahora se verán.

16. SECCION 7. *Las Virtudes y los Vicios asignados a cada Esfera del Arbol.* Estos indican las cualidades necesarias a fin de tomar la iniciación de ese grado, y la forma que asume toda fuerza desequilibrada de esa esfera. En los grados más elevados de todos, antes de que se desarrolle la forma, no hay vicio correspondiente.

17. SECCION 8. *Correspondencia en el Microcosmos.* El microcosmos, que es el hombre guarda correspondencia con el macrocosmos Sephiróthico, y es importante desde muchos puntos de vista prácticos, especialmente el de la curación espiritual y la astrología.

18. SECCION 9. *Los Cuatro Palos del Mazo del Tarot.* La asignación de las cartas del Tarot al Arbol abre inmensos alcances de importancia práctica y forma la base filosófica del arte adivinatorio.

19. Si el lector mantiene presentes estas explicaciones, podrá seguir las líneas de razonamiento y alusión, desarrolladas en el esclarecimiento del simbolismo asignado a cada Sephirah.

20. Hay una cantidad inmensa de trabajo a realizar en la correlación que los diferentes panteones politeístas y las angelologías de los credos cristiano, hebreo e islámico, tienen con las clasificaciones del Arbol. Esto lo hizo tentativamente Crowley, e imagino que es un trabajo original y no derivado de Mathers. Sus implicancias no son completamente claras para mí, y dudo que pudiera yo suscribirlas todas. Es necesario un ámbito inmensamente vasto de erudición para el logro satisfactorio de esta rama, un ámbito de erudición que yo no poseo. Por tanto, me contentaré con tocar tales cuestiones como entraron en el alcance de mi conocimiento, sin intentar, en estas páginas, una clasificación ordenada.

21. SECCION 10. *Los Colores Relampagueantes.* Esto es sólo para uso de los estudiantes avanzados, que posean las claves necesarias.

Capítulo XV

KETHER, EL PRIMER SEPHIRAH

TITULO: Kether, la Corona.. (Grafía hebrea: כתר: Kaph, Tau, Resh)
IMAGEN MAGICA: Un rey anciano, barbudo, visto de perfil.
SITUACION EN EL ARBOL: Al frente de la Columna del Equilibrio en el Triángulo Superno.
TEXTO DEL YETZIRAH: Al Primer Sendero se lo llama la Inteligencia Admirable u Oculta, porque es la Luz que da el poder de comprensión del Primer Principio, que no tiene comienzo. Y es la Gloria Prístina, porque ningún ser creado puede alcanzar su esencia.
TITULOS QUE SE DA A KETHER: Existencia de Existencias. Oculto de lo Oculto. Anciano de los Ancianos. Anciano de los Días. El Punto Primordial. El Punto dentro del Círculo. El Altísimo. El Vasto Semblante. La Cabeza Blanca. La Cabeza que no existe. Macroprosopos. Amen. Lux Occulta. Lux Interna. He.
NOMBRE DE DIOS: Eheieh.
ARCANGEL: Metatron.
ORDEN DE ANGELES: Santas criaturas vivas. Chaioth ha Qadesh.
CHAKRA MUNDANO: Rashith ha Gilgaiim. Primum Mobile. Primeros Torbellinos.
EXPERIENCIA ESPIRITUAL: Unión con Dios.
VIRTUD: Logro. Completamiento de la Gran Obra.
VICIO: - - -
CORRESPONDENCIA EN EL MICROCOSMOS: El Cráneo, El Sah. Yechidah. La Chispa Divina. El Loto de Mil Pétalos.
SIMBOLOS. El punto. La corona. La esvástica.

CARTAS DEL TAROT: Los cuatro Ases.
AS de BASTOS: Raíz de los Poderes del Fuego.
AS DE COPAS: Raíz de los Poderes del Agua.
AS DE ESPADAS: Raíz de los Poderes del Aire.
AS DE PENTACULOS: Raíz de los Poderes de la Tierra.
COLOR EN ATZILUTH: Brillo
COLOR EN BRIAH: Brillo blanco puro.
COLOR EN YETZIRAH: Brillo blanco puro.
COLOR EN ASSIAH: Oro blanco, manchado.

I

Kether, la Corona, está situado frente a la Columna Media del Equilibrio, y de él dependen, hacia atrás, los Negativos Velos de la Existencia. Ya he escrito respecto al uso de estos Velos Negativos como un trasfondo del pensamiento, de modo que no me reiteraré acerca de esta cuestión, pero recordaré al lector que Kether, el Primer Manifiesto, representa la cristalización prístina en la manifestación de lo que hasta allí era inmanifiesto, y, por tanto, incognoscible por parte de nosotros. Respecto de la raíz de la que Kether surge, nada podemos decir; pero respecto a Kether mismo algo podemos saber. En nuestra etapa de desarrollo, para nosotros puede ser el Gran Desconocido, pero no es el Gran Incognoscible. La mente del mago deberá abarcarlo en sus visiones superiores. Según mis propias experiencias con la operación que se conoce como Ascenso en los Planos, que consiste en hacer subir la consciencia hasta la Columna Media concentrándose en los símbolos sucesivos y los Senderos, Kether, en ocasión en que toqué su borde, apareció una luz blanca cegadora, en la que todo pensamiento se blanqueó completamente.

2. En Kether no hay forma sino sólo ser puro, sea eso lo que fuere. Podría decirse que es una latencia que está sólo un grado alejada de la inexistencia. Tales conceptos deben ser necesariamente vagos, y yo estoy mal preparada para darles la claridad que podrían poseer, pero estoy muy satisfecha porque reconozcamos grados del devenir, y la tosca diferenciación de Ser y No-ser no represente los hechos. Con la existencia manifiesta nacen los pares de opuestos, los que deberán aguardar su manifestación hasta que Chokmah y Binah emanen.

3. Kether es, pues, el Uno, y existió antes de que hubiera reflejo alguno de sí para que le sirviera de imagen en la consciencia, y estableciera la polaridad. Debemos creer que, por su sola existencia, sin reacción, trascendió todas las leyes conocidas de la manifestación. Pero cuando hablemos de Kether, deberemos recordar que no nos referimos a una persona, sino a un estado de la existencia, y este estado de sustancia existente debe haber sido un ser sin actividad, cabalmente inerte y puro, hasta que empezó la actividad que hizo emanar a Chokmah.

4. La mente humana, al no conocer otra modalidad de existencia que la de la forma y la actividad, tiene suma dificultad en obtener conceptos adecuados pertenecientes a un estado de pasividad enteramente amorfo que, no obstante, y clarísimamente, es no-ser. Empero, deberemos hacer un esfuerzo si hemos de entender la filosofía cósmica en sus principios fundamentales. No deberemos correr los Velos de la Existencia Negativa frente a Kether o nos condenaremos a una perpetua dualidad sin solución; Dios y el Demonio guerrearán eternamente en nuestro cosmos, y en el conflicto de ambos no habrá fin. Debemos instruir a la mente para que conciba al estado del ser puro sin atributos o actividades; podemos pensar en aquél como la luz blanca cegadora, indiferenciada en rayos por el prisma de la forma, o podemos pensar en aquél como las tinieblas del espacio interestelar, que es la nada, pero contiene las posibilidades de todas las cosas. Estos símbolos, en los que el ojo interno se detiene, son una ayuda mayor para entender a Kether que cualquier cantidad de exactas definiciones filosóficas. No podemos definir a Kether; sólo podemos indicarlo.

5. Es una sorpresa y una iluminación continuas el descubrimiento del extraordinario significado de las sugerencias contenidas en las tablas de correspondencias, y la manera con que conducen a la mente de un concepto al otro cuando se reflexiona sobre ellas. Adviértase que al Primer Sephirah se lo llama la Corona, no la cabeza. Ahora bien, la Corona es algo que se pone encima de la cabeza, y esto nos da una clara sugerencia de que Kether es de nuestro cosmos, pero no está en él. También descubrimos su correspondencia microcósmica en el Loto de Mil Pétalos, el Sahamsara Chakra, que está en el aura, inmediatamente encima de la cabeza. Creo que esto nos enseña claramente que la esencia espiritual recóndita de todo, ya se trate del hombre o del mundo, nunca existe en manifestación real, sino que siempre es la base subyacente, la que está detrás, o la raíz de donde todo brota, perteneciendo de hecho a una dimensión distinta, a un orden distinto del ser. Este concepto de los diferentes tipos de existencia es fundamental para la filosofía esotérica, y deberemos tenerlo siempre presente al considerar los reinos invisibles del mago, o del ocultista práctico.

6. En la filosofía Vedanta, Kether se suele equiparar, sin duda, con Parabrahmâ, Chozmah con Brahaman, y Binah con Mulaprakriti. En los otros grandes sistemas del pensamiento humano, Kether se equipara con el concepto primario de aquéllos y puede considerarse como el Padre de los Dioses. Si para ellos el universo se originó en el espacio, entonces Kether es el Dios del Cielo. Si se originó en el agua, Kether es el océano primordial. Siempre encontramos, en conexión con Kether, el sentido de lo amorfo e intemporal. Los dioses de Kether son dioses terribles que devoran a sus hijos, pues Kether, aunque el padre de todos, reabsorbe de nuevo al universo en sí mismo al final de una época de evolución.

7. Kether es el abismo de donde surgió todo, y en el que caerá de nuevo al final de su época. Por tanto, en los mitos exotéricos asociados con Kether, hallamos la implicancia de la inexistencia. Sin embargo, en conceptos esotéricos, aprendemos que tal concepto es erróneo. Kether es la forma más intensa de la existencia, un ser puro, ilimitado por la forma o la reacción; pero es existencia de otro tipo del que estamos acostumbrados y, por lo tanto, se nos presenta como inexistencia porque no se adecua a ninguno de los requisitos en los que estamos acostumbrados a pensar como existencia determinante. Este concepto de otros modos de la existencia está implícito en nuestra filosofía y deberá tenérselo siempre presente, pues es la clave de Kether, y Kether es la clave del Arbol de la Vida.

8. El Texto del Yetzirah, que describe a Kether, como todas las sentencias del *Sepher Yetzirah*, es una sentencia oculta. A Kether lo llama la Inteligencia Oculta, y este apelativo lo confirman otros diversos títulos que se le dan a Kether en la literatura cabalística. Es el Oculto de lo Oculto, la Altura Inescrutable, la Cabeza que no existe. Logramos aquí nuevamente que se confirme la idea de que la corona está encima de la cabeza del Hombre Celestial, Adam Kadmon; el ser puro está detrás

de la manifestación y no es absorbido en ella, sino que más bien la emana o proyecta. Como nos expresamos en nuestras obras, así Kether se expresa en la manifestación. Pero las obras de un hombre no constituyen su personalidad, sino que son la expresión de su actividad natural. Lo mismo ocurre con Kether; su modalidad de existencia no es manifiesta, pero es la causa de la manifestación.

II

9. Hasta aquí hemos considerado a Kether en Atziluth, es decir, como su esencia esencial y prístina. Debemos considerar ahora a Kether como se presenta en los otros tres Reinos que los cabalistas distinguen.

10. Cada Reino o plano de la manifestación tiene su forma primaria; la materia, por ejemplo, es, con toda probabilidad, primordialmente eléctrica, y los esoteristas expresan esto como el subplano etérico que yace detrás de los cuatro planos elementales de la Tierra, el Aire, el Fuego y el Agua; o, en otras palabras, los cuatro estados de la materia densa: sólido, líquido, gaseoso y etérico.

11. Los cabalistas conciben que el Arbol existe en cada uno de los cuatro Reinos de Atziluth, el espíritu puro; Briah, la mente arquetípica; Yetzirah, la consciencia astral y sus imágenes; y Assiah, el mundo material tanto en sus aspectos denso como sutil. El accionar de las fuerzas de cada Sephirah están representados en cada mundo como presididos por un Nombre Divino, o una Palabra de Poder, y estas palabras dan las claves de las actividades del ocultismo práctico sobre los planos. El nombre de Dios representa la acción del Sephirah en el mundo de Atziluth, el espíritu puro; cuando el ocultista invoca las fuerzas de un Sephirah mediante el nombre de Dios, esto significa que él desea tomar contacto con la esencia más abstracta de aquél, que busca el principio espiritual que subyace y condiciona esa particular modalidad de manifestación. Es una máxima del Ocultismo Blanco que toda operación debe comenzar con la invocación del nombre de Dios, perteneciente a la Esfera en la que la operación ha de tener lugar. Esto asegura que la operación estará en armonía con la ley cósmica. Al equilibrio de la fuerza natural no se lo ha de trastornar a la ligera. Para la se-

guridad del mago, es esencial que éste conduzca sus operaciones según la ley cósmica; por tanto, deberá procurar entender el principio espiritual correspondiente a todo problema y trabajarlo en consecuencia. Por ello toda operación deberá tener su unificación o resolución final en Eheieh, el nombre de Dios de Kether en Atziluth.

12. La invocación de la Deidad bajo el nombre de Eheieh, es decir, la afirmación del ser puro, eterno, inmutable, sin atributos o actividades, subyacente, que mantiene y condiciona todo, es la fórmula primaria de todo quehacer mágico. Sólo cuando la mente está imbuída del conocimiento de este interminable e inmutable ser de suma concentración e intensidad podrá tener algún conocimiento del poder ilimitado. La energía que derive de cualquier otra fuente es energía limitada y parcial. Sólo en Kether existe la fuente pura de toda energía. Las operaciones del mago que apuntan a la concentración de la energía (¿y qué operaciones no apuntan a ello?) deberán comenzar siempre con Kether, porque aquí tomamos contacto con la fuerza emanante que brota del Gran Inmanifiesto, del deposito de energía ilimitada. Esa energía se extrae, a través de Kether, del Gran Inmanifiesto oculto detrás de los Velos de la Existencia Negativa. Si extraemos la energía de cualquier otra esfera especializada de la naturaleza, estamos —por así decirlo— robando a Pedro para pagarle a Pablo. La energía llegó de algún sitio y se dirige a algún sitio, y se la ha de estimár en el cómputo final. Por esta razón se sostuvo que el mago paga con sufrimiento lo que gana con medios mágicos. Esto es cierto si realiza su operación en alguna de las esferas inferiores de la naturaleza; pero si comienza en el Kether de Atziluth, atrae la fuerza inmanifiesta, haciendo que se manifieste; él acrecienta los recursos del universo, y siempre que mantenga a las fuerzas en equilibrio, no habrá necesariamente reacción contraria ni se pagará con sufrimiento el uso de los poderes mágicos.

13. Esta es una cuestión de tremenda importancia práctica. A los estudiantes se les enseñó que los Tres Supernos, Kether, Chokmah y Binah, están más allá del alcance del trabajo práctico mientras estemos encarnados. En verdad, están más allá del alcance de la consciencia cerebral, pero son la base esencial de todos los cálculos mágicos, y si no trabajamos sobre esta base, no tenemos cimiento cósmico, sino que nos equilibramos

entre el cielo y la tierra y no hallamos sitio de descanso o seguridad, sino que debemos mantener siempre las tensiones mágicas que mantienen a las formas astrales en existencia.

14. La gran diferencia entre la Ciencia Cristiana y las formas más toscas del Nuevo Pensamiento y la Autosugestión consiste en que comienza todo su accionar en la Vida Divina; y por cabalmente irracionales que sean sus intentos de filosofar su sistema, sus métodos son empíricamente sólidos. El ocultista (y en especial quien practica la magia ceremonial), si no fue instruido en esta disciplina, tiende a iniciar su operación sin referencias a la ley cósmica o al principio espiritual; en consecuencia, las imágenes astrales que forma semejan cuerpos extraños en el organismo del Hombre Celestial, o Macrocosmos, y todas las fuerzas de la naturaleza de dirigen espontáneamente hacia la eliminación de esa sustancia extraña y hacia el restablecimiento del equilibrio normal de las tensiones. La naturaleza combate al mago con uñas y dientes; en consecuencia, quien recurra a la magia no consagrada, jamás puede bajar su espada y deberá estar siempre a la defensiva a fin de mantener lo que ganó. Pero el adepto que inicia su trabajo en el Kether de Atziluth, es decir en el principio espiritual, y trabaja ese principio descendentemente para su expresión en los planos de la forma, empleando energía extraída del Inmanifiesto con esta finalidad, convirtió a su operación en parte del proceso cósmico, y la Naturaleza está con él en lugar de contra él.

15. No podemos esperar entender la naturaleza de Kether en Atziluth, pero podemos abrir nuestra consciencia a su influencia; y su influencia es potentísima y da un extraño sentido de eternidad e inmortalidad. Podemos saber cuándo fue eficaz la invocación de Eheieh en su brillo blanco puro, porque nos encontraremos comprendiendo con plena convicción la cabal impermanencia e insignificancia de los planos de la forma y la importancia suprema de la Vida Unica que condiciona toda forma como arcilla en manos del alfarero.

16. La meditación sobre Kether nos da un conocimiento intuitivo de que el resultado de una operación no importa en lo mínimo. "Que la suciedad juegue con la suciedad si complace a la suciedad". Una vez obtenido ese conocimiento, tenemos dominio sobre las imágenes astrales y podemos volverlas en tal o cual sentido, según nos plazca. Sólo cuando el operador no se

preocupa para nada por el resultado de la operación en el plano físico logra este pleno dominio sobre las imágenes astrales. Unica y sencillamente se preocupa por manejar las fuerzas y hacerlas manifestar en la forma, pero no le importa qué forma asuman esas fuerzas en última instancia: eso lo deja librado a ellas; pues con seguridad asumirán la forma que esté más en consonancia con su naturaleza, y así será más fiel a la ley cósmica que cualquier modelo que su conocimiento limitado pudiera asignarles. Esta es la clave real de todas las operaciones mágicas, y su única justificación, pues no podemos trastrocar al universo para que concuerde con nuestro capricho o conveniencia, pero sólo estamos justificados en la deliberada labor mágica cuando trabajamos con la gran marea de la vida en evolución a fin de introducirnos en la plenitud de la vida, cualquiera que sea la forma que esa experiencia o manifestación asuma. "Vine para que tuvieran vida, y para que la tuvieran más abundantemente", dijo Nuestro Señor, y esa debe ser la palabra del mago. La vida, y sólo la vida, debe ser su palabra, y no alguna manifestación especializada de ella como Sabiduría o Poder; ni siquiera Amor.

17. Quienes siguieron las consideraciones precedentes punto por punto, tal vez sean capaces ahora de ver algún significado en las crípticas palabras del Texto del Yetzirah, asignadas a Kether. Las palabras "Inteligencia Oculta" transmiten una sugerencia de la naturaleza inmanifiesta de la existencia de Kether, que es confirmada por la expresión: "Ningún ser creado puede alcanzar su esencia"; es decir, ningún ser que use, como su vehículo de la consciencia, algún organismo de los planos de la forma. Sin embargo, cuando la consciencia se elevó hasta el punto en el que trasciende al pensamiento, recibe de la "Gloria Prístina" el "poder de comprensión del Primer Principio"; o, en otras palabras, "Entonces conoceremos tal como somos conocidos".

III

18. Eheieh, Yo Soy Quien Soy, ser puro, es el nombre de Dios, perteneciente a Kether, y su imagen mágica es un rey anciano, barbudo, visto de perfil. El *Zohar* dice que este anciano rey barbudo está totalmente del lado derecho; no vemos la imágen mágica de Kether en su cara plena, es decir, completa,

sino sólo parcialmente. Hay un aspecto que debe esconderse de nosotros, como el lado oculto de la luna. Este lado de Kether es el lado que está hacia el Inmanifiesto, que la naturaleza de nuestra consciencia manifiesta nos impide comprender, y que para nosotros deberá ser siempre un libro sellado. Pero, aceptando esta limitación, podemos observar contemplativamente el aspecto de Kether, el perfil del anciano rey barbudo, que se nos presenta reflejado descendentemente en la forma.

19. Este rey es anciano, el Anciano de los Ancianos, el Anciano de los Días, pues existía desde el comienzo, cuando el semblante no observaba al semblante. El es un rey, porque gobierna todas las cosas según su voluntad suprema e incuestionada. En otras palabras, la naturaleza de Kether es la que condiciona todas las cosas, porque todas las cosas evolucionan de él. Tiene barba porque, en el curioso simbolismo de los rabinos, cada pelo de su barba tiene significado.

20. Dícese que la manifestación de las fuerzas de Kether en Briah, el mundo de la mente arquetípica, es a través del arcángel Metatron, el Príncipe de los Semblantes, que la tradición asegura que fue el maestro de Moisés. El *Sepher Yetzirah* dice del Décimo Sendero, Malkuth, que "hace que una influencia fluya desde el Príncipe de los Semblantes, el arcángel de Kether, y es la fuente de la iluminación de todas las luces del universo". Así, lisa y llanamente, aprendemos que no sólo el espíritu corre a manifestarse en la materia, sino que la materia, por su propia energía, induce al espíritu a que se manifieste, cuestión ésta que es importante para quien practica la magia, pues le enseña que está justificado en sus operaciones y que el hombre no necesita aguardar la palabra del Señor, sino que puede invocar a Dios para que le oiga.

21. Los ángeles de Kether, que operan en el mundo de Yetzirah, son los Chaioth ha Qadesh, Criaturas Vivas y Santas, y su nombre transporta a la mente hasta la Visión del Carruaje de Ezequiel y las Cuatro Criaturas Sagradas ante el Trono. El hecho de que los cuatro ases del Tarot, asignados a Kether, se considere que representan las raíces de los cuatro elementos de Tierra, Aire, Fuego y Agua, confirma más esta asociación. Podemos contemplar, pues, a Kether como la fuente principal de los elementos. Este concepto aclara muchas dificultades ocultas y metafísicas que se suscitan si limitamos su operación al

plano astral y consideramos a los elementales como un poco mejores que los demonios, como algunas escuelas del pensamiento trascendental parecen hacerlo.

22. Toda la cuestión de los ángeles, arcontes y elementales es muy discutida y muy importante en ocultismo, porque es inmediata su aplicación práctica en magia. El pensamiento cristiano puede tolerar con esfuerzo la idea de los arcángeles, pero los espíritus auxiliadores, los mensajeros que son llamas de fuego y los constructores celestiales son ajenos a su teología; Dios, solo y en un instante, creó los cielos y la tierra. El Gran Arquitecto del universo es también el albañil. No es esa la posición de la ciencia esotérica. El iniciado conoce a las legiones de seres espirituales que son representantes de la voluntad de Dios y vehículos de la actividad creadora. Es a través de ellos que él trabaja, por la gracia de su arcángel regente. Pero un arcángel no puede ser conjurado con encantamientos, por potentes que éstos sean. Lo que más bien ocurre es que, cuando efectuamos una operación de la Esfera de un Sephirah particular, el arcángel trabaja a través de nosotros para el cumplimiento de su misión. Por tanto, el arte del mago radica en alinearse con la fuerza cósmica para que la operación que desea realizar se produzca como parte del accionar de las actividades cósmicas. Si está verdaderamente purificado y consagrado, esto ocurrirá con todos sus deseos; y si no está verdaderamente purificado y consagrado, no es un adepto y su palabra no es palabra de poder.

23. Es interesante notar que en el Mundo de Assiah, el título de la Esfera de Kether es Rashith ha Gilgalim, o los Primeros Torbellinos, indicando de esta manera que los rabinos estaban familiarizados con la Teoría Nebular antes de que la ciencia estuviera familiarizada con el telescopio. Deberá ser cuestión de perpetuo asombro para todo el que se allegue a la filosofía tradicional, sin parcialidad, la manera en que los antiguos deducían los hechos básicos de la cosmogonía por medios puramente intuitivos y el uso del método de las correspondencias, siglos antes de que se inventaran y perfeccionaran los instrumentos de precisión que permitieron al hombre moderno concretar los mismos descubrimientos desde otro ángulo.

24. Como es arriba, es abajo. El microsmos guarda correspondencia con el macrocosmos, y, por tanto, debemos buscar

en el hombre al Kether arriba de la cabeza que brilla con un resplandor blanco y puro en Adam Kadmon, el Hombre Celestial. Los rabinos lo llaman el Yechidah, la Chispa Divina; los egipcios lo llaman el Sah; los hindúes lo llaman el Loto de Mil Pétalos. Pero bajo todos estos nombres, tenemos la misma idea: el núcleo del espíritu puro que emana pero no fija sus muchas manifestaciones en los planos de la forma.

25. Dícese que, estando encarnados, jamás podremos elevarnos hasta la consciencia de Kether en Atziluth y retener el vehículo físico intacto contra nuestro retorno. Tal como Enoc "anduvo con Dios y desapareció" de igual modo el hombre que tiene la visión de Kether está dividido en lo que concierne al vehículo de la encarnación. La causa de que esto debe ser así se discierne fácilmente cuando recordamos que no podemos entrar en una modalidad de consciencia sino reproduciéndola en nosotros, tal como la música nada significa para nosotros a no ser que el corazón cante con ella. Por tanto, si en nosotros reproducimos la modalidad existencial de lo que no tiene forma ni actividades, se colige que deberemos liberarnos de la forma y la actividad. Si logramos esto, lo que se mantiene unido por la modalidad formal de la consciencia se escindirá y retornará a sus elementos. Disuelto de esta manera, la consciencia que retorna no podrá reensamblarlo. Por tanto, cuando aspiremos a la Visión de Kether en Atziluth, deberemos estar preparados para entrar en la Luz y no salir nuevamente.

26. Esto no implica que Nirvana sea aniquilación, como una ignorante versión de la filosofía oriental enseñó al pensamiento europeo; pero sí implica un completo cambio de modalidad o dimensión. No sabemos qué seremos cuando nos hallemos alineados con las Sagradas Criaturas Vivas, y nadie que logró la visión de Kether en Atziluth regresó para contárnoslo; pero la tradición afirma que están los que lo hicieron, y que están estrechamente preocupados con la evolución de la humanidad y son los prototipos de los superhombres respecto de los cuales todas las razas tienen una tradición; una tradición que, desgraciadamente, en años recientes fue abaratada y rebajada por la enseñanza seudo-ocultista. Sean lo que fueren estos seres o no, lo seguro es decir que no tienen forma astral ni personalidad humana, y son como llamas en el fuego que es Dios. El estado del alma que alcanzó el Nirvana puede asemejarse mejor a una

rueda que perdió su llanta y cuyos rayos se convirtieron en rayos que penetran e interpenetran a toda la creación; un centro de radiación a cuya influencia no se pone límite, salvo el de su propio dinamismo, y que mantiene su identidad como un núcleo de energía.

27. Dícese que la Experiencia Espiritual asignada a Kether es la Unión con Dios. Este es el fin y el objetivo de toda experiencia mística, y si buscamos cualquier otra meta somos como los que construyen una casa en el mundo de la ilusión. A todo lo que lo retiene del recto sendero que lo lleva hasta esta meta, el místico lo considera una amarra que lo sujeta, y que, como tal, hay que romper. Todo lo que sujeta la consciencia a la forma, todos los deseos distintos del deseo único, son males para él, y desde el punto de vista de su filosofía tiene razón, y actuar de otro modo sería invalidar su técnica.

28. Pero no es ésta la única prueba que el místico tiene que afrontar; es menester que cumpla con las exigencias de los planos de la forma antes de estar libre para empezar a retirarse y escapar de aquélla. Hay un Sendero de la Mano Izquierda, que conduce a Kether, el Kether de los Qliphoth, que es el Reino del Caos. Si el místico penetra prematuramente en el Sendero Místico, es allí adonde se dirige, no al Reino de la Luz. El hombre que pertenece naturalmente al Sendero Místico no congenia con la disciplina de la forma, y la más sutil de las tentaciones consiste en abandonar la lucha con la vida de la forma que resiste el dominio de aquél y en retirarse de los planos antes de acabar el *nadir* y de aprender las lecciones de la forma. Esta es la matriz en la que se mantiene la consciencia fluídica hasta que ésta logra organizarse a prueba de dispersión; hasta que se convierte en un núcleo de la individualidad diferenciada respecto del mar sin forma correspondiente al ser puro. Si la matriz se rompe demasiado pronto, antes de que la consciencia fluídica se establezca como un sistema orgánico de tensiones estereotipadas por repetición, la consciencia se vuelve a establecer en lo amorfo, tal como la arcilla se disgrega nuevamente si, antes de fraguar, se la libera de la sustentadora comprensión del molde. Si hay un místico cuya mística produce incapacidad mundana o alguna forma de disociación de la consciencia, sabemos que, en lo que a él respecta, el molde se rompió demasiado pronto, y deberá regresar a la disciplina de la forma hasta aprender la

lección de ésta y haber alcanzado su consciencia una organización coherente y cohesiva que ni siquiera el Nirvana pueda destruir. Que hache leña y acarree agua en el servicio del Templo si lo quiere, pero que no profane el sitio sagrado de aquél con sus patologías e inmadureces.

29. La virtud que se asigna a Kether es la del Logro, el Completamiento de la Gran Obra, para usar un término tomado de los alquimistas. Sin completamiento, no podrá haber logro, y sin logro no podrá haber completamiento. Las buenas intenciones tienen escaso peso en la balanza de la justicia cósmica; se nos conoce por la obra que completamos. Es verdad que tenemos toda la eternidad para completarla, pero deberemos completarla hasta el Yod final. No hay gracia en la justicia perfecta, salvo aquella que nos da permiso para intentarlo de nuevo.

30. Kether, considerado desde el punto de vista de la forma, es la corona del reino del olvido. A menos que conozcamos la naturaleza de la vida de la luz blanca pura, nos sentiremos poco tentados para esforzarnos en procura de la Corona que no es de este orden del ser, y si tenemos este conocimiento, entonces estamos libres de la esclavitud de la manifestación y podemos hablarles a todas las formas como quien tiene autoridad.

Capítulo XVI

CHOKMAH, EL SEGUNDO SEPHIRAH

TITULO: Chokmah, la Sabiduría. (Grafía hebrea: חכמה :. Kaph, Mem, Hé).
IMAGEN MAGICA: Una figura masculina, con barba.
SITUACION EN EL ARBOL: Al frente de la Columna de la Misericordia en el Triángulo Superno.
TEXTO DEL YETZIRAH: Al Segundo Sendero se lo llama la Inteligencia Iluminadora. Es la Corona de la Creación, el Esplendor de la Unidad, que se iguala a ella. Se eleva sobre todas las cabezas, y los cabalistas lo denominan la Segunda Gloria.
TITULOS QUE SE DA A CHOKMAH: El Poder de Yetzirah. Ab. Abba. El Padre Superno. El Tetragrammaton. El Yod del Tetragrammaton.
EL HOMBRE DE DIOS: Jehovah.
ARCANGEL: Ratziel.
ORDEN DE ANGELES: Auphanim, ruedas.
CHAKRA MUNDANO: Mazloth, el Zodíaco.
EXPERIENCIA ESPIRITUAL: La Visión de Dios cara a cara.
VIRTUD: Devoción.
VICIO: - - -
CORRESPONDENCIA EN EL MICROCOSMOS: El lado izquierdo de la cara.
SIMBOLOS: El *lingam*. El Falo. El Yod del Tetragrammaton. La Túnica Interior Gloriosa. El Menhir. La Torre. El Cetro del Poder, en Alto. La Línea Recta.
CARTAS DEL TAROT: Los cuatro Dos.
DOS DE BASTOS: Dominio.
DOS DE COPAS: Amor.

DOS DE ESPADAS: La Paz restablecida.
DOS DE PENTACULOS: El cambio armónico.
COLOR EN ATZILUTH: Celeste puro.
COLOR EN BRIAH: Gris.
COLOR EN YETZIRAH: Gris perla, iridiscente.
COLOR EN ASSIAH: Blanco con manchas rojas, azules y amarillas.

I

1. Cada fase evolutiva comienza en un estado dinámico inestable, y avanza, mediante organización, hacia el equilibrio. Alcanzado éste, no es posible más evolución sin alterar una vez más la estabilidad y atravesar una fase de fuerzas en pugna. Como ya vimos, Kether es el Punto formulado en el Vacío. Según la definición de Euclides, un punto tiene posición pero no tiene dimensiones. Sin embargo, si concebimos un punto extendiéndose en el espacio, ese punto se convierte en una línea. La naturaleza de la organización y la evolución de los Tres Supernos dista tanto de nuestra experiencia que sólo podemos concebirlas símbólicamente; pero si al Punto Primordial, que es Kether, lo concebimos extendido en la línea que es Chokmah, tendremos una representación simbólica tan adecuada como es de esperar que la logremos en nuestro actual estado intelectivo.

2. Esta energía que corre hacia adelante, representada por la línea recta o el cetro del poder en alto, es esencialmente dinámica. De hecho, es el dinamismo primario, pues no podemos concebir como un proceso dinámico la cristalización de Kether en el espacio; más bien participa de una condición estática, de la limitación de lo amorfo y libre en los lazos de la forma, por tenue que ésta sea para nuestra vista.

3. Alcanzados los límites de la organización de esa forma, la fuerza siempre afluyente de lo Inmanifiesto trasciende sus limitaciones, exigiendo nuevas modalidades de evolución estableciendo nuevas relaciones y tensiones. Esta expulsión de fuerza inorgánica y descompensada es Chokmah, y porque Chokmah es un Sephirah dinámico, que afluye siempre en ilimitada energía, hacemos bien en considerarlo un canal para el paso de la fuerza en vez de un receptáculo para almacenar ésta.

4. Chokmah no es un Sephirah organizador sino el Gran

Estimulador del Universo. Es de Chokmah que Binah, el Tercer Sephirah, recibe su influjo de emanación, y Binah es el primero de los Sephiroth organizadores y estabilizadores. No es posible entender a uno u otro de los Sephiroth pareados sin considerar a su compañero; por tanto, a fin de entender a Chokmah, tenemos que decir algo de Binah. Adviértase, entonces, que Binah se asigna el planeta Saturno y se llama la Madre Superior.

5. En Binah y Chokmah tenemos al Positivo y al Negativo arquetípicos; el Masculino y el Femenino primordiales, establecidos cuando el semblante no contemplaba al semblante y la manifestación era incipiente. De estos primarios Pares de Opuestos surgen las Columnas del Universo, entre las que se teje la red de la Manifestación.

6. Como ya lo notamos, el Arbol de la Vida es una representación diagramática del Universo en la que las Columnas de la Misericordia y la Severidad, que están a ambos lados, representan lo positivo y lo negativo, lo masculino y lo femenino. A una mente no instruida tal vez le parezca extraño que deba atribuirse el título de Misericordia a la Columna masculina o positiva, y el de Severidad a la Columna femenina; pero cuando se comprenda que el tipo de fuerza dinámico masculino es el estimulador de la construcción y la evolución, y que el tipo femenino de fuerza es el constructor de las formas, se verá que esa nomenclatura es apta; pues la forma, aunque sea la constructora y la organizadora, es también la limitadora; cada forma que se construya deberá, a su vez, envejecer, perder su utilidad y volverse un estorbo para la vida que evoluciona, y, en consecuencia, ser la introductora de la disolución y la decadencia, que conducen a la muerte. El Padre es el Dador de vida; pero la Madre es la Dadora de muerte, porque su vientre es la puerta de ingreso en la materia, y a través de ella la vida se anima en la forma, y ninguna forma puede ser infinita ni eterna. La muerte está implícita en el nacimiento.

7. Es entre estos dos aspectos polarizadores de la manifestación (el Padre Superno y la Madre Superna) que se teje la red de la Vida; las almas van y vienen, entre aquéllos, como la lanzadera de un tejedor. En nuestras vidas individuales, en nuestros ritmos fisiológicos, y en la historia del surgimiento y de la caída de las naciones, observamos la misma periodicidad rítmica.

8. En estos primeros Sephiroth pareados tenemos la clave

del sexo: el par de opuestos biológicos, masculino y femenino. Pero esa paridad de opuestos no ocurre sólo en tipo, también ocurre en tiempo, y tenemos alternantes épocas de nuestras vidas, de nuestros procesos fisiológicos y de la historia de las naciones, durante las cuales prevalecen, alternadamente, la actividad y la pasividad, la construcción y la destrucción; el conocimiento de la periodicidad de estos ciclos es parte del secreto, que se guarda, y es antigua sabiduría de los iniciados, y que se ejecuta astrológica y cabalísticamente.

9. Esta idea la dan la Imagen Mágica de Chokmah y los signos asignados a ella. La Imagen Mágica es la de un varón barbudo, barbudo para indicar madurez; el padre que demostró su virilidad, no el varón virgen no experimentado. El lenguaje simbólico habla francamente, y el *lingam* de los hindúes y el falo de los griegos son, en sus respectivas lenguas, el órgano masculino de la generación. El Menhir: la torre y el cetro en alto significan el mismo miembro viril en su máxima potencia.

10. Sin embargo, no debe pensarse que Chokmah es un símbolo fálico o sexual y nada más. Primeramente, es un símbolo dinámico o positivo, pues la virilidad es una forma de fuerza dinámica, tal como la feminidad es una forma de fuerza estática, latente o potencial, inerte hasta que se le da estímulo. La totalidad es mayor que la parte, y Chokmah y Binah son totalidades de las cuales el sexo es una parte. Al entender la relación que el sexo tiene con la fuerza polarizadora en su totalidad, encontramos la clave para entender correctamente al sexo, y, frente a una norma cósmica, podemos evaluar las enseñanzas de la psicología y la moralidad que se relacionan con ella. También podemos ver cómo sucede que la mente subconsciente del hombre puede representar los sexos con tantos y tan diversos símbolos, como lo afirman los freudianos; y porqué es posible la sublimación del instinto sexual, como lo afirman los moralistas. La manifestación es, pues, sexual en la medida en que tiene lugar siempre en términos de pares de opuestos; y el sexo es cósmico y espiritual porque tiene sus raíces en los Tres Supernos. Debemos aprender a no disociar a la flor aérea respecto de la raíz terrena, pues la flor cortada de su raíz desaparece, y sus semillas son estériles; mientras que la raíz, segura en la madre tierra puede producir una flor tras otra y hacer que su fruto madure. La naturaleza es más grande y cierta que la moralidad convencional,

que a menudo no es sino tabú y totemismo. Felices aquellos cuya moralidad encarna las leyes de la Naturaleza, pues llevarán vidas armónicas, crecerán, se multiplicarán y poseerán la tierra. Desdichados aquellos cuya moralidad es un salvaje sistema de tabúes ideados para propiciar un imaginario Moloc como deidad, pues serán estériles y pecadores. Igualmente desdichados aquellos cuya moralidad agravia la santidad del proceso natural y, al arrancar la flor no tienen consideración con el fruto, pues sus cuerpos serán enfermos y sus bienes, corruptos.

11. En Chokmah debemos ver, pues, tanto la Palabra creadora que dijo "Hágase la luz" como el *lingam* de Siva y el falo que las bacantes adoraban. Debemos aprender a reconocer la fuerza dinámica y reverenciarla dondequiera que la veamos, pues su nombre de Dios es Jehovah Tetragrammaton. La vemos en la abierta cola del pavo real y en la iridiscencia del cuello de la paloma; pero también la oímos en el maullido del gato y la olemos en el hedor del chivo. De modo parecido, la vemos en los aventureros colonizadores de las épocas más viriles de nuestra historia, notablemente las de Isabel y Victoria: ¡ambas, mujeres! La vemos, asimismo, en el hombre diligente en su trabajo, esforzado en su profesión, para que nada falte en su hogar. Todos estos son tipos de Chokmah, cuyos otros títulos son: Abba, el Padre. Veamos en todas estas manifestaciones al padre, al dador de vida para con aquel que no nació, al igual que el macho que anda en celo tras su compañera; así obtendremos una perspectiva más cierta en cuestiones sexuales. La actitud victoriosa, en su reacción contra la torpeza de la Restauración, llegó prácticamente a la norma de las tribus más primitivas, que, como nos lo refieren viajeros, no asocian la unión de los sexos con la producción de la prole.

12. Dícese que el color de Chokmah es gris; en sus aspectos superiores, es gris perla, iridiscente. En esto vemos el velo de la luz blanca pura de Kether que desciende por su sendero de emanación hacia Binah, cuyo color es el negro.

13. El Chakra Mundano, o la manifestación física directa de Chokmah, dícese que es el Zodíaco, que en hebreo se llama Mazloth. Vemos, pues, que los antiguos rabinos entendían correctamente el proceso de la evolución de nuestro sistema solar.

14. El Texto del Yetzirah asignado a Chokmah es, como de costumbre, excesivamente oscuro en su expresión; no obstante,

podemos recoger de él ciertas sugerencias iluminadoras. Al Segundo Sendero, como denomina a Chokmah, lo llama la Inteligencia Iluminadora. Ya hicimos referencia a la Palabra creadora que dijo: "Hágase la luz". Entre los símbolos asignados a Chokmah en "7.77" (sistema de Mathers-Crowley), el de la Túnica Interior Gloriosa, es un término gnóstico. Estas dos ideas, consideradas juntas, llevan a imaginar la idea de la vida que cobra alma, la idea del espíritu iluminador. Es la fuerza masculina que implanta la chispa fecundante en el óvulo pasivo en todos los planos y transforma su inerte latencia en la activa construcción del crecimiento y la evolución. Es la fuerza dinámica de la vida, que es espíritu, la cual anima a la arcilla de la forma física y constituye la Túnica Interior Gloriosa que todos los seres usan, y en el que está el aliento de la vida. La Inteligencia Iluminadora y la Túnica Interior Gloriosa significan la fuerza encarnada en la forma, y la forma animada por la fuerza.

15. El Texto del Yetzirah llama también Chokmah a la Corona de la Creación, implicando así que, como Kether, más bien es dominante y externo que inminente e incorporado al Universo manifiesto. En realidad, es la fuerza viril de Chokmah que da el impulso a la manifestación, y así es anterior a la manifestación misma. La Voz del Logos gritaba "Hágase la luz" mucho antes de que las aguas se separaran de las aguas y apareciera el firmamento. Esta idea la confirma más la frase del Texto del Yetzirah que habla de Chokmah como el Esplendor de la Unidad, igualándolo, e indicando, pues, claramente, más bien su afinidad con Kether, la Unidad, que con los planos de la forma dualista. El vocablo "esplendor", como aquí se lo emplea, indica con claridad una emanación, o una irradiación, y nos enseña a pensar en Chokmah como la influencia emanante del ser puro, más que como una cosa en sí misma. Esto nos lleva nuevamente a una captación más fiel del sexo. Sin embargo, quede muy en claro que la esfera de Chokmah nada tiene que ver con los cultos de la fertilidad como tales, salvo que la virilidad, la fuerza dinámica, es la primera dadora de vida e inductora de la manifestación. Aunque las manifestaciones superior e inferior de la fuerza dinámica son las mismas en esencia, están en diferentes niveles; Príapo no es idéntico a Jehovah. No obstante, la raíz de Príapo ha de hallarse en Jehovah, y la Manifestación de Dios Padre ha de hallarse en Príapo, como lo indi-

ca el hecho que los rabinos llaman Chokmah el Yod del Tetra-grammaton, y Yod es idéntico al *lingam* en la fraseología de aquéllos.

16. Es curioso que el *Sepher Yetzirah* dice, respecto de dos de los Sephiroth, que están elevados por encima de todas las cabezas, lo cual es una afirmación contradictoria; empero, por el hecho de que se efectúa respecto de Chokmah y Malkuth, hay para nosotros iluminación si reflexionamos sobre su significado. Chokmah es el Padre Superno, Malkuth es la Madre Inferior, y el texto que declara la elevación de ésta sobre todas las cabezas dice también que está sentada sobre el trono de Binah, la Madre Superior, la contraparte negativa de Chokman. Ahora Chokmah es la forma más abstracta de la fuerza, y Malkuth es la forma más densa de la materia; de modo que, en esta afirmación, tenemos una sugerencia de que cada uno de este par de opuestos extremos es la manifestación suprema de su propio tipo, y ambos son igualmente sagrados en sus diferentes modalidades.

17. Debemos distinguir entre el rito de la fertilidad, el rito de la vitalidad y el rito de la iluminación o la inspiración, que hace descender las llameantes lenguas de Pentecostés. El culto de la fertilidad apunta a la reproducción directa y sencilla, ya sea de ganados, campos o esposas; pertenece a Yesod, y nada tiene que ver con el culto de la vitalidad, que pertenece a Netzach, la esfera de Venus-Afrodita. Esto concierne a cierta enseñanza esotérica importantísima sobre el tema de las influencias vitalizadoras o magnéticas que los sexos tienen entre sí, muy aparte del contacto físico, y lo trataremos cuando lleguemos a considerar a Netzach, la esfera de Venus.

18. El Rito de Chokmah, si se lo puede llamar así, está relacionado con el influjo de la energía cósmica. Es amorfo, y trátase del impulso puro de la creación dinámica; y por ser amorfo, la creación que él genera puede asumir cualquier forma y todas las formas; de allí la posibilidad de sublimar la fuerza creadora a partir de su aspecto puramente priápico.

19. Por lo que sé, no hay ceremonia mágica formal de ninguno de los Tres Supernos. Sólo se puede tomar contacto con ellos participando de su naturaleza esencial. Con Kether, el ser puro, puede tomarse contacto cuando logramos conocer la naturaleza de la existencia sin partes, atributos ni dimensiones. Esta experiencia se llama, adecuadamente, el Trance de Ani-

quilación, y quienes la tienen caminan con Dios y desaparecen, pues Dios se los lleva consigo; por lo tanto, la experiencia espiritual asignada a Kether es la de la Unión Divina, de la que se dice que quienes la tienen entran en la Luz y no salen nuevamente.

20. A fin de tomar contacto con Chokmah, deberemos experimentar el ímpetu de la energía cósmica dinámica en su forma pura; energía ésta que es tan tremenda que el hombre mortal se funde hasta que ella lo destruye. Hay constancias de que cuando Sémele, madre de Dioniso, vio a Zeus, su amante divino, en su deífica forma de Fulminador, estalló en llamas y dio a luz prematuramente a su hijo divino. La experiencia espiritual que se asigna a Kether es la Visión de Dios cara a cara; y Dios (Jehovah) dijo a Moisés: "No puedes mirar mi rostro y vivir".

21. Pero aunque la vista del Padre Divino incendia a los mortales, el Hijo Divino allégase familiarmente a ellos y se lo puede invocar con ritos apropiados: las Bacanales en el caso del Hijo de Zeus, y la Eucaristía en el caso del Hijo de Jehová. Así, vemos que hay una forma inferior de la manifestación, que "nos muestra al Padre", pero que este rito debe su validez solamente al hecho de que su Inteligencia Iluminadora, su Técnica Interior Gloriosa, la deriva del Padre, de Chokmah.

II

22. El grado de iniciación correspondencia a Chokmah dícese que es el de Mago, y las armas mágicas asignadas a ese grado son el falo y la Túnica Interior Gloriosa. Esto nos enseña que estos símbolos tienen un significado microcósmico o psicológico, al igual que macrocósmico o místico. La Túnica Interior Gloriosa debe significar seguramente la Luz Interior que ilumina a todo hombre que entra en este mundo: la visión espiritual por la que el místico discierne las cosas espirituales, la forma subjetiva de la Inteligencia Iluminadora a que se hace referencia en el Texto del Yetzirah.

23. El falo o el *lingam* se da como una de las armas mágicas del iniciado que opera el grado de Chokmah; esto nos dice que un conocimiento del significado espiritual del sexo y el

significado cósmico de la polaridad conciernen a este grado. Todo aquel que pueda ver debajo de la superficie de las cosas místicas y mágicas no podrá dejar de tomar consciencia del hecho de que en la comprensión de la potencia tremenda y misteriosa (que llamamos sexo en una de sus manifestaciones) radica la clave de muchísimas cosas. No por nada las imágenes sexuales penetran las visiones del vidente, desde el *Cantar de los Cantares* hasta *El Castillo Interior* (o *Las Moradas*).

24. No debe pensarse por esto que yo abogo por los ritos orgiásticos como Vía Iniciática; pero también puedo decir con franqueza que sin entender correctamente el aspecto esotérico del sexo, el Sendero es un callejón sin salida. Freud le dijo la verdad a esta generación cuando señaló al sexo como una clave de la psicopatología; según mi opinión, se equivocó cuando lo convirtió en la llave única de las nueve cámaras del alma. Tal como no podrá haber salud de la subsconsciencia sin armonía de la vida sexual, de igual modo no podrá haber un accionar positivo o dinámico en el plano de la superconsciencia a menos que se entiendan y observen las leyes de la polaridad. Para muchos místicos, que buscan en el espíritu un refugio contra la materia, esto tal vez sea difícil de decir, pero la experiencia demostrará que esto es cierto; por tanto, hay que decirlo, aunque sea escaso el agradecimiento por decirlo.

25. El tremendo ímpetu descendente de la fuerza de Chokmah, invocada a través del Nombre Divino de Cuatro Letras, proviene del Yod macrocósmico al Yod microcósmico, y entonces se sublima. A menos que la mente subconsciente se libere de disociaciones y represiones, y se coordinen y sincronicen todas las partes de la naturaleza multilateral del hombre, el resultado de ese ímpetu descendente son reacciones y síntomas patológicos. Esto no significa que quien invoque a Zeus sea necesariamente un adorador de Príapo, sino que *realmente* significa que ningún hombre puede sublimar una disociación. Cuando el canal está libre de obstrucciones, la fuerza impulsora descendente puede dar la vuelta alrededor del nadir y convertirse en fuerza impulsora ascendente que podrá dirigirse hacia cualquier esfera o volverse a cualquier canal que se desee; pero, agrade esto o no, será fuerza impulsora descendente antes que ascendente, y, a menos que nuestros pies estén firmemente plantados en la tierra elemental, semejaremos odres que revientan.

26. Todo ocultista práctico sabe que Freud dijo la verdad, aunque no sea toda la verdad, pero teme decirlo por temor de que lo acusen de culto fálico y prácticas orgiásticas. Estas cosas tienen lugar, aunque no sea en el Templo del Espíritu Santo, y negarles cabida es una locura por la que la era victoriana pagó muy caro con una rica cosecha de psicopatología.

27. Siempre que trabajamos dinámicamente en cualquier plano, operamos la Columna del Arbol, perteneciente a la Mano Derecha, y derivamos nuestra energía primaria de la Fuerza de Chokmah, perteneciente a Yod. A este respecto, debemos remitirnos al hecho de que la correspondencia microcósmica de Chokmah se da como el lado izquierdo de la cara. Las correspondencias macrocósmica y microcósmica representan un importante papel en los trabajos prácticos. El Macrocosmos, o el Gran Hombre, es, por supuesto, el universo mismo; y el microcosmos es el hombre individual. Dícese que el hombre es el único ser que tiene cuatro naturalezas que guardan exacta correspondencia, en sus niveles, con el cosmos. Los ángeles carecen de los planos inferiores, y los animales carecen de los planos superiores.

28. Las referencias al microcosmos, por supuesto, no deben tomarse burdamente como representando las partes del cuerpo físico; las referencias son al aura y a las funciones de las corrientes magnéticas del aura, y esto deberá tenerse siempre presente, como lo señala el Swami Vivekananda, que lo que en el varón está a la derecha, en la mujer está a la izquierda. Además de esto, deberá recordarse que lo que en el plano físico es positivo, en el plano astral es negativo; es asimismo positivo en el plano mental, y negativo en el plano espiritual, como lo indican las enroscadas serpientes negra y blanca del Caduceo de Mercurio. Si este Caduceo se coloca sobre el Arbol cuando éste se limita a representar a los Cuatro Mundos de los cabalistas, se forma un jeroglífico que revela el accionar de la Ley de Polaridad en relación con los Planos. Este es jeroglífico importantísimo, y produce muchísima meditación.

29. De esto aprendemos que cuando el alma está en una encarnación femenina funcionará negativamente en Assiah y Briah, pero positivamente en Yetzirah y Atziluth. En otras palabras, una mujer es física y mentalmente negativa, pero psíquica y espiritualmente positiva, y a la inversa ciertamente respecto de un hombre. Sin embargo, en los iniciados hay un grado considerable de compensación, pues cada uno aprende la técnica de los métodos psíquicos tanto positivo como negativo. La Chispa Divina, que es el núcleo de toda alma viva, es, por supuesto, bisexual, y contiene las raíces de ambos aspectos, como los contiene Kether, con los cuales guarda correspondencia. En las almas muy altamente evolucionadas, el aspecto compensador se desarrolla al menos en algún grado. La mujer puramente femenina y el hombre puramente masculino demuestran ser supersexuados si se los juzga según las normas civilizadas, y sólo pueden encontrar un sitio apropiado en las sociedades primitivas, en las que la fertilidad es la primordial exigencia que la sociedad impone a sus mujeres, y la caza y la pelea son la ocupación constante de los hombres.

30. Sin embargo, esto no significa que las funciones físicas de los sexos se perviertan en el iniciado, o que se modifique la configuración del cuerpo. La ciencia esotérica muestra que la forma física y el tipo racial que el alma asume en cada encarnación son determinados por el destino, o *Karma*, y que la vida ha de llevarse a cabo y vivirse en consecuencia. No es aconsejable que nos hagamos trampas con nuestro tipo, racial o físico, y debemos aceptarlo siempre como la base de nuestras actividades, y escoger en consecuencia nuestros métodos. Hay ciertas actividades y ciertos oficios en la logia para los que el vehículo masculino es más adecuado que el femenino, y cuando se tiene entre manos un trabajo práctico, los dignatarios de una ceremonia se seleccionan por tipo; pero cuando avanza la instrucción de rutina de un iniciado, es costumbre dejar que cada cual rote en los diferentes oficios a fin de que aprenda a manejar los distintos tipos de fuerza y de ese modo se equilibre.

31. Benjamin Kidd, en su muy estimulante libro *La Ciencia del Poder (The Science of the Power)*, señala que el tipo más elevado de ser humano se aproxima al infantil. Observamos el enorme tamaño relativo de la cabeza en comparación con el peso del cuerpo en el infante, y que las características sexuales secundarias no están presentes. El tipo más elevado de hombre no es un gorila hirsuto, no el tipo más elevado de mujer es la de pechos exagerados. En la civilización, la tendencia evolutiva es de aproximación típica entre los sexos en lo que concierne a las características sexuales secundarias. ¿Qué porcentaje de

varones que habitan en una ciudad podrían dejarse crecer una barba realmente patriarcal? Sin embargo, el carácter sexual primario deberá mantenerse sin menoscabo o la raza se extinguirá pronto, pero no tenemos razón para creer que esto ocurra siquiera entre los más maricas de hoy en día, que llenan los juzgados tramitando divorcios, con pruebas abundantes de su desbordante afición procreadora.

32 Estas cosas pueden entenderse bajo la luz que se les arroje cuando están "colocadas sobre el Arbol". Las dos Columnas, la positiva bajo Chokmah y la negativa bajo Binah, corresponden, respectivamente, a *Ida* y *Pingala* de los sistemas del Yoga. Estas dos corrientes magnéticas, que corren en el aura paralelas a la columna vertebral, se llaman las corrientes del Sol y de la Luna. En una encarnación masculina, trabajamos predominantemente con la corriente del Sol, el fertilizador; en una encarnación femenina, trabajamos predominantemente con las fuerzas lunares. Si deseamos trabajar con el tipo contrario de fuerza a aquel con el que naturalmente estamos dotados, tenemos que hacerlo usando nuestro modo natural como base de las actividades y, por así decirlo, "utilizar el rebote". El varón que quiere usar las fuerzas lunares emplea artificios que le permitan hacer que su fuerza solar se refleje, y la mujer que quiere usar las fuerzas solares emplea un artificio por el que puede enfocarlas sobre sí y reflejarlas. En el plano físico, los sexos se unen, y el hombre engendra un hijo en la mujer, valiéndose de las energías lunares de ésta. La mujer, por el otro lado, al desear crear y ser incapaz abarcar esto por sí sola, seduce al varón a través de los deseos de éste hasta que le confiere su fuerza solar y ella queda fecundada.

33. En los actos mágicos, el hombre o la mujer que desea trabajar con el tipo de fuerza contrario al de su vehículo físico, (y es parte de la rutina de la instrucción oculta que lo haga), muda el nivel de consciencia hacia un plano en el que encuentra la polaridad necesaria, y sobre ella trabaja. El sacerdote de Osiris emplea a veces a los espíritus elementales para complementar su polaridad, y la sacerdotisa de Isis invoca las influencias angélicas.

34. Debido a que la manifestación tiene lugar a través de los Pares de Opuestos, el principio de la polaridad está implícito no sólo en el macrocosmos sino también en el microcosmos. En-

tendiendo esto, y sabiendo cómo valernos de las posibilidades que nos procura, podemos elevar nuestras energías naturales muy por encima de lo normal; podemos usar nuestro medio ambiente como cojinete de empuje; podemos buscar la potente fuerza de Chokmah en los libros, en nuestra tradición racial, en nuestra religión, en nuestros amigos y asociados; de todos estos podemos recibir el estímulo que nos fecunda y nos hace mental, emocional y dinámicamente creativos. Hacemos que nuestro medio ambiente represente a Chokmah para nuestro Binah. De igual modo, podemos representar a Chokmah para su Binah. En los planos sutiles, la polaridad no es fija, sino relativa; lo que es más fuerte que nosotros es positivo respecto de nosotros, y respecto de sí mismo nos vuelve negativos; lo que es menos fuerte que nosotros en cualquier aspecto dado es negativo respecto de nosotros, y podemos asumir el papel positivo respecto de él. Esta fluídica y siempre fluctuante polaridad sutil es una de las cuestiones más importantes de los quehaceres prácticos; si entendemos esto· y nos valemos de esto, podremos realizar algunas cosas muy notables y poner nuestras vidas y nuestras relaciones con nuestro medio ambiente sobre una base completamente diferente.

35. Debemos aprender a conocer cuándo podemos funcionar como Chokmah y engendrar actos en el mundo; y cuándo funcionaríamos mejor como Binah, y hacer que nuestro medio ambiente nos fertilice para que seamos productivos. Nunca debemos olvidar que la auto-fertilización implica esterilidad en unas pocas generaciones, y que deberemos ser fertilizados una y otra vez por el medio en el cual trabajamos. Deberá haber un intercambio de polaridad entre nosotros y cuanto salgamos a hacer, y deberemos estar siempre alertas para hallar influencias polarizadoras, ya sea en la tradición, o en los libros, o en colaboradores del mismo campo, o incluso en la misma oposición y antagonismo de los enemigos; pues hay tanta fuerza polarizadora en un fuerte odio como en el amor, si sabemos cómo usarlo. Debemos tener estímulo si hemos de crear algo, incluso una vida útil bien vivida. Chokmah es el estímulo cósmico. Cuanto estimula, se asigna a Chokmah en la clasificación del Arbol. Los sedantes se asignan a Binah. Obtendremos más conocimiento de este principio de la polaridad cósmica cuando estudiemos a Binah, el Tercer Sephirah, pues es apenas posible entender

las implicancias de Chokmah sin referencia a su opuesto polarizador, con el que funciona siempre. Por tanto, por ahora no avanzaremos en nuestro estudio de la polaridad sino que concluíremos nuestro examen de Chokmah por referencia a las cartas atribuidas a él en el mazo del Tarot, y retomaremos nuestra investigación sobre este tema importantísimo cuando Binah nos haya prodigado otros datos.

III

36. Como se notó en el capítulo sobre Kether, los cuatro palos del mazo de Tarot se asignan a los cuatro elementos, y vimos que los cuatro ases representaban las raíces de las energías de estos elementos. Los cuatro dos se asignan a Chokmah, y representan la función polarizada de estos elementos en equilibrio armónico; por tanto, un dos es siempre una carta de armonía.

37. El dos de Bastos que, se asigna al elemento Fuego, se llama el Señor del Dominio. El basto es esencialmente un símbolo fálico masculino, y se atribuye a Chozmah, de modo que podemos considerar que esta carta significa polarización; lo positivo que halló su compañera en lo negativo, y está en equilibrio. No hay antagonismo o resistencia al Señor del Dominio, y un país contento acepta su gobierno; Binah, satisfecho, acepta su compañero.

38. El dos de Copas (Agua) se llama el Señor del Amor; y aquí tenemos nuevamente el concepto de polarización armónica.

39. El dos de Espadas (Aire) se llama el Señor de la Paz Restablecida, indicando que la destructiva fuerza de las Espadas está en equilibrio temporario.

40. El dos de Pentáculos (Tierra) se llama el Señor del Cambio Armónico. Aquí, como en las Espadas, vemos una modificación de la naturaleza esencial de la fuerza elemental por su opuesto polarizador, induciendo así el equilibrio. La destructiva fuerza de las Espadas se restablece pacificándose, y la inercia y la resistencia de la Tierra, cuando son polarizadas por la influencia de Chokmah, se convierten en un ritmo equilibrado.

41. Estas cuatro cartas indican a la fuerza de Chokmah en la polaridad, es decir, el equilibrio esencial de la energía como se

146

manifiesta en los Cuatro Mundos de los cabalistas. Cuando aparecen en una adivinación, indican energía en equilibrio. No indican una fuerza dinámica, como podría esperarse en lo que concierne a Chokmah; porque en éste, siendo uno de los Supernos, su fuerza es positiva en los planos sutiles, y consiguientemente negativa en los planos de la forma. El aspecto negativo de una fuerza dinámica es representado por el equilibrio, por la polaridad. El aspecto negativo de una potencia negativa es representado por la destrucción, como lo muestra la imagen de Kali, la terrible esposa de Siva, con su guirnalda de calaveras y bailando sobre el cadáver de su esposo.

42. Este concepto nos da una clave de otro de los muchos problemas del Arbol: la relativa polaridad de los Sephiroth. Como ya se explicó, cada Sephirah es negativo en su relación con los que están encima de él, de los que recibe el influjo de las emanaciones, y positivo en relación con los que están debajo de él, que proceden de él, y ante los que, por tanto, actúa como emanador. Sin embargo, ciertos Sephiroth pareados son más claramente positivos o más claramente negativos en su naturaleza. Por ejemplo, Chozmah es un Positivo positivo, y Binah es un Negativo positivo. Chesed es un Positivo negativo, y Geburah un Negativo negativo. De Netzach (Venus) y Hod (Mercurio) se dice que son hermafroditas. Yesod (Luna) es un Negativo positivo, y Malkuth (Tierra) es un Negativo negativo. Ni Kether ni Tiphareth son predominantemente masculino o femenino. En Kether, los Pares de Opuestos están latentes y aún no se declararon; en Tiphareth, están en perfecto equilibrio.

43. Son dos los modos con que la transmutación puede efectivizarse en el Arbol; y los indican dos de los jeroglíficos que están sobreimpuestos en los Sephiroth; uno de aquéllos es el de las Tres Columnas, y el otro es el del Destello Centelleante. Ya describimos las Columnas; el Destello Centelleante indica sencillamente el orden de emanación de los Sephiroth, que van en zig-zag desde Chokmah hasta Binah y desde Binah hasta Chesed, hacia atrás y hacia adelante a través del Arbol. Si la transmutación tiene lugar según las Columnas, queda del mismo tipo, pero en un nivel superior o inferior, según sea el cado.

44. Esto suena muy conplejo y abstracto, pero los ejemplos pronto servirán para mostrar que es sencillo y práctico cuando se lo entiende. Tómese el problema de la sublimación de la fuer-

za sexual, que asedia a los psicoterapeutas, respecto de la cual se expresan con tanta locuacidad y dicen tan poco. En Malkuth, que en el microcosmos es el cuerpo físico, la fuerza sexual está en términos de óvulo y espermatozoide; en Yesod, que es el doble etérico, está en términos de fuerza magnética, respecto de la cual la psicología ortodoxa nada sabe, pero respecto de la cual tendremos muchísimo que decir bajo el encabezamiento del adecuado Sephirah. Hod y Netzach están en el plano astral, y en Hod descubrimos que la fuerza sexual se expresa en imágenes visuales, y en Netzach en un tipo distinto y completamente más sutil de magnetismo, al que popularmente se hace referencia como "Eso". En Tiphareth, el Centro Crístico, la fueza se convierte en inspiración espiritual, en iluminación, en el influjo proveniente de la consciencia superior. Si es de tipo positivo, se convierte en inspiración dionisíaca, en embriaguez divina; si es negativo, se convierte en Amor Crístico impersonal y totalmente armonizador.

45. Cuando la transmutación se opera sobre las Columnas, nos impresiona la verdad de la irónica frase francesa: *Plus qu'il change, plus c'est la même chose* (Cuanto más cambia, más es la misma cosa). Chokmah, dinamismo puro, estímulo puro sin expresión formada, en Chesed se convierte en el aspecto de la evolución que construye y organiza; en anabolismo, para distinguirlo del catabolismo de Geburah. En Chesed, la fuerza de Chokmah se convierte en la forma peculiarmente sutil del magnetismo que da energía de liderazgo y es la base de la grandeza. De igual modo, en la Columna de la Izquierda, Binah, que reprime la fuerza, se convierte en Geburah, que destruye la forma, y asimismo, en el hacedor de imágenes mágicas, Mercurio-Hermes-Thoth.

46. Cada tanto, los símbolos de la ciencia oculta se filtraron en el conocimiento popular, pero los no iniciados no entendieron el método de ordenar estos símbolos en su dibujo como el Arbol, ni de aplicarles los principios alquímicos de la transmutación y la destilación en los que radican los secretos reales de su uso.

Capítulo XVII

BINAH, EL TERCER SEPHIRAH

TITULO: Binah, el Entendimiento. (Grafía hebrea: בינה :
Beth, Yod, Nun, Hé).

IMAGEN MAGICA: Una mujer madura. Una matrona.

SITUACION EN EL ARBOL: Al frente de la Columna de la
Severidad en el Triángulo Superno.

TEXTO DEL YETZIRAH: La Tercera Inteligencia se llama la
Inteligencia Santificadora, la Base de la Sabiduría Primordial; también se llama el Creador de la Fe, y sus raíces están
en Amen. Es el padre de la fe, de donde emana la fe.

TITULOS QUE SE DA A BINAH: Ama, la Madre estéril oscura.
Aima, la Madre fértil brillante. Khorsia, el Trono. Marah, el
Gran Mar.

NOMBRE DE DIOS: Jehovah Elohim.

ARCANGEL: Tzaphkiel.

ORDEN DE ANGELES: Aralim, los Tronos.

CHAKRA MUNDANO: Shabbathai, Saturno.

EXPERIENCIA ESPIRITUAL: La Visión de la Aflicción.

VIRTUD: El silencio.

VICIO: La avaricia.

CORRESPONDENCIA EN EL MICROCOSMOS: El lado derecho de la cara.

SIMBOLOS: El Yoni. El Kteis. La Vesica Piscis. La copa o el cáliz. La Túnica Externa que cubre.

CARTAS DEL TAROT: Los cuatro Tres.

TRES DE BASTOS: La fuerza establecida.

TRES DE COPAS: La abundancia.

TRES DE ESPADA: El dolor.

TRES DE PENTACULOS: Las obras materiales.

COLOR EN ATZILUTH: Carmesí.
COLOR EN BRIAH: Negro.
COLOR EN YETZIRAH: Marrón oscuro.
COLOR EN ASSIAH: Gris con manchas rosadas.

1.- Binah es el tercer miembro del Triángulo Superno, y la tarea de su elucidación se extenderá y simplificará a la vez porque podemos estudiarlo a la luz de Chokmah, que lo equilibra en la Columna opuesta del Arbol. Jamás es posible entender un Sephirah si lo consideramos aparte de su posición en el Arbol, porque esta posición indica sus relaciones cósmicas; lo vemos en perspectiva, por así decirlo, y podemos deducir de dónde viene y adónde va; qué influyó en su hechura, y qué contribuye al esquema íntegro de las cosas.

2. Binah representa la potencia femenina del universo, tal como Chokmah representa la masculina. Como ya se notó, son Positivo y Negativo; Fuerza y Forma. Cada cual encabeza su Columna, Chokmah al frente de la Columna de la Misericordia, y Binah al frente de la Columna de la Severidad. Tal vez se piense que ésta es una distribución innatural; que la Madre Superna debería presidir las mercedes, y la fuerza masculina del universo, las severidades. Pero no debemos sentimentalizar estas cosas. Estamos tratando principios cósmicos, no personalidades; y hasta los símbolos bajo los cuales se presentan nos dan conocimiento si tenemos ojos para ver. Freud no habría reñido por la adjudicación de Binah al frente de la Columna de la Severidad, pues tiene muchísimo que decir sobre la imagen de la Madre Terrible.

3. Kether, Eheieh, Yo Soy, es el ser puro, omnipotencial pero no activo; cuando tiene lugar, desde él, una afuencia de actividad, a esa actividad la llamamos Chokmah; esta corriente descendente de actividad pura es la fuerza dinámica del universo, y toda fuerza dinámica pertenece a esta categoría.

4. Debe recordarse que los Sephiroth son estados, no lugares. Siempre que haya un estado se ser puro e incondicionado, sin partes o actividades, se refiere a Kether. De esta manera, en estos diez casilleros de nuestro sistema de fichero metafísico podemos clasificar nuestras ideas de todo el universo manifiesto sin necesidad de quitar objeto alguno de su lugar en

la naturaleza, como se patentiza a nuestro entendimiento. En otras palabras, siempre que veamos a la pura energía en funcionamiento, sabemos que la fuerza subyacente es la de Chokmah; esto nos permite ver la identidad típica intrínseca de toda modalidad de fenómenos que, a primera vista, parecen enteramente inconexos; pues mediante el método cabalístico aprendemos a referirlos, según su tipo, a los diferentes Sephiroth, lo cual nos permite, pues, vincularlos con toda clase de ideas afines según el sistema de correspondencias que se explica en una página anterior. Este es el método de la mente subconsciente, y lo sigue automáticamente; el ocultista prepara su mente consciente en el uso del mismo método. Incidentalmente, podemos notar que donde los individuos trabajen directamente el subconsciente, como ocurre en el genio artístico, en la locura, en sueños o trance, se usa este método.

5. Tal vez parezca extraño al lector que esta disgresión relativa a Chokmah se incluya bajo el encabezamiento de Binah, pero es sólo a la luz de su polaridad con Chokmah que podrá entenderse a Binah; y de igual modo, tendremos muchísimo más que añadir a nuestra explicación de Chokmah ahora que obtuvimos a Binah para compararlo. Cada uno de los Pares de Opuestos arroja luz sobre el otro, e individualmente no se lo puede entender.

6. Pero, volvamos a Binah. Los cabalistas declaran que es encarnado por Chokmah. Traduzcamos esta declaración en otros términos. Creo que hay una máxima oculta confirmada por las investigaciones de Einstein, (aunque no tengo el conocimiento necesario para correlacionar los hallazgos de aquél con las doctrinas esotéricas) la cual dice que esa fuerza nunca se mueve en línea recta, sino siempre en una vasta curva como el universo, y por tanto, a su tiempo, regresa donde salió, pero en un arco superior, pues, desde su inicio, el universo siguió avanzando. Se desprende entonces que la fuerza que así avanza, dividiéndose y volviéndose a dividir y moviéndose en ángulos tangenciales, a su tiempo llegará a un estado de trabazón de tensiones y alguna manera de estabilidad; una estabilidad que tiende a volcarse en el curso del tiempo cuando nuevas fuerzas emanan en la manifestación e introducen nuevos factores con los que ha de efectuarse un ajuste.

7. Este estado de estabilidad, al que se llega mediante las

fuerzas interactuantes cuando éstas actúan y reaccionan y llegan a una pausa, es la base de la forma, como lo ejemplifica el átomo, que es nada más y nada menos que una constelación de electrones, cada uno de los cuales es un vórtice, o un torbellino. La estabilidad que así se alcanza, la cual —nótese— es una condición y no una cosa en sí misma, es lo que los cabalistas llaman Binah, el Tercer Sephirah. Dondequiera que haya un estado de tensiones interactuantes que lograron estabilidad, los cabalistas refieren esa condición a Binah. Por ejemplo, el átomo, por ser, para todos los fines prácticos, la unidad estable del plano físico, es una manifestación del tipo de fuerza perteneciente a Binah. Dícese que bajo la influencia de Binah están todas las organizaciones sociales sobre las que pesa gravosamente la mano muerta de lo no progresista, como la civilización china antes de la revolución, o nuestras universidades más viejas. A Binah se atribuyen el Dios griego Cronos (que no es otro que el Padre Tiempo) y el Dios romano Saturno. Se observará la importancia atribuida al tiempo, en otras palabras, a la edad, en estas instituciones de Binah; sólo las canas son venerables; la aptitud sola tiene poco peso. Es decir, sólo quienes congenian con Cronos podrán triunfar en semejante medio ambiente.

8. Binah, la Gran Madre, a veces llamada también Marah, el Gran Mar, es, por supuesto, la Madre de Todo lo que Vive. Es el vientre arquetípico a través del cual la vida llega a manifestarse. A Ella le pertenece cuanto proporciona una forma que sirva a la vida como vehículo. Sin embargo, deberá recordarse que la vida confinada en una forma, aunque capacitada por ésta para que se organice y así evolucione, es mucho menos libre de cuando era ilimitada, (aunque también inorganizada) en su propio plano. Envolverse en una forma es, por tanto, el comienzo de la muerte de la vida. Es apretura y limitación; atadura y constricción. La forma controla a la vida, la frustra; sin embargo, le permite organizarse. Vista desde el punto de vista de una fuerza de libre movimiento, el encarcelamiento es una forma en extinción. La forma disciplina a la fuerza con una severidad despiadada.

9. El espíritu desencarnado es inmortal; nada de él puede envejecer o morir. Pero el espíritu encarnado ve a la muerte

en el horizonte tan pronto como amanece su día. Podemos ver entonces cuán terrible debe parecer la Gran Madre cuando Ella ata a la fuerza de movimiento libre en la disciplina de la forma. Ella es la muerte de la actividad dinámica de Chokmah; la fuerza de Chokmah muere cuando termina en Binah. La forma es la disciplina de la fuerza; por tanto, Binah es la cabeza de la Columna de la Severidad.

10. Podemos concebir que sobrevino la primera Noche Cósmica, el primer Pralaya, o hundimiento de la manifestación en el descanso, cuando el Triángulo Superno halló estabilidad y equilibrio de fuerza con la emanación y la organización de Binah. Antes todo era dinámico; todo era irrupción y expansión; pero al llegar a manifestarse el aspecto de Binah. hubo trabazón y estabilización y no existió más la vieja y libre corriente dinámica.

11. Es conclusión segura que tal trabazón y consiguiente estabilización era inevitable en un universo cuyas líneas de fuerza se mueven siempre en curvas. Y podemos ver, si observamos cómo el estado de Binah era el resultado inevitable del estado de Chokmah en un universo curvilíneo, que el tiempo debe moverse a través de épocas en las que predominan Binah o Chokmah. Antes que las líneas de fuerza hubieran completado su circuito del universo manifiesto e iniciado su regreso sobre sí mismas y su entrelazamiento, todo era Chokmah, y el dinamismo no tenía límites. Luego que Binah y Chokmah, como los primeros Pares de Opuestos, hubieron encontrado equilibrio, todo era Binah, y la estabilidad era inmutable. Pero Kether, el Gran Emanador, continúa haciendo manifestar al Gran Inmanifiesto; la fuerza fluye sobre el universo, y aumenta la suma de fuerza. Esta fuerza que afluye trastorna el equilibrio al que se llegó cuando Chokmah y Binah actuaron, reaccionaron y llegaron a una detención. La acción y la reacción comienzan de nuevo, y la fase de Chokmah, una fase en la que predomina la fuerza dinámica, sobreviene sobre la condición estática que es Binah, y el ciclo avanza una vez más; y al equilibrio entre los Pares de Opuestos se llega de forma más compleja —en un arco superior, como se lo llama desde el punto de vista evolutivo— sólo para que se trastorne de nuevo cuando el Kether siempre emanante sobrecargue el equilibrio

en favor del principio cinético. en contraposición al principio estático.

12. Así se verá que si Kether, el origen de todo ser, es concebido como el bien supremo, como inevitablemente debe serlo, y la naturaleza de Kether es cinética, y su influencia se inclina eternamente hacia Chokmah, se desprende inevitablemente que Binah, lo contrario de Chokmah, el rival perpetuo de los impulsos dinámicos, se considerará como el enemigo de Dios, el maligno. Saturno-Satán es una transición fácil; y lo mismo ocurre con Tiempo-Muerte-Demonio. En las religiones ascéticas, como el cristianismo y el budismo, está implícita la idea de que la mujer es la raíz de todo mal, porque ella es la influencia que, mediante sus deseos, sujeta a los hombres a una vida de la forma. Aquellas religiones consideran a la materia como la antinomia del espíritu en una dualidad eterna y sin resolver. El cristianismo está bastante dispuesto a reconocer la naturaleza herética de esta creencia cuando se le presenta en forma de antinomianismo; pero no comprende que su propia enseñanza y su propia práctica son igualmente antinomianistas cuando a la materia la considera como el enemigo del espíritu, y que como tal ha de abolirse y vencerse. Esta desdichada creencia causó en los países cristianos tanto sufrimiento humano como la guerra y la peste.'

13. La Cábala enseña una doctrina más sabia. Para ella, todos los Sephiroth son sagrados, Malkuth igual que Kether, y Geburah el destructor y Chesed el preservador. Reconoce que el ritmo es la base de la vida, no un firme progreso hacia adelante. Si entendiéramos esto mejor, cuánto sufrimiento nos ahorraríamos, pues observaríamos las fases de Chokmah y Binah sucediéndose una a la otra, ambas en nuestras vidas y en las vidas de las naciones, y comprenderíamos el profundo significado de las palabras de Shakespeare cuando dice:
"Hay una marea en los asuntos humanos*
Que cuando se la toma en creciente conduce hacia la fortuna".

---

*There is a tide in the affairs of men
Which taken at the flood leads on to fortune"

14. Binah es la raíz primordial de la materia, pero el desarrollo pleno de la materia no se encuentra hasta que llegamos a Malkuth, el universo material. En el transcurso de nuestros estudios veremos repetidamente que los Tres Supernos tienen sus expresiones especializadas en un arco inferior en uno u otro de los seis Sephiroth que forman el Microprosopos. Dícese repetidamente de éstos que tienen sus raíces en la tríada superior o son reflejos de ésta, y estas sugerencias tienen un significado profundo Binah lígese con Malkuth como la raíz con el fruto. Esto está indicado en el texto de Malkuth, correspondiente al Yetzirah, en el que dice: "Ella está sentada en el trono de Binah". Es por esta razón que es impracticable una adjudicación rigurosa e invariable de los dioses de otros panteones a los diferentes Sephiroth. Aspectos de Isis han de hallarse en Binah, Netzach, Yesod y Malkuth. Aspectos de Osiris han de hallarse en Chokmah, Chesed y Tiphareth. Esto resulta claramente en la mitología griega, en la que a los distintos dioses y diosas se les da títulos descriptivos. Por ejemplo, Diana, la diosa de la luna, la virgen cazadora, era adorada en Efeso como la de los Muchos Senos; Venus, la diosa de la belleza femenina y del amor, tenía un templo en el que se la adoraba como la Venus Barbuda. Estas cosas nos enseñan algunas verdades importantes. Nos enseñan a buscar el principio que está detrás de la manifestación multiforme, y a comprender que ésta asume diferentes formas en distintos niveles. La vida no es tan sencilla como el que no está informado gustaría creer.

II

15. El significado de los nombres hebreos de los Sephiroth segundo y tercero son Sabiduría y Entendimiento, y éstos se equilibran curiosamente uno contra el otro como si la distinción fuera de primordial importancia. La sabiduría sugiere a nuestras mentes la idea de conocimiento acumulado, de la serie infinita de imágenes de la memoria; pero el entendimiento nos transmite la idea de penetrar en el significado de aquéllas, un poder perceptivo de su esencia e interrelación, que no está necesariamente implícito en la sabiduría, considerada

155

ésta como conocimiento intelectual. Así tenemos un concepto de una extensa serie, una cadena de ideas asociadas, en relación con Chokmah, que de inmediato se correlaciona con el símbolo de Chokmah de una línea recta. Pero con respecto al Entendimiento, tenemos la idea de la síntesis, de la percepción de los significados que se produce cuando las ideas se relacionan entre sí, y se sobre-imponen, hablando metafóricamente, una sobre la otra, en una serie evolutiva desde lo denso hacia lo sutil. Así viene una vez más a nuestras mentes la idea del vinculador, principio de Binah.

16. Estos son modos sutiles de trabajo mental, y tal vez parezcan una locura a quienes no están acostumbrados al método con que el iniciado usa su mente; pero el psicoanalista los entiende y aprecia en su verdadera importancia; y lo mismo ocurre con el poeta cuando se eleva a las alturas merced a su imaginación.

17. El Texto del Yetzirah recalca la idea de la fe, la fe que descansa sobre el entendimiento, cuyo padre es Binah. Este es el único sitio en el que la fe puede justamente descansar. Un cínico definió a la fe como la facultad de creer lo que se sabe que no es cierto; y ésta parece ser una definición bastante exacta de las manifestaciones de fe como se les presentan a muchas mentes sin instrucción, y que son el fruto de la disciplina de sectas no iluminadas por la consciencia mística.. Pero bajo la luz de esa consciencia, podemos definir a la fe como el resultado consciente de la experiencia superconsciente que no se tradujo en términos de consciencia cerebral, y del que, por tanto, la personalidad normal no es directamente consciente, aunque no obstante sienta, posiblemente con gran intensidad, los efectos, y de ese modo se modifiquen fundamental y permanentemente sus reacciones emocionales.

18. A la luz de esta definición, podemos ver cómo las raíces de là fe pueden realmente descansar en Binah, el Entendimiento, el principio sintético de la consciencia. Pues hay un aspecto de la forma relacionado tanto con la consciencia como con la sustancia, y a ese aspecto lo consideraremos pormenorizadamente cuando lleguemos a estudiar a Hod, el Sephirah basal de la Columna de la Severidad de Binah. Así vemos nuevamente cómo los Sephiroth se ligan entre sí, y vemos la iluminación que proviene de observar sus interrelaciones.

19. La afirmación de que las raíces de Binah estén en Amen se refiere a Kether, pues uno de los títulos de Kether es Amen. Esto declara claramente que aunque Chokmah emana a Binah, no debemos detenernos allí cuando busquemos los orígenes, sino movernos de vuelta hacia la fuente de todo como surge de lo Inmanifiesto detrás de los Velos de la Existencia Negativa. Este concepto lo presenta muy claramente el Texto del Yetzirah sobre Chesed, en el que dice, hablando de fuerzas espirituales: "Ellas emanan una de la otra en virtud de la emanación primordial, la corono suprema, Kether".

20. No debemos engañarnos ni confundirnos a este respecto por el hecho de que el Texto del Yetzirah sobre Geburah declare que Binah, el Entendimiento, emana de las profundidades primordiales de Chokmah, la Sabiduría. Binah está tanto en Kether como en Chokmah, "pero de otra manera". En el ser puro, aunque sin forma ni partes, están las posibilidades tanto de la fuerza como de la forma; pues donde hay un polo positivo, existe necesariamente el aspecto correlativo de un polo negativo. Kether está eternamente en estado de devenir, De hecho, un judío cabalista me dijo que la traducción real de Eheieh, el nombre de Dios de Kether, es: "Yo seré", no "Yo soy". Este devenir constante no puede permanecer estático debe desbordarse en la actividad; y esa actividad no puede permanecer eternamente irrelacionada dentro de sí; debe organizarse; debe llegarse a alguna manera de ajuste de tensiones entrelazadas; así tenemos la posibilidad tanto de Chokmah como de Binah implícitos en Kether; pues dígase otra vez que los Sagrados Sephiroth no son cosas, sino estados, y que todas las cosas manifiestas existen en uno u otro de estos estados, y contienen en su composición una mezcla de estos factores, de modo que todo el universo manifiesto puede clasificarse en sus adecuados casilleros de nuestras mentes cuando allí se establece el jeroglífico del Arbol. En realidad, una vez que ese jeroglífico se formuló claramente y se estableció bien, la mente lo usa automáticamente, y los complejos fenómenos de la existencia objetiva se clasifican en nuestro entendimiento. Es por esta razón que al estudiante de ocultismo que trabaja en una escuela de iniciación se le hace aprender de memoria las correspondencias principales de los Diez Sephiroth Sagrados, en vez de permitirle que dependa de las ta-

blas de referencia. A menudo se ha objetado que esto es una intolerable pérdida de tiempo y energía, y que es muy buena la referencia a las tablas de correspondencias, como la del "777" de Crowley. Pero la experiencia demuestra que esto no es así, y que el esoterista que se somete a esta disciplina y ensaya las correspondencias diariamente, como el católico reza su rosario, es retribuido ampliamente por la subsiguiente iluminación que recibe cuando su mente clasifica automáticamente los innumerables cambios y posibilidades de vida mundana en el Arbol, revelando de esta manera su significado espiritual. Deberá tenerse siempre presente que el uso del Arbol de la Vida no es meramente un ejercicio intelectual; es un arte creativo en el significado literal de las palabras, y las facultades mentales han de desarrollarse tanto como el escultor o el músico adquiere destreza manual.

21. El Texto del Yetzirah se refiere específicamente a Binah como la Inteligencia Santificadora. La santificación transmite la idea de lo que es sagrado y se mantiene separado. A la Virgen María se la considera íntimamente asociada con Binah, la Gran Madre; y desde esta asignación, la mente es conducida a la idea de lo que produce el Todo pero retiene su virginidad; en otras palabras, cuya creatividad no la involucra en la vida de su creación, sino que permanece aparte y detrás como la base de la manifestación, la sustancia raigal de donde surge la materia. Pues aunque se sostiene que la materia tiene sus raíces en Binah, empero la materia, como la conocemos, es de un orden existencial muy distinto del Sephirah Superno en el que su esencia radica. Binah, la influencia formativa primordial, padre de toda forma, está detrás y más allá de la sustancia que se manifiesta; en otras palabras, es eternamente virgen. Binah es esta influencia formativa que subyace en toda construcción de formas, esta tendencia a curvar las líneas de fuerza para que se correlacionen y alcancen estabilidad.

22. Estos dos Sephiroth basales de la Tríada Superna se refieren especialmente como el Padre y la Madre, Abba y Ama, y sus imágenes mágicas son las del varón barbudo y la matrona, representando así, no la atracción sexual de Netzach y Yesod, que se representan como la doncella y el mancebo, sino los seres maduros que se unieron y reprodujeron. Debemos

distinguir siempre entre atracción sexual magnética y reproducción; de ningún modo son una misma cosa; tampoco son siquiera niveles o aspectos diferentes del mismo ser. Aquí hay una importante verdad oculta que consideraremos minuciosamente a su debido tiempo.

23. Chokmah y Binah, entonces, representan virilidad y feminidad esenciales en sus aspectos creativos. No son imágenes fálicas como tales, pero en ellos está la raíz de toda la fuerza vital. Nunca entenderemos los aspectos más profundos del esoterismo, a menos que comprendamos lo que el falismo significa realmente. De modo muy recalcado: no significa las orgías de los templos de Afrodita que deshonraron la decadencia de los antiguos credos paganos y produjeron su caída; significa que todo descansa sobre el principio de la estimulación de lo inerte pero potencial por parte del principio dinámico que deriva su energía directamente de la fuente de toda la energía. En este concepto radican las tremendas claves del conocimiento; es una de las cuestiones más importantes de los Misterios. Es evidente que el sexo representa un aspecto de este factor, es igualmente evidente que hay muchas otras aplicaciones de él que no son sexuales. No debemos permitir que ningún concepto preconcebido de lo que constituye el sexo, o una actitud convencional respecto de este tema grande y vital, nos asuste y aleje del gran principio de la estimulación o la fecundación de lo omnipotencial inerte por parte del principio activo. Quien esté así inhibido no es apto para los Misterios, sobre cuyo portal están escritas estas palabras: "Conócete a ti mismo".

24. Tal conocimiento no conduce a la impureza, pues la impureza implica una pérdida de control que permite que las fuerzas pasen por encima de los límites que la Naturaleza les fijó. Quien no tiene control de sus instintos y pasiones no es más apto para los Misterios que quien los inhibe y disocia. Sin embargo, compréndase claramente que los Misterios no enseñan ascética ni celibato como requisito para la realización, porque no consideran al espíritu y a la materia como irreconciliables pares de antinomias, sino más bien como distintos niveles de la misma cosa. La pureza no consiste en la castración, sino en mantener a las distintas fuerzas en sus adecuados niveles y lugares, sin permitir que una invada a la otra. Enseña que la frigidez y la impotencia son otras tantas imperfecciones, y, por lo

tanto, patalogías del sexo, pues es la lujuria incontrolada la que destruye su objeto y lo envilece.

25. Toda relación de la existencia manifiesta implica los principios de Binah y Chokmah, y en razón de que el sexo es una representación tan perfecta de éstos, los antiguos lo usaron como tal, pues no los perturbaban nuestras timideces sobre el tema, y tomaban las metáforas del tema de la reproducción con tanta libertad como nosotros tomamos las nuestras de la Biblia. Pues para ellos, la reproducción era un proceso sagrado, y se referían a él, no con impudicia sino con reverencia. Si queremos entenderlos, debemos enfocar sus enseñanzas sobre el tema de la fuente de vida y la fuerza de vida con el mismo espíritu con que ellos lo enfocaban, y nadie cuyos ojos no estén cegados por el prejuicio, o que no esté a la sombra que sus propios problemas no resueltos arrojen, podrá dejar de comprender que nuestra actitud actual respecto de la vida sería a la vez más sana y más bella con un fermento de sentido común y discernimiento paganos.

26. Los principios de la virilidad y la feminidad como se manifiestan en Chokmah y Binah representan más que mera positividad y negatividad, actividad y pasividad. Chokmah, en engendrador de todos es un vehículo de la fuerza prístina, la manifestación inmediata de Kether. De hecho, es Kether en acción; pues los distintos Sephiroth no representan distintas cosas, sino diferentes funciones de la misma cosa, o sea, la fuerza pura que emana en la manifestación procedente del Gran Inmanifiesto que está detrás de los Negativos Velos de la Existencia. Chokmah es la fuerza pura, tal como la expansión de la gasolina que explota en la cámara de combustión de un motor; es fuerza pura. Pero tal como esta fuerza expansiva se expandiría y perdería si no hubiera un motor que transmitiera su energía, de igual modo la energía no dirigida de Chokmah se irradiaría en el espacio y se perdería si no hubiera nada que recibiera su impulso y lo utilizara. Chokmah genera explosión como la gasolina; Binah es la cámara de combustión; Gedulah y Geburah son los impulsos hacia atrás y hacia adelante, por parte del pistón.

27. Ahora, la fuerza expansiva dada por la gasolina es energía pura, pero no impulsará a un auto. La organización constrictiva de Binah es potencialmente capaz de impulsar a un auto,

pero no puede hacerlo a menos de que se lo ponga en movimiento mediante la expansión de la energía almacenada del vapor de la gasolina. Binah es omnipotencial, pero inerte. Chokmah es energía pura, ilimitada e incansable, pero incapaz de hacer nada, salvo irradiarse en el espacio si se la deja librada a su propia inclinación. Pero cuando Chokmah actúa sobre Binah, su energía se reune y se pone a trabajar. Cuando Binah recibe el impulso de Chokmah, se dinamizan todas sus capacidades latentes. Sucintamente, Chokmah suministra la energía, y Binah suministra la máquina.

III

28. Consideremos ahora la virilidad y la feminidad de este Par de Opuestos Supernos como se reflejan en el acto de la generación. Los espermatozoides del varón son incapaces de más que una vida brevísima; son las unidades más sencillas de energía; una vez que esa energía se gasta, ellos se disuelven. Pero el mecanismo reproductivo de la mujer, el vientre que gesta y los pechos que alimentan, son capaces de hacer que esta vida que se les dio sea una vida independiente por sí sola; empero, toda esta maquinaria acabada deberá permanecer inerte hasta que el estímulo de la fuerza de Chokmah la ponga en acción. La unidad reproductiva femenina es omnipotencial, pero inerte; la unidad reproductiva masculina es omnipotente, pero incapaz de dar a luz.

29. La mayoría piensa que, porque la virilidad y la feminidad, como las conoce en el plano físico, son principios fijos determinados por la estructura, lo potente y lo potencial están rigurosamente ligados a sus respectivos mecanismos. Ahora bien, esto es un error. Hay una continua alternancia de polaridad en todos los planos, salvo el físico. Y realmente, entre los tipos primitivos de vida animal hay incluso una alternancia de polaridad en el plano físico. Entre los tipos superiores, y especialmente los vertebrados, la polaridad la fija el accidente del nacimiento, salvo en las anomalías hermafrodíticas, que no pueden considerarse sino patológicas, y en las que sólo un sexo está siempre funcionalmente activo, cualquiera que sea el aparente desarrollo del otro aspecto. El conocimiento de esta continua

acción recíproca de la polaridad es uno de los más importantes secretos de los Misterios. En ningún sentido es homosexualidad, la cual es una expresión pervertida y patológica de este hecho que estalla como un desorden de sensación sexual cuando no se entiende correctamente la ley de la polaridad alternante.

30. Sucintamente, aunque su modo real de reproducción en el plano físico es determinado, para todo individuo, por la configuración de su cuerpo, sus reacciones espirituales no son tan fijas, pues el alma es bisexual; en otras palabras, en toda relación de la vida somos a veces positivos y a veces negativos, según sean las circunstancias más fuertes que nosotros, o nosotros seamos más fuertes que las circunstancias. Esto lo indica con claridad el proverbio de que la yegua torda es a veces el mejor caballo. Esto resulta también claro en el hecho de que Netzach (Venus-Afrodita) es el Sephirah basal de la Columna de Chokmah. Tenemos así que la naturaleza femenina muestra una diferente polaridad en distintos niveles, pues en Netzach es tan posititiva y dinámica como es estática en Binah.

31. Todo esto es no sólo pasmoso en lo intelectual, sino también confuso en lo moral, e incluso con el riesgo de que se me acuse de fomentar toda clase de anormalidades, debo tratar de aclarar la cuestión, ya que sus implicancias prácticas son de tan largo alcance.

32. Los rabinos han dicho que cada Sephirah es negativo en relación con el que está encima de él y por el cual es emanado, y positivo en relación con el que está debajo de él, que él emana. Esto nos da la clave; somos negativos en nuestras relaciones con lo que es de un potencial superior de lo que somos; y somos positivos en nuestra relación con lo que tiene un potencial inferior. Esta es una relación que está en perpetuo estado de flujo, y que varía en cada punto separado en el que efectuamos nuestros innumerables contactos con nuestro medio ambiente.

33. En su mayor parte, la relación entre un hombre y una mujer no es del todo satisfactoria para uno ni otro, y ambos tienen que tolerar, en su contacto, una satisfacción incompleta, obligados por presiones religiosas o económicas, o procurarse en otro sitio esa satisfacción, volviendo a ocurrir, por regla general, lo mismo de antes una vez que la novedad desapareció. Ha de observarse que, en tales circunstancias, la satisfacción sexual sólo halla su apogeo en la novedad; y ésta es algo que exi-

ge constante renovación, con resultados desastrosos para la economía sexual.

34. El problema consiste en que, si bien el varón da el estímulo físico que induce la reproducción, no advierte que, en los planos internos él es negativo en virtud de la ley de la polaridad invertida, y para su satisfacción emocional depende del estímulo que le de la mujer. Depende de ella para la fertilización emocional, como lo muestra con claridad el caso de cualquier mente elevadamente creativa, como la de Wagner o Shelley

35. El matrimonio no es una cuestión de dos mitades, sino de cuatro cuartos, que se unen en armonía equilibrada de fecundación recíproca. Binah y Chokmah son equilibrados por Hod y Netzach. Hay diosas y dioses para que el hombre les rinda culto. Boaz y Jakin son columnas del Templo, y sólo cuando se unen producen estabilidad. Una religión sin diosas está a mitad de camino del ateísmo. En el vocablo "Elohim" encontramos la clave verdadera. "Elohim" es traducido como "Dios" en ambas Versiones Autorizadas y Revisadas de las Sagradas Escrituras. En realidad, debe traducirse obligatoriamente "Dios y Diosa", pues es un sustantivo femenino con el añadido de una terminación masculina plural. Este es un hecho incontrovertible, en todo caso en su aspecto lingüístico, y ha de presumirse que los diversos autores de los libros de la Biblia sabían lo que decían, y no usaban esta forma peculiar y única sin una buena razón. "Y el espíritu de los principios conjuntos masculino y femenino se desplazaban sobre la superficie de lo amorfo, y la manifestación tuvo lugar." Si queremos equilibrio en lugar de nuestro actual estado de tensiones desiguales, debemos adorar a los Elohim, no a Jehovah.

36. El culto de Jehovah en lugar de los Elohim es poderosa influencia que nos impide "ascender en los planos", es decir, obtener la consciencia supernormal como parte de nuestros instrumentos normales pues debemos prepararnos para cambiar nuestra polaridad como mudamos el nivel, pues lo que es positivo en el plano físico se vuelve negativo en el plano astral, y viceversa. Asimismo, como el trabajo oculto práctico implica siempre el uso de más de un plano, simultáneamente, como invocación y evocación, o en sucesión, como cuando correlacionamos los niveles de la consciencia después del trabajo psíquico, el fac-

tor negativo debe tener siempre cabida en nuestro trabajo, subjetiva y objetivamente.

37. Esto descubre nuevamente nuevos aspectos del tema. ¿Cuántas personas advierten que sus almas son literalmente bisexuales dentro de sí mismas, y que los diferentes niveles de consciencia actúan como masculino y femenino uno respecto del otro?

38. Freud declaró que la vida sexual determina el tipo de toda la vida. Es probable que, fundamentalmente, la vida en conjunto determine el tipo de vida sexual; pero, a los fines prácticos, su manera de plantearlo es cierta; pues si bien no es posible desenmarañar una vida sexual enmarañada operando sobre la vida en conjunto (por ejemplo, ninguna cantidad de riqueza o fama es compensación adecuada si este instinto fundamental se frustra) es muy posible desenmarañar toda la pauta de vida desenmarañando la vida sexual. Esta es una cuestión de experiencia práctica, y no es menester razonarla desde bases *a priori*. Sin duda, es por esta razón, aprendida por experiencia práctica del accionar de la consciencia humana, que los antiguos convertían al falismo en parte tan importante de sus ritos. En realidad, es un factor importantísimo del aspecto ceremonial del culto de los modernos también, pero reprimióse de la consciencia el reconocimiento del significado de los símbolos empleados tradicionalmente.

39. La psicología freudiana suministra la clave del falismo y abre una puerta que introduce en el *Adytum* de los Misterios. En el ocultismo práctico, no se escapa a este hecho, por desagradable que sea para muchos; y explica porqué son estériles tantas empresas mágicas.

40. Estas cuestiones son reconditísimos secretos de los Misterios, de los que los modernos hemos perdido las claves; pero la experiencia de la nueva psicología, y su arte aliada, la psiquiatría, demostró en abundancia la solidez de la base sobre la que los antiguos construyeron cuando hicieron de la adoración del principio creativo y de la fertilidad parte importante de su vida religiosa. Es cuestión de experiencia bien fundada que la persona que disoció de la consciencia sus sensaciones sexuales jamás podrá afianzarse en nivel alguno de la vida. Este hecho es la base de la psicoterapia moderna. En el trabajo oculto, la persona inhibida y reprimida tiende a formas desequi-

libradas de psiquismo y mediumnidad, y es totalmente inútil para el trabajo mágico en el que la energía ha de ser dirigida y manejada por la voluntad. Esto no significa que sea necesaria la represión total o la expresión total para la actividad mágica, sino que muy enfáticamente significa que la persona que se aisla de sus instintos, que son sus raíces de la Madre Tierra, y en cuya consciencia hay, en consecuencia, una brecha, no podrá ser un canal abierto a través del cual pueda hacerse descender la energía a los planos para que se manifieste en el nivel físico.

41. Sin duda, por mi franqueza en estos asuntos me denostarán y tergiversarán; pero si nadie da el paso al frente y soporta el odio por decir la verdad, ¿cómo hallará el viajero su camino para ingresar en los Misterios? ¿Hemos de mantener una actitud victoriana en la logia, actitud que fuera de ésta ha sido abandonada? Alguien deberá destruir estos dioses falsos, hechos a imagen de la señora Grundy. Sin embargo, me inclino a pensar que cualquiera sea la pérdida que yo soporte por esta razón será pequeña, pues no sería posible instruir o cooperar con la clase de persona que se deja dominar por el pánico porque se le habla con franqueza. No se piense que invito a alguien a que participe conmigo en orgías fálicas, como es probable que se diga que lo estoy haciendo. Meramente, señalo que la persona que no pueda ver el significado del culto fálico desde el punto de vista psicológico no tiene suficiente capacidad mental como para ser de mucha utilidad en los Misterios.

IV

42. Tras acordar considerable espacio a la aclaración del funcionamiento del principio de Binah en polaridad con Chokmah, pues no se lo puede entender de otro modo, ya que esencialmente es un principio de polaridad, podemos considerar ahora el significado del simbolismo asignado al Tercer Sephirah. Este cae dentro de dos divisiones: el aspecto de la Gran Madre y el aspecto de Saturno, pues a Binah se le dan estas dos atribuciones. Ella es la Madre poderosa de Todo lo que Vive, y también es el principio de la muerte; pues el dador de vida en la forma es también el dador de muerte, pues la forma deberá morir

cuando su uso está de más. En los planos de la forma, la muerte y el nacimiento son las dos caras de la misma moneda.

43. El aspecto maternal de Binah halla expresión en el título de Marah, el Mar, que se le da. Es un hecho curioso que a Venus-Afrodita se la represente como nacida de la espuma del mar, y a la Virgen María los católicos la llamen *Stella Maris*, la Estrella del Mar. La palabra "Marah", que es la raíz de María, significa también "amargo", y la experiencia espiritual atribuida a Binah es la Visión de la Aflicción. Una visión que hace recordar el cuadro de la Virgen llorando al pie de la Cruz, su corazón traspasado por siete espadas. También recordamos la enseñanza del Buda de que la vida es aflicción. La idea de la sujeción a la aflicción y a la muerte está implícita en la idea del descenso de la vida a los planos de la forma.

44. El Texto del Yetzirah correspondiente a Malkuth, ya referido, habla del Trono de Binah. Uno de los títulos que se da al Tercer Sephirah es Khorsia, el Trono; y a los ángeles asignados a este Sephirah se los llama los Aralim, que también significa "tronos". Ahora bien, un trono sugiere esencialmente la idea de una base estable, un cimiento firme, sobre el cual quien ejerce el poder toma asiento y no puede ser movido. De hecho, es un cojinete de empuje que recibe el retroceso de una fuerza como el hombre recibe el retroceso de un fusil. Los grandes cañones que se usan para disparos de larga distancia tienen que encajarse en una masa de concreto a fin de que resistan este retroceso de la carga que impulsa el proyectil hacia adelante; pues es evidente que la presión de la culata del cañón deberá ser igual a la presión en la base de la cápsula cuando el cañón dispara. Esta es una verdad que nuestras tendencias religiosas idealizadoras se inclinan a ignorar, con un consiguiente debilitamiento e invalidación de su enseñanza. Binah, Marah, la materia, es la base de lanzamiento que da a la fuerza vital dinámica su base segura.

45. De la resistencia a la fuerza espiritual, como ya lo hemos notado, deriva la idea del mal implícito, que es tan injusta para Binah. Esto resulta muy claramente cuando consideramos las ideas que surgen en asociación con Saturno-Cronos. Hay algo más siniestro acerca de Saturno. El es el Maléfico Mayor de los astrólogos, y alguien que halle una cuadratura a Saturno en su horóscopo la considera como una pesada aflicción. Saturno

es el que resiste; pero, por ser siniestro, también es lo que estabiliza y pone a prueba, y no nos permite lanzar nuestro peso sobre lo que no lo resistirá. Es esclarecedor el hecho de que el Trigésimo segundo Sendero, que lleva de Malkuth a Yesod y es el primer Sendero recorrido por el alma que se esfuerza hacia arriba, sea asignado a Saturno. El es el dios de la forma más antigua de la materia. El mito griego de Cronos, que es simplemente la denominación griega del mismo principio, le considera uno de los Viejos Dioses; es decir, los Dioses que hicieron a los Dioses. El fue el padre de Júpiter-Zeus, quien se salvó de él mediante un astuto artificio de su madre, pues Saturno tenía el desagradable hábito de devorar a sus hijos. En este mito tenemos nuevamente la idea de que quien nos trae a la vida, también nos da la muerte. Como ya lo notamos, Saturno con su hoz se convierte fácilmente en la Muerte con su guadaña. Es interesantísimo notar las curvas reentrantes de estas cadenas de ideas asociadas en conexión con cada Sephirah, pues no podemos dejar de ver cómo las mismas imágenes se dejan ver una y otra vez en cada tren de ideas que perseguimos, incluso cuando partimos de ideas aparentemente tan divergentes como la madre, el mar y el tiempo.

46. A cada planeta se le asigna una virtud y un vicio; en otras palabras, cada planeta, según las palabras de los astrólogos, puede estar bien o mal aspectado, bien o mal dignificado. No podemos atravesar la vida sin notar que cada tipo de carácter tiene los vicios correspondientes a sus virtudes; es decir, sus virtudes, llevadas a los extremos, se convierten en vicios. Esto ocurre con los siete Sephiroth planetarios; tienen sus aspectos buenos y malos, según las proporciones en que se representan; cuando hay falta de equilibrio, debido a la fuerza desequilibrada de un particular Sephirah, experimentamos las malas influencias de ese Sephirah; por ejemplo, ¡Saturno devoraba a sus hijos! La muerte empezaba a destruir la vida antes de haber cumplido ésta su función. Por lo tanto, ningún Sephirah es total y únicamente malo, ni siquiera Geburah, que es la destrucción personificada. Ellos son igualmente indispensables para el esquema de las cosas en conjunto, y su influencia relativa, buena o mala, depende de que estén donde hacen falta, en las proporciones correctas, ni en demasía ni demasiado poco. Demasiada poca influencia de un Sephirah dado conduce a un desequilibrio de parte de su número contrario. El exceso se convierte en

una influencia positivamente mala: una sobredosis venenosa.

47. Dícese que la virtud de Binah es el Silencio, y su vicio, la Avaricia. Vemos aquí nuevamente que se hace sentir la influencia de Saturno. Keats habla del "canoso Saturno, silencioso como una piedra", y con estas pocas palabras el poeta conjura una imagen mágica de la época primordial y el silencio de la influencia saturnina. Saturno es realmente uno de los Viejos Dioses y se ocupa del aspecto mineral de la tierra. Está entronizado sobre las rocas más antiguas en las que ninguna planta crece.

48. Este silencio es el que siempre se sostuvo que es una virtud especialmente deseable en las mujeres. Sea como fuere, y sin duda la lengua de la mujer es su arma más peligrosa, el silencio indica receptividad. Si estamos en silencio, podemos escuchar, y así aprender; pero si hablamos, las puertas de entrada a la mente están cerradas. La resistencia y la receptividad de Binah son sus principales poderes. Y de estas virtudes proviene el vicio que está constituido por su exceso, la avaricia que niega demasiado y negaría hasta lo que es necesario. Cuando esto prevalece, necesitamos al generoso Gedulah-Geburah, la influencia de Júpiter-Marte para matar al viejo dios, al asesino de sus hijos, y reinar en su lugar.

49. Los símbolos mágicos de Binah dícese que son el *yoni* y la Túnica Externa que cubre; este último es un término gnóstico, y el primero un término indio, que significa los genitales de la mujer, la correspondencia negativa del falo del varón. El menos conocido término *Kteis* es el equivalente europeo. En los símbolos religiosos hindúes, el *yoni* y el *lingam* aparecen con la máxima frecuencia, pues la idea de la fuerza vital y la fertilidad es, en su fe, una fuerza motriz primordial.

50. La idea de la fertilidad es el principal motivo en los aspectos de Binah que se manifiestan en el mundo de Assiah, el nivel material. La vida no sólo entra en la materia por disciplina, sino que también sale de ella triunfalmente, acrecentada y multiplicada. El aspecto de la fertilidad, equilibrando el aspecto de Tiempo-Muerte-Limitación, es esencial para nuestro concepto de Binah. El Tiempo-Muerte pasa su guadaña al trigo de Ceres, y ambos son símbolos de Binah.

51. La Idea de la Túnica Externa que cubre sugiere claramente el asunto; y aquí cubre a la Túnica Interna Gloriosa del

principio de vida. Con cuánta claridad estas dos ideas, tomadas juntas, nos transmiten el concepto del cuerpo animado por el espíritu; su Túnica Interna Gloriosa Espiritual oculta de todos los ojos por la capa externa de la materia densa. Una y otra vez, cuando meditamos en estos misterios, nos esclarecemos con la colección aparentemente fortuita de símbolos asignados a cada Sephirah. Ya hemos visto en nuestro estudio que ningún símbolo está solo, y que toda penetración de parte de la intuición y la imaginación sirve para revelar largas líneas de conexiones que se entrelazan entre sí.

52. Los cuatro Tres del mazo del Tarot son las cartas asignadas a Binah, y en realidad el número tres se asocia íntimamente con la idea de la manifestación en la materia. Las dos fuerzas contrarias hallan expresión en una tercera fuerza, el equilibrio entre ellas, que se manifiesta en un plano superior que sus padres. El triángulo es uno de los símbolos asignados a Saturno como el dios de la materia más densa, y el triángulo del arte, como se le llama, se usa en las ceremonias mágicas cuando la intención es evocar un espíritu para que aparezca visible en el plano de la materia; el círculo se usa para otras modalidades de manifestación.

53. El Tres de Bastos se llama el Señor de la Fuerza Establecida. He aquí nuevamente la idea del poder del equilibrio, que es tan característica de Binah. Recuérdese que los Bastos representan a la fuerza dinámica de Yod. Cuando esta fuerza está en la esfera de Binah, cesa de ser dinámica y se consolida.

54. Las Copas son esencialmente la fuerza femenina, pues la copa o el cáliz es uno de los símbolos de Binah y se alía íntimamente con el *yoni* en el simbolismo esotérico. El tres de Copas, por tanto, está cómodo en Binah, pues los dos conjuntos simbólicos se refuerzan mutuamente. El tres de Copas, que se denomina adecuadamente la Abundancia, representa a la fertilidad de Binah en su aspecto de Ceres.

55. Sin embargo, el Tres de Espadas se llama la Aflicción, y su símbolo del mazo del Tarot es un corazón traspasado por tres espadas. Nuestros lectores recordarán la referencia al corazón traspasado por espadas, de la Virgen María, en el simbolismo católico, y María se equipara con Marah, el amargor, el Mar. ¡*Ave, María, stella maris*!

56. Las espadas son, por supuesto, cartas de Geburah, y como tales representan el aspecto destructivo perteneciente a Binah como Kali, la esposa de Siva, la diosa hindú de la destrucción.

57. Los Pentáculos son cartas de la Tierra, y como tales congenian con Binah, la forma. El tres de Pentáculos, por tanto, es el Señor de las Obras Materiales, o la actividad en el plano de la forma.

58. Se observará que, tal como los planetas tienen su influencia reforzada cuando están en los signos del zodíaco que se llaman sus casas, de igual modo las cartas del Tarot, cuando el significado del Sephirah coincide con el espíritu del palo, representan el aspecto activo de la influencia; y cuando el Sephirah y el palo representan las distintas influencias, la carta es maléfica. Por ejemplo, la carta de la Espada ígnea es una carta de mal presagio cuando se halla en la esfera de influencia de Binah.

59. Y finalmente, para resumir: he escrito sobre Binah con esta extensión porque con ella se completa la Tríada Superna y el primero de los Pares de Opuestos. Aquella representa no sólo a ella misma sino también los compañeros de función, pues es imposible entender unidad alguna del Arbol, salvo por referencia a las otras unidades con las que interactúa y equilibra. Chokmah sin Binah, y Binah sin Chokmah, son incomprensibles, pues el par es la unidad funcional, y no uno u otro separadamente.

Capítulo XVIII

CHESED, EL CUARTO SEPHIRAH

TITULO: Chesed, la Misericordia. (Grafía hebrea: חסד: Cheth, Samech, Daleth).

IMAGEN MAGICA: Un rey poderoso, coronado y entronizado.

SITUACION EN EL ARBOL: En el centro de la Columna de la Misericordia.

TEXTO DEL YETZIRAH: El Cuarto Sendero se llama la Inteligencia Cohesiva o Receptiva porque contiene todos los Sagrados Poderes, y de ella emanan todas las virtudes espirituales con las esencias más elevadas. Emanan una de otra en virtud de la Emanación Primordial, la Corona Suprema, Kether.

TITULOS QUE SE DA Á CHESED: El Amor. La Majestad.

NOMBRE DE DIOS: El.

ARCANGEL: Tzadkiel.

ORDEN DE ANGELES: Chasmalim, los Brillantes.

CHAKRA MUNDANO: Tzedek, Júpiter.

EXPERIENCIA ESPIRITUAL: Visión del Amor.

VIRTUD: La obediencia.

VICIO: El fanatismo. La hipocresía. La glotonería. La tiranía.

CORRESPONDENCIA EN EL MICROCOSMOS: El brazo izquierdo.

SIMBOLOS: La figura sólida. El tetraedro. La pirámide. La Cruz de brazos iguales. La esfera. El basto (el orbe). El cetro. El Cayado.

CARTAS DEL TAROT: Los cuatro Cuatro.

CUATRO DE BASTOS: La obra perfeccionada.

CUATRO DE COPAS: El goce.

CUATRO DE ESPADAS: El descanso de la contienda.

CUATRO DE PENTACULOS: El poder terreno.

COLOR EN ATZILUTH: Violeta oscuro.
COLOR EN BRIAH: El azul.
COLOR EN YETZIRAH: Púrpura oscuro.
COLOR EN ASSIAH: Azul oscuro, amarillo con manchas.

I

1. Entre los Tres Supernos y el siguiente par de Sephiroth equilibrándose en el Arbol hay una gran sima fija, que los místicos llaman el Abismo. Los siguientes seis Sephiroth (Chesed, Geburah, Tiphareth, Netzach, Hod y Yesod) constituyen lo que los cabalistas llaman el Microprosopos, el Rostro Menor, Adam Kadmon, el Rey. La Reina, la Novia del Rey, es Malkuth, el Plano Físico. Tenemos entonces al Padre (Kether), el Rey, y la Novia, y en esta configuración del Arbol hay profundo simbolismo y gran importancia práctica tanto en la filosofía como en la magia.

2. El Abismo, la sima fija entre el Macroprosopos y el Microprosopos, marca una demarcación en la naturaleza del ser, en el tipo de existencia prevaleciente en los dos niveles. Es en el Abismo donde se estaciona Daath, el Sephirah Invisible, y podría llamársele adecuadamente el Sephirah del Devenir. También se lo llama el Entendimiento, lo que podría interpretarse, además como la Percepción, la Aprehensión, la Consciencia.

3. Estos dos tipos de existencia, el Macroprosopos y el Microprosopos, sirven para indicar lo potencial y lo real. La manifestación real, como nuestras mentes finitas la pueden concebir, empieza con el Microprosopos; y el primer aspecto del Microprosopos que tomará existencia es Chesed, el Cuarto Sephirah, situado inmediatamente debajo de Chokmah, el Padre, en la Columna de la Misericordia, de la que es el Sephirah central. Está equilibrado a través del Arbol por Geburah, la Severidad; y este par, Geburah y Gedulah, forman "el Poder y la Gloria" de la invocación final del Padrenuestro; y, por supuesto, el "Reino" es Malkuth.

4. Como ya lo hemos visto, podemos aprender mucho de la posición de un Sephirah en el dibujo del Arbol; y por la posición de Chesed en la Columna de la Misericordia vemos que es Chokmah sobre un arco inferior. Es emanado por Binah, un Se-

phirah pasivo, y emana a Geburah, un Sephirah catabólico, cuyo Chakra Mundano es Marte con todo su simbolismo bélico, que es Saturno en un arco inferior.

5. De estas cosas podemos aprender muchísimo acerca de Chesed. Es el padre amoroso, el protector y el preservador, tal como Chokmah es el Engendrador de todos. Continúa la obra de Chokmah, organizando y preservando lo que el Padre de Todos ha engendrado. Equilibra con misericordia la severidad de Geburah. Es anabólico, o constructivo, para diferenciarlo del catabolismo, o lo destructivo de Geburah.

6. Estos dos aspectos se expresan muy bien el las Imágenes Mágicas asignadas a estos dos Sephiroth. Estas Imágenes Mágicas son dos reyes; la de Chesed, un rey en su trono, y la de Geburah, un rey en su carro; en otras palabras, los que gobiernan al reino en la paz y en la guerra; uno, legislador, y el otro, guerrero.

7. La analogía de la fisiología nos hace comprender claramente el significado de estos dos Sephiroth. El metabolismo consiste en anabolismo, o en la ingestión y la asimilación de alimento y su formación en tejido, y catabolismo, o la descomposición del tejido en trabajo activo y la producción de energía. Los derivados del catabolismo son las toxinas de la fatiga que han de ser eliminados de la sangre por el resto. El proceso biológico es una construcción y una descomposición constantes, y Geburah y Gedulah (otro nombre de Chesed) representan estos dos procesos en el Macrocosmos.

8. Al ser Chesed el primer Sephirah del Microprosopos, o el universo manifiesto, representa la formulación de la idea arquetípica, la concreción de lo abstracto. Cuando en nuestras mentes se formula el principio abstracto que forma la raíz de alguna nueva actividad, operamos en la esfera de Chesed. Sirva un ejemplo para aclarar esto. Supongamos que un explorador observa, desde una montaña, una región recién descubierta y ve que las llanuras de tierra adentro, que están detrás de la costa, son fértiles, y que a través de estas llanuras corre un río y, éste abre su curso hacia el mar por una brecha de la cadena montañosa. El explorador piensa en la riqueza agrícola de esas llanuras, en un transporte por el curso descendente del río, y en un puerto en el estuario, pues sabe que el cauce de ese río habrá

formado un canal por los que podrán entrar los barcos. Con su visión mental, el explorador ve los muelles y los depósitos, los almacenes y viviendas, y se pregunta si las montañas contienen minerales, y se representa una línea ferroviaria junto al río, y demás ramales por los valles. Ve a los colonizadores que llegan, y cómo se necesita una iglesia, un hospital, una cárcel y la taberna siempre presente. Su imaginación esboza la calle principal del pueblo, y se decide a comprar terrenos con esquinas para prosperar con la prosperidad de esa nueva colonia. Todo esto lo ve mientras el bosque virgen cubre el cinturón costero y bloquea los ·pasos montañosos. Pero porque sabe que las llanuras son fértiles y el río llegó a atravesar las montañas, ve en términos de primeros principios todo el cambio subsiguiente. Mientras su mente trabaja de esta manera, él funciona en la esfera de Chesed, ya sea que lo sepa o no; y todos los que pueden funcionar en términos de Chesed y se anticipan en su pensamiento como lo hace él, viendo lo que deberá surgir de causas dadas mucho antes de que se trace la primera línea en el plano o se ponga el primer ladrillo en la zanja, son capaces de ser dueños de esa tierra valiosa en la que se construirán los muelles y por la que deberá correr la calle principal.

9. Toda la creativa labor del mundo la realizan así las mentes que trabajan en términos de Chesed, el Rey sentado en su trono, sosteniendo su cetro y el orbe, gobernando y guiando a su pueblo.

10. Por contraste con esto, observamos a las personas cuyas mentes no pueden funcionar por encima del nivel de Malkuth, la Novia del Rey. Esas personas son las que no ven el bosque a causa de los árboles. Piensan en términos minuciosos, y carecen de todo principio de síntesis. Su lógica jamás puede remontarse a los orígenes, y es siempre materialista. Nunca son capaces de discernir las causas sutiles, y son las víctimas de lo que ellas llaman los caprichos del azar. No pueden discernir las condiciones sutiles, ni pueden elaborar la línea que los impulsos primarios seguirán, o se les hará seguir, cuando éstos descienden, o se los hace descender, en la manifestación.

11. El ocultista que no posee la iniciación de Chesed se limitará en su función a la esfera de Yesod, el plano de *Maya*, la ilusión. Para él, las imágenes astrales reflejadas en el espejo mágico de la subconsciencia serán realidades; no intentará

traducirlas en términos de un plano superior ni aprenderá que representan realmente. Se habrá fabricado una morada en la esfera de la ilusión, y le engañarán los fantasmas de su propia proyección inconsciente. Si fuera capaz de funcionar en términos de Chesed, percibiría las ideas arquetípicas subyacentes de las que ests imágenes mágicas son sólo las sombras y representaciones simbólicas. Entonces se convierte en amo del tesoro de imágenes, en vez de que éstas le alucinen. Puede usar las imágenes como un matemático usa los símbolos algebraicos. Trabaja la magia como un adepto iniciado, no como un mago.

12. El místico que funciona en el Centro Crístico de Tiphareth también se alucinará si carece de las claves de Chesed, pero de un modo distinto y más sutil. En este nivel leerá las imágenes mágicas bastante fielmente, refiriéndolas a lo que representan, sin darles valores, salvo como señales, como santa Teresa lo mostrara con tanta claridad en su *Castillo Interior* (o *Las Moradas*). Sin embargo, caerá en el error de pensar que las imágenes que percibe y las experiencias que tiene son tratos directos y personales de Dios con su alma, en vez de comprender que son etapas del Sendero. Hallará un Salvador personal en el Dios-hombre en vez de hallarlo en la influencia regenerativa de la Fuerza Crística. Adorará a Jesús de Nazareth como Dios Padre, confundiendo así a las Personas.

13. Chesed es, entonces, la esfera de la formulación de la idea arquetípica; la aprehensión por la consciencia de un concepto abstracto que subsiguientemente se hace descender a los planos y se plasma en la luz de la experiencia de la concreción de ideas abstractas análogas. De igual modo, en su aspecto macrocósmico, representa una fase correspondiente del proceso de la creación. La ciencia materialista cree que los únicos conceptos abstractos son los que la mente del hombre formula. La ciencia esotérica enseña que la Mente Divina formuló ideas arquetípicas a fin de que la sustancia pudiera tomar forma, y que, sin tales ideas arquetípicas, la sustancia era amorfa y vacía, barro primordial que aguardaba el aliento de vida para organizarse en cristal y célula. Las últimas investigaciones de la física revelaron que toda sustancia, sin excepción, tiene una estructura cristalina, y los rayos X revelaron las líneas de tensión que el psíquico percibe como tensiones etéricas.

14. Los seres a los que por lo general se llama Maestros

representan en los Misterios un papel importantísimo, que se entiende muy imperfectamente. Distintas escuelas definen el término de modo diferente, y algunas incluyen entre los Maestros a adeptos vivos de un grado elevado; pero consideramos que es aconsejable efectuar una distinción entre los Hermanos Mayores encarnados y desencarnados porque su misión y modo de función son enteramente diferentes. El título de Maestro debe darse, por tanto, solamente a los que están libres de la rueda del nacimiento y de la muerte. En la terminología de la Tradición Esotérica occidental, el grado de *Adeptus Exemptus* se asigna a Chesed, indicando el término *Exemptus*, o exento, la libertad respecto del *karma*, que libera de la Rueda. Tengo plena consciencia de que otros pueden asignar un significado distinto a ese título, y que hay personas encarnadas que tienen este grado. A aquéllos les replico que tales personas, si el grado es funcional y no un mero honor inútil, están libres de *karma* y no reencarnarán. Tales personas podrían llamarse con justicia Maestros, pues su consciencia es del grado de un Maestro, pero como es tan necesario efectuar la distinción entre adeptos encarnados y desencarnados, es mejor calificar la clasificación mediante esta distinción menor que permitir a los humanos un prestigio que la naturaleza humana no es apta para producir. Mientras un adepto está encarnado será proclive a fragilidades humanas de algún grado, y a las limitaciones impuestas por la vejez y la salud física. Tan sólo cuanto esté libre de la Rueda, y funcione como consciencia pura, escapará de la esclavitud humana respecto de la herencia y el medio ambiente; por tanto, no podrá depositarse la misma confianza en él que la que se deposita en los verdaderos Maestros desencarnados.

15. Una parte importantísima del trabajo de los Maestros es la concreción de las ideas abstractas concebidas por la consciencia del Logos. El Logos, cuya meditación da nacimiento a los mundos y cuya consciencia es la evolución, concibe ideas arquetípicas a partir de la sustancia del Inmanifiesto: para usar una metáfora en la que la definición es imposible. Estas ideas permanecen dentro de la consciencia Cósmica del Logos como la semilla dentro de la flor, porque allí no hay suelo para que germinen. La consciencia del Logos, como ser puro, no puede, en Su propio plano, proporcionar el aspecto formativo ne-. cesario para la manifestación. En las tradiciones esotéricas se

enseña que los Maestros, consciencias desencarnadas discipli-
nadas por la forma pero ahora sin forma, al meditar sobre la
Deidad son capaces de percibir telepáticamente estas ideas
arquetípicas en la mente de Dios, y, conociendo la aplicación práctica de ellas en los planos de la forma y la línea que esta evolución seguirá, producen imágenes concretas en su propia
consciencia, que sirven para hacer descender las ideas arquetípicas abstractas al primero de los planos de la forma, que los
cabalistas llaman Briah.

16. Este es, entonces, el trabajo que los Maestros cumplen
en su esfera especial, la esfera del Chesed que organiza, arma y
construye en la Columna de la Misericordia. El trabajo de los
Maestros Oscuros, que son muy diferentes de los Adeptos Negros, se cumple en la correspondiente esfera de Geburah, en la
Columna de la Severidad, que se considerará a su debido tiempo. El punto de contacto entre los Maestros y sus discípulos
humanos es Hod, el Sephirah de la magia ceremonial, como lo
indica el Texto del Yetzirah, que declara que de Gedulah, el
Cuarto Sephirah, emana la esencia de Hod. En el ocultismo
práctico son importantísimas estas sugerencias que en los Textos del Yetzirah se dan respecto de las relaciones entre los
Sephiroth. A Hod puede, entonces, considerársele representando a Chokmah y Chesed en un arco inferior, tal como
Netzach representa a Binah y Geburah. Esto lo explicaré minuciosamente al tratar estos Sephiroth, pero ahora haré una sucin-
ta referencia a ello para que sea inteligible la función de Chesed.

17. Hemos llegado ahora al punto del esquema del Arbol
en el que el tipo de actividad se pone al alcance de la consciencia humana. En nuestro estudio de los Sephiroth precedentes
formulábamos conceptos metafísicos. Estos conceptos, aunque
alejados de la aplicación inmediata a la vida de la forma, son
excesivamente importantes, pues a menos que comprendamos fundamentalmente la ciencia esotérica, caeremos en la superstición y usaremos la magia como magos, no como adeptos; en otras palabras, seremos incapaces de trascender la esclavitud de los planos de la forma y nos alucinaremos y caeremos bajo la dominación de los fantasmas evocados por la imaginación mágica, en vez de usarlos como las cuentas de un ába-

co de nuestros cálculos, lo cual es como si el ingeniero usara la regla de calcular como si fuera una regla métrica.

18. Chesed, entonces, se refleja dentro de Hod a través del Centro Crístico de Tiphareth, tal como Geburah se refleja en Netzach. Esto nos enseña muchísimo, pues indica que para que la consciencia se eleve desde la forma hasta la fuerza, y para que la fuerza descienda hasta la forma, deberá pasar a través del Centro del Equilibrio y de la Redención, al que se asignan los Misterios de la Crucifixión.

19. La elevada consciencia del adepto asciende, en sus meditaciones ocultas, hacia la esfera de Chesed; aquí recibe la inspiración que él arma en los planos de la forma. Aquí se encuentra con los Maestros como influencias espirituales con las que se conecta telepáticamente, sin que su personalidad se entremezcle. Este es el modo verdadero y excelso de tomar contacto con los Maestros, como si fuera de una mente con otra en su propia esfera de consciencia elevada. Cuando los Maestros se ven clarividentemente como seres revestidos (los colores de sus túnicas indican su rayo) se los percibe reflejados en la esfera de Yesod, que es el reino de los fantasmas y las alucinaciones. Pisamos un suelo peligroso cuando tenemos que encontrarnos con los Maestros. Aquí, la inspiración espiritual asume forma antropomórfica que descarría a las personas psíquicas que no pueden elevarse hacia Chesed. Así, cuando se anuncia que un impulso espiritual afluirá sobre el mundo, esto se interpreta como la llegada de un Maestro del Mundo.

II

20. Cuando descendemos del Arbol a las esferas que están más dentro del alcance de nuestra comprensión que los Tres Supernos, hallamos que los símbolos asociados con cada Sephirah se vuelven cada vez más elocuentes cuando hablan a nuestra experiencia en vez de hacernos razonar por analogía.

21. La imagen mágica que representa a Chesed es un poderoso rey entronizado y coronado; entronizado porque está sentado establemente en un reino en paz, sin salir en su carro hacia la guerra, como lo sugiere la imagen mágica de Geburah. Los demás títulos de Chesed (la Majestad, el Amor) producen este

concepto del rey benigno, el padre de su pueblo; y la situación de Chesed en el centro de la Columna de la Misericordia da además la idea de estabilidad y ley ordenada y misericordiosa, gobernando para el bien de los gobernados. El título de la hueste angélica asociada con Chesed —los Chasmalim, o Brillantes— exalta la idea del esplendor regio de Gedulah, que es título alternativo que se usa para Chesed. El Chakra Mundano asignado a Chesed (Júpiter, el gran benéfico de la astrología) confirma toda la cadena de asociaciones.

22. En el lado microcósmico, o subjetivo, hallamos que la obediencia es la virtud asignada a esta esfera de la experiencia. Sólo a través de la virtud de la obediencia, el sujeto podrá aprovechar el sabio gobierno de Chesed. Tenemos que sacrificar gran parte de nuestra independencia y nuestro egoísmo a fin de participar en las amenidades de la vida social organizada. Este sacrificio y esta restricción son ineludibles. En esta esfera, en no mayor medida que en cualquier otra, si acabamos con lo que tenemos, no es posible que lo retengamos. La libertad en sí no existe si hemos de interpretarla como hacer lo que queramos, sin restricciones. La fuerza de la gravedad nos ofrece resistencia, si es que no nos ofrece nada más. A la libertad se la puede definir como el derecho a escoger a nuestro maestro, pues debemos tener quien nos gobierne en toda vida organizada; de otro modo, existe el caos. En la época actual es una patente necesidad del mundo una conducción eficaz e inspiradora, y un país tras otro está buscando y hallando el gobernante que más cerca se aproxime a su ideal nacional, y se pone detrás de él como un solo hombre. La influencia benigna, organizadora y ordenadora de Júpiter es la única medicina para la enfermedad del mundo; cuando esto ocurra, las naciones recuperarán su equilibrio emocional y su salud física.

23. En cambio, los vicios asignados a Chesed (fanatismo, hipocresía, glotonería y tiranía) son todos vicios sociales. El fanatismo rehusa marchar al compás de los tiempos y ver el otro punto de vista, vicios ambos que son fatales en las relaciones raciales. La hipocresía implica que no nos entreguemos de todo corazón a la vida colectiva, sino que, como Ananías, retengamos una parte del precio. La glotonería nos expone a la tentación de que nos apoderemos de más en cuanto a nuestra parte justa de la reserva común, y es otro nombre del egoís-

mo. Y la tiranía es el mal uso de la autoridad, que surge donde hay vestigios de crueldad y vanidad en la naturaleza.

24. La correspondencia del microcosmos se da como el brazo izquierdo, que indica un modo menos dinámico del funcionamiento del poder que el de la mano derecha que aferra la espada en la imagen mágica de Geburah. La mano izquierda sostiene el orbe, el cual significa la tierra misma, y muestra que todo se mantiene seguro en las manos firmes del gobernante. De hecho, Chesed denota más bien firmeza que fuerza y energía dinámicas.

25. El número místico de Chesed dícese que es el cuatro, y a éste a menudo se lo representa como una figura de cuatro lados, o un tetraedro. En tal figura se pone siempre un talismán de Júpiter. Otro símbolo de Chesed es la figura sólida como se la entiende en geometría. La razón de esto se ve fácilmente si consideramos las figuras geométricas asignadas a los Sephiroth que ya hemos estudiado. El punto se asigna a Kether; la línea a Chokmah; el plano bidimensional a Binah; en consecuencia, el sólido tridimensional corresponde naturalmente a Chesed.

26. Pero a este respecto se significa más que una mera serie de símbolos tomados al azar. El sólido representa esencialmente la manifestación como nuestra consciencia tridimensional la conoce. No podemos concebir una existencia unidimensional o bidimensional, salvo matemática o simbólicamente. Chesed, como ya lo notamos, es el primero de los Sephiroth manifiestos; por tanto, ¡cuán naturalmente el símbolo de la figura sólida se alinea con el resto de su simbolismo! La figura sólida que se usa con el fin de simbolizar a Chesed es, por lo común, la pirámide, que es una figura de cuatro lados, consistente en tres caras y una base, expresando de esta manera la cualidad numerológica de Chesed.

27. Hay muchos diferentes aspectos de la cruz como símbolo significativo de los Misterios, además de la Cruz de los Caballeros del Misterio Cristiano, y cada una de estas cruces representa diferentes modos de funcionamiento del poder espiritual, tal como lo hacen las distintas formas de los Sagrados Nombres de Dios. La forma de la cruz asociada con Chesed es la cruz de brazos iguales, que es símbolo de los cuatro elementos en equilibrio, e implica el gobierno de la naturaleza mediante una in-

fluencia sintetizadora que pone a todas las cosas en equilibrada armonía.

28. La esfera, el basto, el cetro y el cayado son asignados a este Sephirah, y expresan tan perfectamente los diferentes aspectos del benigno poder regio de Chesed que no necesitan aclaración.

29. Las cuatro cartas del Tarot, que están situadas en Chesed, cuando se echan para adivinar transmiten la idea imperante en la correspondencia. El Cuatro de Bastos simboliza la Obra Perfeccionada, representando así, de modo admirable, la hazaña del rey en tiempo de paz en su reino bien gobernado. El Cuatro de Copas se llama el Señor del Placer y concuerda con el título de Esplendor asignado a Chesed y con la brillantez de su hueste angélica. El Cuatro de Espadas indica Descanso de la Contienda, y concuerda perfectamente con el significado del gobernante sentado. El Cuatro de Pentáculos es el Señor del Poder Terreno, un simbolismo tan evidente que no necesita aclaración.

30. En este estudio se dejó para el final la consideración del Texto del Yetzirah, a fin de que la secuencia del simbolismo, que se desarrolla en tan ordenada relación, no se interrumpiera. Además, este texto contiene tanto significado que es mejor estudiarlo cuando estemos tan plenamente equipados como sea posible con el simbolismo afín. Sin embargo, gran parte de lo que se relaciona con la enseñanza contenida en este texto ya fue estudiado cuando surgió para examinarlo en relación con los Sephirot precedentes. No repetiré esto *in extenso* sino que me contentaré con remitir al estudiante a las páginas en las que los temas son tratados pormenorizadamente, evitando así una repetición innecesaria que, de otro modo, está obligada a ocurrir en el estudio de un tema como lo es el Arbol de la Vida, en el que distintos símbolos representan la misma potencia en diferentes niveles de la manifestación o bajo diferentes aspectos.

31. "El Cuarto Sendero se llama la Inteligencia Cohesiva". Cuán claramente podremos ver el significado de estas palabras cuando hayamos aprendido a contemplar a Chesed a través del símbolo del rey sentado en su trono, organizando los recursos y la prosperidad de su reino, y haciendo que todas las cosas se unan en una ordenada totalidad en favor del bien común.

32. También se llama la Inteligencia Receptiva en el Texto

del Yetzirah, y esto se confirma en el símbolo del brazo izquierdo, que se asigna a este Sephirah en el microcosmos.

33. Chesed "Contiene todos los Sagrados Poderes, y de él emaman todas las virtudes espirituales con las más elevadas esencias". La enseñanza implícita en esta expresión ya fue aclarada en la anterior exégesis bajo el concepto de ideas arquetípicas.

34. "Emanan uno del otro en virtud de la emanación primordial, la Corona Suprema, Kether". Estos conceptos ya fueron tratados en relación con el Segundo Sephirah, Chokmah, cuando se consideró el desborde de la fuerza de una Esfera a otra.

Capítulo XIX

GEBURAH, EL QUINTO SEPHIRAH

TITULO: Geburah, Fortaleza, Severidad. (Grafía hebrea: גבורה :
Gimel, Beth, Vau, Resh, Hé)

IMAGEN MAGICA: Un guerrero poderoso, en su carro.

SITUACION EN EL ARBOL: En el centro de la Columna de la
Severidad.

TEXTO DEL YETZIRAH: El Quinto Sendero se llama la Inteligencia Radical porque semeja la Unidad, que se une con Binah, el Entendimiento, que emana de las honduras primordiales de Chokmah, la Sabiduría.

TITULOS QUE SE DA A GEBURAH: Din: Justicia. Pachad:
Temor.

NOMBRE DE DIOS: Elohim Gebor.

ARCANGEL: Khamael.

ORDEN DE ANGELES: Seraphim, Serpientes de Fuego.

CHAKRA MUNDANO: Madim, Marte.

EXPERIENCIA ESPIRITUAL: Visión de Poder.

VIRTUD: Energía, Valentía.

VICIO: Crueldad. Destrucción.

CORRESPONDENCIA EN EL MICROCOSMOS: El brazo derecho.

SIMBOLOS: El Pentágono. La Rosa Tudor de Cinco Pétalos. La
Espada. La Lanza. El Azote. La Cadena.

CARTAS DEL TAROT: Los cuatro Cinco.

CINCO DE BASTOS: Contienda.

CINCO DE COPAS: Pérdida en el placer.

CINCO DE ESPADAS: Derrota.

CINCO DE PENTACULOS: Trastorno terreno.

COLOR EN ATZILUTH: Anaranjado.

COLOR EN BRIAH: Rojo escarlata.
COLOR EN YETZIRAH: Escarlata brillante.
COLOR EN ASSIAH: Rojo, con manchas negras.

I

1. Una de las cosas que menos se comprenden en la filosofía cristiana es el problema del mal; y una de las cosas que menos adecuadamente se trata en la ética cristiana es el problema de la fuerza, o la severidad, en contraposición con la misericordia y la indulgencia. En consecuencia, Geburah, el Quinto Sephirah, que tiene como títulos complementarios Din (Justicia) y Pachad (Temor), es uno de los que menos se entienden entre todos los Sephiroth, y, por lo tanto, es uno de los más importantes. Si no fuera que la doctrina cabalística expresa explícitamente que los Diez Sephiroth, en su totalidad, son sagrados, muchos se inclinarían a considerar a Geburah como el aspecto malo del Arbol de la Vida. En realidad, al planeta Marte, cuya esfera es el Chakra Mundano de Geburah, en astrología se lo llama infortunio.

2. Sin embargo, los instruidos más allá de las engañosas apariencias de una filosofía permisiva saben que Geburah de ningún modo significa el Enemigo o el Adversario descripto en la Escritura, sino el rey en su carro que parte hacia la guerra, cuyo fuerte brazo derecho protege a su pueblo con la espada de la justicia y asegura que se haga justicia. Chesed, el rey en su trono, el padre de su pueblo en tiempos de paz, puede ganar nuestro amor; pero es Geburah, el rey en su carro que sale a guerrear, quien impone nuestro respeto. No se ha hecho suficiente justicia al papel que representa el sentimiento de respeto en la emoción del amor. Tenemos una clase de amor hacia la persona que nos pudo inculcar el temor a Dios, si se presenta la ocasión, que es de calidad muy diferente, es mucho más firme y permanente, que el amor con el que no se mezcla ni un matiz de temor reverente, del temor al Señor que es el principio de la sabiduría, y un sano respeto general que nos ayuda a mantenernos en el camino recto y estrecho y pone de manifiesto lo mejor de nuestra naturaleza, porque sabemos que nuestros pecados nos pondrán al descubierto.

3. Este es un factor al que la ética cristiana, como se la entiende popularmente, no se otorga suficiente peso; y debido a que la tendencia generalizada de la sociedad cristiana es contra el sagrado Quinto Sephirah, será necesario estudiar, con considerable minuciosidad, su lugar en relación con el Arbol y el papel que representa tanto en la vida espiritual como social, pues se lo entiende mal, y el hecho de que no se lo comprenda es la causa de muchas dificultades nuestras de la vida actual.

4. Geburah ocupa la posición central en la Columna de la Severidad; por lo tanto, representa el aspecto catabólico, o demoledor, de la fuerza. Recuérdese que catabolismo es el aspecto del metabolismo, o del proceso biológico, que se ocupa de la liberación de la fuerza en la actividad. Se dijo que bueno es lo constructivo, lo que construye, y malo, lo destructivo, lo que derriba. Cuán falsa es esta filosofía lo vemos cuando tratamos de clasificar, según este principio, un cáncer y un desinfectante. En la enseñanza más profunda, más filosófica de los Misterios, reconocemos que lo bueno y lo malo no son cosas en sí mismas, sino condiciones. El mal es sencillamente fuerza mal ubicada; mal ubicada en el tiempo, si está fuera de fecha, o tan adelantada respecto de su época que es impracticable. Mal ubicada en el espacio, si acontece en el lugar equivocado, como la brasa sobre la alfombra de la chimenea o el agua del baño que corre por el cielorraso de la sala. Mal ubicada en la proporción, si un amor excesivo nos vuelve tontos y sentimentales, o una falta de amor nos torna crueles y destructivos. El mal radica en cosas como estas, no en un Demonio personal que actúa como Adversario.

5. Por tanto, Geburah el Destructor, el Señor del Temor y la Severidad, es tan necesario para el equilibrio del Arbol como Chesed, el Señor del Amor, y Netzach, la Señora de la Belleza. Geburah es el Cirujano Celestial, el caballero de brillante armadura, el que mata al dragón; gallardo como el novio fuerte ante la doncella en peligro, aunque, sin duda, el dragón podría haber preferido que se le prodigara un poco más de amor.

6. Las iniciaciones de los infortunios (Saturno, Marte y el engañoso Yesod lunar) son tan necesarias para la evolución y el desarrollo equilibrado del alma como lo son los Misterios de la Crucifixión asignados a Tiphareth. La unilateralidad del cristianismo es perjudicial para éste y responsable de gran parte de

lo malsano y patológico de nuestras vidas en lo nacional y particular. Pero, de igual modo, no debemos olvidar que el cristianismo llegó como un correctivo de un mundo pagano que estaba enfermo de muerte con sus propias toxinas. Necesitamos lo que el cristianismo tiene para dar; pero tampoco podemos prescindir de lo que él carece. Consideremos ahora la influencia correctiva y austera de Geburah.

7. La energía dinámica es tan necesaria para el bienestar de la sociedad como la mansedumbre, la caridad y la paciencia. Jamás debemos olvidar que la dieta eliminatoria, que restaurará la salud durante la enfermedad, producirá enfermedad durante la salud. Jamás debemos exaltar las cualidades que son necesarias para compensar un exceso de fuerza en los fines en sí mismos y los medios de salvación. Demasiada caridad es obra de un necio; demasiada paciencia es la marca de un cobarde. Lo que necesitamos es un equilibrio justo y sabio que contribuya a la salud, la felicidad y la cordura cabales, y el franco conocimiento de que para obtenerlo se necesitan sacrificios. Si acabamos con lo que tenemos, no nos quedará nada en la esfera espiritual ni en ninguna otra.

8. Geburah es el sacerdote de los Misterios, que tiene a su cargo los sacrificios. Ahora bien, sacrificio no significa renunciar a algo querido por nosotros porque un Dios celoso no soporta que Sus fieles se interesen por algo a lo que él es contrario, y que cuando sufrimos se siente adulado. Sacrificio significa elegir, de modo deliberado y consciente, un bien mayor con preferencia sobre un bien menor, como el atleta que prefiere la fatiga del ejercicio a la comodidad de la holganza que le pone fuera de forma. La brasa del horno se sacrifica ante el dios de la energía del vapor. El sacrificio es realmente la transmutación de la fuerza; la energía latente en el carbón, ofrendada en el altar sacrificatorio del horno, se transmuta en la energía dinámica del vapor por medio de la maquinaria apropiada.

9. Hay una maquinaria psicológica y cósmica disponible respecto de todos los actos de sacrificio que los convierten en energía espiritual; y esta energía espiritual puede aplicarse a otros mecanismos y reaparecer en los planos de la forma como un tipo enteramente diferente de fuerza de aquel que cuando comenzó.

10. Por ejemplo, un hombre puede sacrificar sus emociones

en aras de su carrera; o una mujer puede sacrificar su carrera en aras de sus emociones. Si el sacrificio es puro y no hay pesar, se libera una inmensa cantidad de energía para usarla en el canal escogido. Pero si el deseo inferior es una expresión meramente inhibida y negada y no se lo coloca realmente sobre el altar del sacrificio como una ofrenda deliberada, de libre arbitrio, la desgraciada víctima hizo lo peor con ambos mundos. Aquí es donde necesitamos que Geburah acuda como el sacerdote que toma el sacrificio de nuestras manos, aunque sea nuestro primogénito, y lo ofrenda a Dios con el golpe rápido, limpio y misericordioso. Pues Geburah en el microcosmos, que es el alma del hombre, es la valentía y la resolución que nos libera de la mancha de la autoconmiseración.

11. ¡Cuánto necesitamos las virtudes espartanas de Geburah en esta época de sentimentalismo y neurosis! ¡Cuántos desbarajustes se ahorrarían si a este Cirujano Celestial se le permitiera efectuar la incisión que corresponde y tiene posibilidades de curar, evitando de este modo el compromiso y la irresolución mortales que semejan una herida abierta y que tan a menudo se infecta!

12. Asimismo, si en el mundo no hubiera una mano tan fuerte al servicio del bien, el mal se multiplicaría. Aunque no está bien apagar el fuego humeante cuando arde, de igual modo está mal aguantar la humareda cuando lo que realmente vale es usar el atizador. Hay un momento en el que paciencia es debilidad y arruina el tiempo de los mejores hombres, y cuando la misericordia se convierte en locura y expone al inocente a un peligro. La política de no resistir al mal sólo puede perseguirse satisfactoriamente en una sociedad que cuente con una buena policía; jamás se ensayó con buen éxito en condiciones fronterizas. Pues la Naturaleza, de dientes y garras de color rojo, usa el color de Geburah; mientras que la civilización compensatoria es de Chesed, la Misericordia, que modifica la fuerza irrestricta y la destructividad mutua de todo lo que está en la fase de Geburah correspondiente a su desarrollo. Pero, de igual modo, debemos recordar que la civilización se apoya en la Naturaleza como un edificio se apoya en sus cimientos, donde se ocultan los conductos sanitarios tan necesarios para la salud.

13. Siempre que hay algo que sobrevive a su utilidad, Geburah debe empuñar la podadera; siempre que hay egoísmo, a

este se lo deberá hallar empalado en la punta de lanza de Geburah; siempre que hay violencia contra los débiles, o siempre que los despiadados usan la fuerza, la espada de Geburah, no el orbe de Chesed, es la que contrarresta con más eficacia; siempre que hay holgazanería y deshonestidad, se necesita el azote sagrado de Geburah; y donde se quitan los hitos puestos para protegernos de nuestro vecino, la que deberá restringir es la cadena de Geburah.

14. Estas cosas son tan necesarias para la salud de la sociedad y del individuo como el amor fraterno, y son mucho más raras, usadas medicinal y no vengativamente, en nuestra época sentimental. Alquien tiene que gritar "Alto" al agresor y "Muévanse" a los que obstruyen el camino, y ese alguien actúa como sacerdote en la esfera del sagrado Quinto Sephirah.

II

15. Si observamos la vida, veremos que su principio vital es el ritmo, no la estabilidad. La estabilidad que la vida manifiesta logra es la estabilidad de un hombre en bicicleta, equilibrado entre dos tracciones contrarias; puede caer a la derecha, o puede caer a la izquierda, y mantiene el equilibrio por medio de su impulso.

16. En la vida de los individuos, en el desarrollo de cualquier transacción, en el tono de cualquier mente grupal disciplinada o muy organizada, vemos la alternancia constante de las influencias de Geburah y Gedulah en un balanceo rítmico de un lado al otro. Todo aquel que tenga la responsabilidad de disciplinar a un grupo organizado conoce la necesidad constante de tirar de las riendas y soltarlas, para estimular y calmar. Es perceptible la necesidad de aflojar las riendas cuando el grupo se lanza hacia adelante con un impulso anhelante y empeñoso, al que le sigue la necesidad de dejar de aflojar cuando el impulso se agota. Si ese aflojamiento no se retiene con mano firme, el grupo se enreda en sus propias riendas y se pone díscolo. Quienes manejan con sabiduría a seres humanos saben cuándo la reacción se agotó y llegó el momento de hacer restallar el látigo de Geburah sobre la cuadriga y de mantenerla sujeta nuevamente cuando se agita el nuevo impulso dinámico; pero también

saben que no se lo deberá hacer restallar demasiado pronto, mientras la cuadriga se toma un respiro, o el que tenga menos estabilidad de aquélla pasará una pata sobre los arreos.

17. En la vida nacional vemos especialmente los ritmos alternantes de Geburah y Gedulah. Me aventuro a profetizar que la nación está saliendo de una fase de Gedulah y entrando en una fase de Geburah. Por doquier, oprimida por las imperfecciones de la naturaleza humana, vemos una misericordia anulada en favor de una severidad que restablecerá el equilibrio de una justicia pareja y evitará que el mal se multiplique. Se reorganiza la labor policial; los jueces aplican sentencias más rigurosas; se estatuyó la reforma penal; la última palabra ya no la tiene el humanitario. El alma grupal de la raza está ingresando en una fase de Geburah, y perdió la paciencia con quienes están por debajo de lo que se considera normal.

18. Para el próximo ciclo, la tendencia será la de descartar violentamente a los ineptos y concentrarse para hacer que los aptos se desarrollen de modo excelente. Geburah será el socio más caracterizado, y cualquier mitigación de la severidad que Gedulah proponga tendrá que contar con la inspección minuciosa de la justicia pareja. Esta es una reforma muy necesaria, pues los extremos tienden a desarrollarse hacia el final de una fase, y el humanitarismo de Gedulah fue maltratado y ridiculizado, y su refinamiento, al volverse melindroso, perdió contacto con la realidad.

19. Cuando una nueva fase entra en una escala de mente grupal, su influencia es más vigorosa sobre las personas menos esclarecidas y de mentalidad masificada; las personas cultas tienden siempre a apartarse de los extremos. Vemos que esto lo indica con claridad el rumbo que toman las distintas clases de periodismo. El periodismo populachero aboga para que se use libremente el castigo para reprimir la delincuencia, para que se repudien las deudas y los acuerdos internacionales, y, de hecho, para que se ande por allí, a los mandobles, con la espada de Geburah. Hay por todos lados una tendencia constante a no soportar disparates de nadie, tendencia ésta que vuelve muy difíciles de llevar las negociaciones, pues Geburah anda muy mal como negociador, y su única contribución a la discusión es la del soldado heleno que tomó su espada y cortó el nudo.

20. Ahora, como el iniciado sabe que una fase sucede a la

otra en alternancia rítmica, no toma demasiado en serio a cada fase, ni piensa que se trata del fin del mundo o del milenio. Sabe que seguirá su curso, siendo al principio un correctivo valioso y necesario, corriendo al final hacia los extremos; pero con tal que entre los iluminados de una raza haya suficiente visión, el pueblo no perecerá, pues el hecho mismo de haberse llegado a los extremos indica el final de un recorrido, y el péndulo invertirá normalmente su movimiento y empezará a retroceder hacia el centro de la estabilidad. Sólo cuando un pueblo pierde por completo su visión, al péndulo se le permite que se separe de su conexión y se autodestruya. Así obró Roma y Cartago, y más recientemente Rusia. Pero aunque la organización social se derrumbe y el péndulo se pierda en el espacio, el principio del ritmo es inherente a toda existencia manifiesta, y se restablece tan pronto cualquier clase de organización empieza a surgir de entre las ruinas.

21. La gran debilidad del cristianismo radica en el hecho de que ignora el ritmo. Contrapesa a Dios con el Demonio, en vez de Vishnu con Siva. Sus dualismos son antagónicos en vez de equilibrantes, y por tanto jamás pueden resultar en lo tercero funcional en el que la energía está en equilibrio. Su Dios es el mismo ayer, hoy y eternamente, y no evoluciona con una creación evolutiva, sino que se complace en un acto creador especial y se duerme sobre sus laureles. Toda la experiencia humana, todo el conocimiento humano está en contra de la posibilidad de que tal concepto sea cierto.

22. Como el concepto cristiano es estático, no dinámico, no ve que porque una cosa es buena, su contraria no es necesariamente mala. No tiene sentido de la proporción porque no comprende el principio del equilibrio en el espacio y del ritmo en el tiempo. En consecuencia, para el ideal cristiano, la parte es con demasiada frecuencia mayor que el todo. La mansedumbre, la misericordia, la pureza y el amor se erigen en el ideal del carácter cristiano, y como verdaderamente lo señala Nietzsche, estas son virtudes esclavas. En nuestro ideal debe haber lugar para las virtudes de quien gobierna y dirige: la valentía, la energía, la justicia y la integridad. El cristianismo nada tiene que decirnos acerca de las virtudes dinámicas; en consecuencia, quienes asumen el trabajo del mundo no podrán seguir el ideal cristiano debido a las limitaciones e inaplicabilidad de éste a los proble-

mas de aquéllos. No pueden medir lo que está bien y lo que está mal frente a una ausencia de norma, con excepción del respeto que tienen de sí mismos. El resultado es el espectáculo ridículo de una civilización que, comprometida en un ideal unilateral, es obligada a mantener sus ideales y su honor en compartimientos separados.

23. Necesitamos el realismo de Geburah para equilibrar el idealismo de Gedulah, en la misma proporción con que necesitamos atemperar la justicia con la misericordia. La experiencia en el manejo de los niños nos enseña pronto que el niño al que nunca se controla es un niño malcriado; que el joven que carece del acicate de la competición tiende a ser un joven flojo, pues serán pocos los que trabajarán por el trabajo mismo. Y lo mismo ocurre con las naciones. El monopolio, al carecer del acicate de la competencia, demostró siempre que es ineficaz; las profesiones que no compiten sufren siempre de obesidad intelectual.

24. Geburah es el elemento dinámico de la vida que conduce a través de los obstáculos y sobre éstos. El carácter que carece de aspectos marcianos jamás se afianza en la vida. Quienes tuvieron que depender de alguien que se ganaba el pan sin ser de Geburah saben que el amor no es una solución completa de los problemas de la vida. Debemos aprender a amar y a confiar tanto en el guerrero con cota de malla y espada como en el Amor Divino que nos da la copa de agua fresca y nos dice: "Venid a mí todos los que estáis cansados y agobiados".

25. Una vez que aprendimos a besar el azote y comprendemos el valor de las experiencias austeras, hemos recibido la primera de las iniciaciones de Geburah; y una vez que aprendimos a perder nuestras vidas para hallarlas, hemos recibido la segunda. Hay cierta clase de valentía que no teme la disolución, pues sabe que todos los principios espirituales son indestructibles, y mientras persistan los arquetipos podrá reconstruirse todo. Geburah sólo es destructivo de lo que es temporal; es el siervo de lo que es eterno; pues cuando por la ácida actividad de Geburah todo lo que es impermanente es devorado, las realidades eternas e incorpóreas resplandecen en toda su gloria, reveladas todas las líneas.

26. Geburah es el mejor amigo que podemos tener si somos honestos. La sinceridad no tiene que temer las actividades

de aquél; en realidad, es la máxima protección que podemos tener contra la falsía de los demás, pues nada es igual a la influencia de Geburah para "poner en su sitio" tanto a personas como a puntos de vista.

27. Geburah y Gedulah deben trabajar juntos; jamás uno sin el otro. Debemos adorar tanto al Dios de las Batallas como al Dios del Amor para que el elemento combativo del universo no se desprenda de su lealtad al Dios Unico, al Yo Soy El Que Soy. No se debe maldecir a la espada como instrumento del Demonio: se la debe bendecir y consagrar para jamás desenvainarla en una causa injusta. No se la deberá desechar en un pacifismo impracticable: se la deberá poner al servicio de Dios; de modo que, cuando se dé la orden de no sufrir más lo que está mal, el potente Khamael, Arcángel de Geburah, haga que los Seraphim entren en batalla, no con ira destructiva, sino de modo templado e impersonal, al servicio de Dios, para que el mal desaparezca y prevalezca el bien.

III

28. Se ha dicho tanto respecto de la naturaleza de Geburah que no queda mucho por decir en el análisis de lo que se le atribuye.

29. El Texto del Yetzirah nos dice que el Quinto Sendero se llama la Inteligencia Radical, porque semeja la Unidad. Ahora bien, la Unidad es uno de los títulos que se aplican a Kether; por lo tanto, podemos decir que Geburah es afín a Kether en un arco inferior. Hay varios Sephiroth a los que de esta manera se hace referencia en el *Sepher Yetzirah*, y estas referencias son importantísimas cuando se llega a comprender su naturaleza. Se habla de Chokmah como el Esplendor de la Unidad, equiparándolo. Dícese de Binah que sus raíces están en Amen, que también es un título de Kether.

30. Geburah es un Sephirah muy dinámico, y su energía que desborda en el mundo de la forma y lo dinamiza tiene estrecha analogía con la desbordante fuerza de Kether, que es la base de toda la manifestación.

31. Dícese también de Geburah, en el Texto del Yetzirah, que se une con Binah, el Entendimiento. Cuando recordamos

que, en astrología, a Saturno, el Chakra Mundano de Binah, y a Marte, El Chakra Mundano de Geburah, se los llama los Infortunios Mayor y Menor, vemos que debe haber más de una conexión superficial entre los dos.

32. A Binah se lo llama el introductor de la muerte porque es quien da la forma a la fuerza primordial, volviéndola de esta manera estática, a Geburah se lo llama el destructor porque la abrasadora fuerza de Marte abate las formas y las destruye. Así vemos que Binah une perpetuamente a la fuerza en la forma, y Geburah disuelve y destruye perpetuamente todas las formas con su energía demoledora.

33. Pero, de igual modo, debemos ver que sólo cuando la influencia protectora y preservadora de Chesed está en suspenso, las destructivas influencias de Geburah son capaces de trabajar sobre las formas construidas por Binah, pues el sendero de las Emanaciones entre Binah y Geburah es a través de Chesed. Geburah es el correctivo esencial de Binah, sin el cual Binah sujetaría a toda la creación a la rigidez. Binah, a su vez, como se señala en el Texto del Yetzirah, emana de las profundidades primordiales de Chokmah, la Sabiduría. Así vemos que hay incluso un aspecto dinámico respecto de Binah. Ningún Sephirah es totalmente de un solo género de fuerza, pues cada uno emana de un Sephirah del tipo contrario de polaridad al suyo, y a su vez emana un Sephirah de polaridad contraria. Lo que realmente tenemos en el Destello Centelleante son sucesivas fases en el desarrollo de una sola fuerza; y porque éstos emanan, sin superponerse entre sí, permanecen como planos de manifestación y tipos de organización.

34. Estas fases y estos planos sucesivos de la manifestación podrían equipararse a los sucesivos cursos de un río. Este empieza como un arroyo de la montaña; luego, se extiende en una serie de rápidos y cascadas; más tarde, pasa a ser tierra anegadiza y placidez; y finalmente, pasa a ser el gran curso de agua entre muelles, que soporta la navegación. Los diferentes cursos del río siguen siendo constantes; es constante el tipo de agua en cada uno de aquéllos; clara y chispeante en las márgenes superiores, cargada de aluviones entre las tierras anegadizas, y sucia con inmundicias debajo de los muelles. Pero, al mismo tiempo, el agua misma no es constante, pues no se estanca en las riberas, pues todas están en comunicación ininterrumpida recíproca;

"emanan" una a la otra, para usar el lenguaje de la Cábala. Pero el agua cambia de naturaleza a medida que avanza porque las experiencias que experimenta en cada margen le añade algo; suelo aluvional de las tierras anegadizas, inmundicia de la ciudad, procedente de los muelles.

35. De modo que la emanación primordial de Kether se modifica en cada "margen" Sephirótico del río cósmico; las "márgenes", o Esferas Sephiróticas, siguen siendo constantes; las emanaciones fluyen, experimentando moficación en cada Esfera.

36. Los títulos de Fuerza, Justicia, Severidad y Temor, que se asignan a Geburah, hablan por sí solos e indican los aspectos dobles de este Sephirah. Ahora que descendemos del Arbol a los planos de la forma vemos cada vez más claramente que cada Sephirah es bilateral, y que su exceso tiende a ser una fuerza desequilibrada.

37. La Imagen Mágica de un guerrero poderoso en su carro, coronado y armado, indica la naturaleza dinámica de la fuerza de Geburah. El Chakra Mundano del abrasador Marte expresa, incluso más plenamente, la misma idea.

38. La Experiencia Espiritual que la iniciación trasmite a la Esfera de Geburah es la Visión del Poder. El hombre sólo se convierte en Adepto Mayor cuando recibió esto. El manejo correcto del poder es una de las máximas pruebas que pueden imponerse a cualquier ser humano. En su avance ascendente de los grados, un iniciado aprende, hasta aquí, las lecciones de disciplina, control y estabilidad; adquiere, de hecho, lo que Nietzche llama la moralidad del esclavo: una disciplina muy necesaria para la naturaleza humana que no se regeneró, tan orgulloso en su propia infatuación. Sin embargo, con el grado de Adepto Mayor debe adquirir las virtudes del superhombre, y aprender a ejercer el poder en vez de someterse a él. Pero incluso así, él no se erige en ley propia y personal, pues es siervo del poder que esgrime y deberá llevar a cabo los propósitos de éste, no servir a los suyos propios. Aunque dejó de ser responsable de sus semejantes, aún lo es del Creador del cielo y de la Tierra, y se le exigirá que rinda cuentas de su mayordomía.

39. La suya es una gran libertad; pero también una gran fatiga. Podrá pronunciar la palabra de poder que desata al viento, pero deberá prepararse a montar el torbellino que sobreviene.

Esto es algo que el mago aficionado no siempre comprende.

40. No exigen comentario, pues se explican por sí solas, la energía y la valentía que son las virtudes de Marte, y la crueldad y la destrucción que son sus vicios, cuando aquellas cualidades llegan al exceso.

41. Los símbolos que se asignan a Marte-Geburah necesitan, sin embargo, alguna aclaración, pues su significado no es en todos los casos patente a primera vista.

42. A los distintos planetas se les asignan figuras de distinta cantidad de lados, y en la magia ceremonial o talismánica se las usa como el esbozo de alguna forma que se asocia con una fuerza planetaria. A Saturno, el planeta más viejo, el primero en desarrollarse en el tiempo evolutivo, se le asigna la figura bidimensional más sencilla: el triángulo. La equilibrada estabilidad de Chesed tiene la figura cuadrilátera, el cuadrado; y al tercer Sephirah planetario, Marte, se le asigna la figura de cinco lados, y en el sistema cabalístico, al cinco se lo considera el número de Marte. En consecuencia, el Pentágono, la figura de cinco lados, es el símbolo de Marte, y todos los altares consagrados a Marte deben ser pentagonales o de cinco lados, de modo parecido a cualquier talismán. La rosa Tudor de cinco pétalos, que es otro símbolo de Marte, exige más explicación; pero cuando recordamos la asociación íntima entre Marte y Venus en la mitología, y que la rosa es la flor de Venus, tenemos una clave del significado del simbolismo. Las líneas de fuerza, que cruzan sobre el Arbol, van desde Geburah-Marte hasta Netzach-Venus a través de Tiphareth, el Lugar del Redentor, el centro del equilibrio, del mismo modo que Chesed y Hod se conectan, como lo indica claramente el Texto del Yetzirah, el cual dice de Hod que tiene su raíz en los ocultos sitios de Gedulah, el Cuarto Sephirah.

43. Al entender, pues, la estrecha relación entre los pares diagonales que forman los cuatro rincones del cuadrado central del Arbol, entendemos la vinculada relación indicada por la forma de la rosa con sus cinco pétalos.

44. La espada, la lanza, el azote y la cadena son armas tan características de Marte que no exigen comentario.

45. Los cuatro Cinco del mazo del Tarot son cartas aciagas, cada cual según su tipo. De hecho, todo el palo de Espadas, que es presidido por Marte, representa la litigiosidad; pues sus

mejores aspectos son "El descanso respecto de la contienda" y "El triunfo después de la lucha", y donde una carta de Espada se asocia con un Sephirah cuyo Chakra Mundano es uno de los infortunios astrológicos, el resultado es desastroso, y en este palo encontramos a los Señores de la Derrota y la Ruina.

46. Nuestra aptitud para tomar la inciación de Geburah depende de nuestra aptitud para manejar las fuerzas marcianas, y esto lo determina el grado de autodisciplina y estabilidad que hemos alcanzado en nuestras propias naturalezas.

47. Geburah es el más dinámico y vigoroso de todos los Sephiroth, pero también es el más altamente disciplinado. En realidad, la disciplina militar, que es presidida por el dios de la Guerra, es sinónimo del género más riguroso de control que puede imponerse a los seres humanos. La disciplina de Geburah debe equipararse exactamente con su energía; en otras palabras, los frenos de un auto deberán guardar relación con sus caballos de potencia si ha de ser seguro en la carretera. Esta tremenda disciplina de Geburah es uno de los puntos de prueba de los Misterios. Hablamos de una disciplina férrea, y el hierro es el metal de Marte.

48. El iniciado de Geburah es una persona muy dinámica y vigorosa, pero también una persona muy controlada. Sus virtudes características son un temperamento parejo y paciencia ante la provocación. Sábese bien en el campo de deportes, que es el aspecto lúdrico del dios de la Guerra, que un arranque de ira perjudica al juego. Todo pugilista sabe que si se enoja y empieza a pelear en vez de boxear, la suerte está en su contra. El iniciado de Marte es el Guerrero Feliz, el iniciado que atravesó el grado de Tiphareth y ganó el equilibrio.

49. Pelea sin malignidad; es clemente con los débiles y los heridos; no sale a destruir la ley sino a procurar que se la cumpla adecuadamente. Es quien corrige el equilibrio, y, como tal, es siempre el defensor de los débiles y oprimidos. Nunca es un dios que esté del lado de los grandes ejércitos, aunque diga: "Con los insolentes me mostraré insolente". Aferra al gigante bicéfalo de los Qliphoth, Thaumiel, las Dos Fuerzas en Pugna, entrechoca sus cabezas y les dice: " ¡Al demonio con vuestras dos casas! Conservad la paz de Dios u os ocurrirá lo peor".

50. Cuando un alma está en la etapa de evolución en la que

el único modo de aprender es mediante la experiencia, Geburah procura que no se decepcione cuando ella ande por allí buscándose problemas. Geburah es el Gran Iniciador de los engreídos.

Capítulo XX

TIPHARETH, EL SEXTO SEPHIRAH

TITULO: Tiphareth, la Belleza. (Grafía hebrea: תפארת: Tau, Pé, Aleph, Resh, Tau.)

IMAGEN MAGICA: Un rey majestuoso. Un niño. Un dios que fue sacrificado.

SITUACION EN EL ARBOL: En el centro de la Columna del Equilibrio.

TEXTO DEL YETZIRAH: El Sexto Sendero se llama la Inteligencia Mediadora, porque en él se multiplican los influjos de las Emanaciones; pues hace que la influencia fluya dentro de los depósitos de las bendiciones con las que ellas mismas se unen.

TITULOS QUE SE DA A TIPHARETH: Zoar Anpin, el Semblante Menor. Melekh, el Rey. Adam. El Hijo, El Hombre.

NOMBRE DE DIOS: Tetragrammaton Aloah Va Daath.

ARCANGEL: Raphael.

ORDEN DE ANGELES: Malachim, Reyes.

CHAKRA MUNDANO: Shemesh, el Sol.

EXPERIENCIA ESPIRITUAL: Visión de la armonía de las cosas, Misterios de la Crucifixión.

VIRTUD: Devoción a la Gran Obra.

VICIO: Orgullo.

CORRESPONDENCIA EN EL MICROCOSMOS: El pecho.

SIMBOLOS: El *Lamen*. La Rosa Cruz. La Cruz del Calvario. La pirámide trunca. El cubo.

CARTAS DEL TAROT: Los cuatro Seis.

SEIS DE BASTOS: La victoria.

SEIS DE COPAS: La alegría.

SEIS DE ESPADAS: Triunfo ganado.

SEIS DE PENTACULOS: Triunfo material.
COLOR EN ATZILUTH: Rosado claro.
COLOR EN BRIAH: Amarillo.
COLOR EN YETZIRAH: Color salmón, muy vivo.
COLOR EN ASSIAH: Ambar dorado.

I

1. Hay tres claves importantes de la naturaleza de Tiphareth. Primero, es el centro de equilibrio de todo el Arbol, y está en el medio de la Columna Central; segundo, es Kether en un arco inferior y Yesod en un arco superior; tercero, es el punto de transmutación entre los planos de la fuerza y los planos de la forma. Los títulos que se le confieren en la nomenclatura cabalística apoyan esto. Desde el punto de vista de Kether, es un niño; desde el punto de vista de Malkuth, es un rey; y desde el punto de vista de la transmutación de la fuerza, es un dios que fue sacrificado.

2. Macrocósmicamente, es decir, desde el punto de vista de Kether, Tiphareth es el equilibrio de Chesed y Geburah; microcósmicamente, es decir, desde el punto de vista de la psicología trascendental, es el punto en el que se ponen en foco los tipos de conciencia característicos de Kether y Yesod. Hod y Netzach hallan, de igual modo, su síntesis en Tiphareth.

3. Los seis Sephiroth, de los que Tiphareth es el centro, se llaman a veces Adam Kadmon, el hombre arquetípico; de. hecho, Tiphareth no puede entenderse correctamente salvo como el punto central de estos seis, en los que gobierna como un rey en su reino. Estos seis son los que, para todos los fines prácticos, constituyen el reino arquetípico que se halla detrás del reino de la forma en Malkuth y domina y determina completamente lo pasivo de la materia.

4. Cuando tenemos que considerar a Sephirah en relación con sus vecinos a fin de interpretarlo a la luz de su posición en el Arbol, no es posible avanzar con una exposición enteramente sistemática y ordenada del sistema cabalístico, pues necesariamente debemos anticiparnos con explicaciones parciales si nuestro argumento ha de ser comprensible. Por lo tanto, deberemos dar alguna explicación sobre los tres Sephiroth inferiores, agrupados alrededor de Tiphareth: Netzach, Hod y Yesod.

5. Netzach se relaciona con las fuerzas de la Naturaleza y los contactos elementales; Hod, con la magia ceremonial y el conocimiento oculto; y Yesod, con el psiquismo y el doble etérico. Tiphareth mismo, con el apoyo de Geburah y Gedulah, representa la videncia, o el psiquismo superior de la individualidad. Por supuesto, cada Sephirah tiene sus aspectos subjetivos y objetivos: su factor en la psicología y su plano en el universo.

6. Los cuatro Sephiroth que están debajo de Tiphareth representan la personalidad o el yo inferior; los cuatro Sephirot que están encima de Tiphareth son la Individualidad, o el yo superior, y Kether es la Chispa Divina, o el núcleo de la manifestación.

7. Por lo tanto, a Tiphareth nunca deberá considerárselo un factor aislado, sino un vínculo, un punto de enfoque, un centro de transición o transmutación. La Columna Central se relaciona siempre con la consciencia. Las dos Columnas laterales se relacionan con los diferentes modos de operación de la fuerza en los distintos niveles.

8. En Tiphareth, encontramos los ideales arquetípicos puestos en foco y transmutados en ideas arquetípicas. De hecho, es el Lugar de la Encarnación. Por esta razón se lo llama el Niño. Y porque la encarnación del ideal divino implica también la desencarnación con sacrificio a Tiphareth se le asignan los Misterios de la Crucifixión, y todos los Dioses que fueron Sacrificados están ubicados aquí cuando el Arbol se aplica a los panteones. El Dios Padre se asigna a Kether; pero el Dios Hijo se asigna a Tiphareth por las razones antedichas.

9. La religión exotérica no asciende en el Arbol más allá de Tiphareth. No comprende los misterios de la creación, como los representa el simbolismo de Kether, Chokmah y Binah; ni de los modos de operación de los Arcángeles Oscuros y Brillantes, como se los representa en el simbolismo de Geburah y Gedulah; ni de los misterios de la consciencia y la transmutación de la fuerza, como están representados en el invisible Sephirab Daath, que no tiene simbolismo.

10. En Tiphareth, a Dios se lo hace manifestar en la forma y habita entre nosotros; o sea, entre en el ámbito de la consciencia humana. Tiphareth, el Hijo, "nos muestra" a Kether, el Padre.

11. A fin de que la forma se estabilice, las fuerzas componentes, a partir de las cuales aquélla se construye, se ponen en

equilibio. Por lo tanto, encontramos la idea del Mediador, o del Redentor, inherente a este Sephirah. Cuando la Deidad manifiesta su mismo Yo en la forma, ésta deberá equilibrarse perfectamente. Con igual verdad, podríamos invertir la proposición y decir que cuando las fuerzas que construyen una forma están perfectamente equilibradas, la Deidad manifiesta su mismo Yo en esa forma según su tipo. Dios se hace manifestar entre nosotros cuando las condiciones permiten la manifestación.

12. Una vez que atravesó la manifestación en los planos de la forma en el aspecto de Niño, perteneciente a Tiphareth, el dios encarnado crece hasta la virilidad y se convierte en el Redentor. En otras palabras, tras obtener la encarnación por medio de la materia en un estado virginal, o sea, María, Marah, el Mar, la Gran Madre, Binah, un Superno, para distinguirlo de la Madre Inferior, Malkuth, la manifestación de Dios en evolución, se empeña eternamente en poner al Reino de los seis Sephiroth centrales en un estado de equilibrio.

13. Cuando en el Arbol se representa el jeroglífico de la Caída, es interesante notar que las cabezas de la Gran Serpiente que se eleva del Caos sólo llegan hasta Tiphareth y no lo sobrepasan.

14. El Redentor, entonces, se manifiesta en Tiphareth, y se empeña eternamente en redimir a Su Reino reuniéndolo con los Supernos a través del abismo creado por la Caída, que separaba a los Sephiroth inferiores de los superiores, y poniendo en equilibrio las diversas fuerzas de los seis Reinos.

15. Con este fin, a los dioses encarnados se los sacrifica, y mueren por el pueblo, a fin de que la tremenda fuerza emocional liberada por este acto compense a la fuerza desequilibrada del Reino y de esta manera lo redima o lo ponga en equilibrio.

16. A esta Esfera del Arbol se la llama Centro Crístico, y es aquí donde la religión cristiana tiene su punto focal. Los credos panteístas, como el griego y el egipcio, se centran en Yesod; y los credos metafísicos, como el budista y el confuciano, apuntan a Kether. Pero como todas las religiones dignas de ese nombre tienen a la par un aspecto esotérico, o místico, y otro exotérico, o panteísta, aunque tenga esencialmente un credo de Tiphareth, tiene su aspecto místico que se centra en Kether, y su aspecto mágico, como se lo ve en el catolicismo continental popular, que se centra en Yesod. Su aspecto esotérico apunta a concentrarse en Tiphareth como Niño y Dios que fue Sacrifica-

do, e ignora el aspecto del Rey en el centro de su Reino, rodeado por los cinco Sagrados Sephiroth de la manifestación.

17. Hasta aquí hemos considerado al Arbol desde el punto de vista macrocósmico, viendo que los diferentes arquetipos de fuerza que se manifiesta entran en acción y construyen el universo, y desde el punto de vista microcósmico, en su aspecto psicológico como factores de la consciencia, sólo nos hemos acercado a ellos remotamente. Pero con Tiphareth, nuestro modo de aproximación varía, pues de aquí en adelante las fuerzas arquetípicas se encierran en las formas, y sólo es posible aproximarnos a ellas desde el punto de vista de su efecto sobre la consciencia; en otras palabras, nuestro modo de acercarnos a ellas no deberá ser ahora a través de la experiencia directa de los sentidos, aunque estos sentidos no son sólo del plano físico, sino que funcionan tanto en Tiphareth como en Yesod, cada uno según su tipo. Cuando estábamos en los niveles superiores, teníamos que apoyarnos en la analogía metafísica y razonar, mediante deducción, a partir de los primeros principios; ahora estamos dentro del campo legítimo de la ciencia inductiva, y debemos someternos a su disciplina y expresar nuestros hallazgos en los términos de aquélla; pero al mismo tiempo debemos mantener nuestro vínculo con los trascendentales a través de Tiphareth; esto se logra expresando el simbolismo de Tiphareth en términos de experiencia mística. Todas las experiencias místicas del tipo en el que la visión termina en luz cegadora se asignan a Tiphareth; pues la desaparición de la forma en el abrumador influjo de la fuerza caracteriza al modo transicional de la consciencia de esta Esfera del Arbol. Son características de Yesod las visiones que mantienen claramente delineada a la forma en todo. Las iluminaciones que no tienen forma, como las que Plotino describe, se elevan hacia Kether.

18. En Tiphareth se reunen e interpretan también las operaciones de la naturaleza mágica de Netzach y la magia hermética de Hod. Estas dos operaciones están en términos de forma, aunque la forma predomina en la operación de Hod en mayor grado que en los de Netzach. Todas las visiones astrales de Yesod deben traducirse también en términos de metafísica a través de las experiencias místicas de Tiphareth. Si no se efectúa esta traducción, nos alucinamos; pues juzgamos que los reflejos proyectados en el espejo de la mente subconsciente y traducidos allí en

términos de consciencia cerebral son las cosas reales de las que son en realidad sólo las representaciones simbólicas.

19. Kether es metafísico; Yesod es psíquico; y Tiphareth es esencialmente místico; entendiéndose místico como un modo de acción mental en el que la consciencia cesa de trabajar en representaciones subconscientes simbólicas y capta por medio de reacciones emocionales.

20. Los distintos títulos complementarios y el simbolismo asignado a los diversos Sephiroth, y especialmente los correspondientes nombres de Dios, nos dan una clave importantísima para tener acceso a los misterios de la Biblia, que es esencialmente un libro cabalístico. Según la manera en que se hace referencia a la Deidad, sabemos a qué Esfera del Arbol debe asignarse del modo particular de manifestación. Todas las referencias al Hijo son siempre a Tiphareth; todas las referencias al Padre son a Kether; todas las referencias al Espíritu Santo son a Yesod; y aquí se ocultan misterios profundísimos, pues el Espíritu Santo es el aspecto de la Deidad que se adora en las logias ocultas; el culto de las fuerzas panteístas de la naturaleza y las operaciones elementales tienen lugar presididos por el Dios Padre; y el regenerativo aspecto ético de la religión, que es el aspecto exotérico de esta época, es presidido por el Dios Hijo, en Tiphareth.

21. Sin embargo, el iniciado trasciende su época, y apunta a la unificación de los tres modos de adoración en su culto de la Deidad como una trinidad en la unidad; redimiendo el Hijo al culto panteísta de la naturaleza respecto de su envilecimiento y volviendo comprensible para la consciencia humana al Padre trascendental, pues "quien Me ha visto a Mí, ha visto al Padre".

22. Sin embargo, Tiphareth es no sólo el centro del Dios que fue Sacrificado, sino también el centro del Dios Embriagador, el Dador de la Iluminación. A este centro se le asigna tanto Dioniso como Osiris, pues, como ya vimos, la Columna Central se relaciona con las modalidades de consciencia; y la consciencia humana, que se eleva desde Yesod por el Sendero de la Flecha, recibe la iluminación en Tiphareth; por lo tanto, en los Panteones se asignan a Tiphareth todas las que dan la iluminación.

23. La iluminación consiste en introducir a la mente en una modalidad de consciencia superior a la construida a partir de la experiencia de los sentidos. En la iluminación, por así decirlo, la mente "hace el cambio de velocidad". Empero, a menos que la

nueva modalidad de consciencia se conecte con la vieja y se traduzca en términos de pensamiento finito, queda como un destello luminoso, tan brillante que ciega. Lo que nos hace ver no es el rayo de luz que brilla sobre nosotros, sino la proporción con que ese rayo se refleja desde objetos de nuestra propia dimensión a los cuales alumbra. Nuestras mentes, a menos que tengan ideas iluminadas por esta modalidad superior de consciencia, meramente se abruman, y, tras experimentar cegadoramente aquéllas, las tinieblas son, para nuestros ojos, más intensas que antes. En realidad, no "hacemos un cambio de velocidad" sino que desembragamos por completo el motor de nuestra mente. A esto asciende, para la mayoría, la denominada iluminación. Hay un destello suficiente para convencernos de la realidad de la existencia superfísica, pero que no es bastante como para enseñarnos algo de su naturaleza.

24. La importancia de la etapa de Tiphareth en la experiencia mística radica en el hecho de que la encarnación del Hijo tiene lugar aquí; en otras palabras, la experiencia mística arma poco a poco un cuerpo de imágenes e ideas que se iluminan y tornan visibles cuando tiene lugar la iluminación.

25. Este aspecto del Niño, correspondiente a Tiphareth, es también importantísimo para nosotros en un trabajo práctico de los Misterios como el que se relaciona con la iluminación. Pues debemos aceptar el hecho de que el Cristo-Hijo no surge como Minerva, plenamente armada, de la cabeza del Dios Padre, sino que comienza como algo pequeño, que yace humildemente entre las bestias, y ni siquiera tiene alojamiento entre los humanos. Las primeras vislumbres de experiencia mística deberán forzosamente ser limitadísimas porque no tuvimos tiempo para armar, mediante experiencia, un cuerpo de imágenes e ideas que sirvan para representarlas. Aquéllas sólo se ensamblarán con el tiempo, mientras cada experiencia trascendental suma su cuota y la subsiguiente meditación racional las organiza.

26. Los místicos son muy propensos a cometer el error de pensar que siguen la Estrella hasta el sitio del Sermón del Monte, no hasta el Pesebre de Belén, el lugar de nacimiento. Es aquí donde es tan valioso el método del Arbol, que permite que lo trascendente se exprese en términos simbólicos; vinculando de esta manera lo psíquico con lo espiritual a través del intelecto,

y poniendo en foco los tres aspectos de nuestra consciencia trinitaria.

27. Esta traducción se efectúa en Tiphareth, pues en éste se reciben las experiencias místicas de la consciencia directa, que iluminan a los símbolos psíquicos.

II

28. La Columna Central del Arbol es esencialmente la de la Consciencia, tal como las dos Columnas laterales son las de las energías activa y pasiva. Cuando se lo considera microcósmicamente, o sea, desde el punto de vista de la psicología en vez de la cosmología, Kether, la Chispa Divina alrededor de la cual se construye el ser individualizado, debe considerarse más bien como el núcleo de la consciencia que como la consciencia misma. Daath, el Sephirah invisible, está también en la Columna Central, aunque, hablando estrictamente, pertenece siempre a otro plano que aquel en el que se considera al Arbol. Por ejemplo, como al Arbol por ahora lo estamos considerando microcósmicamente, Daath sería el punto de contacto con el macrocosmos. Tan sólo cuando llegamos a Tiphareth tenemos una consciencia bien definida e individualizada.

29. Tiphareth es el ápice funcional de la Segunda Tríada del Arbol, cuyos ángulos de la base consisten en Geburah y Gedulah (Chesed). Esta Segunda Tríada, que emana de la Primera Tríada de los Tres Supernos, forma la individualidad evolutiva, o el alma espiritual. Esta es la resistente y constructiva a lo largo de toda una evolución; de ella emanan las personalidades sucesivas, las unidades encarnantes; en ella se absorbe la activa esencia de la experiencia al final de cada encarnación, cuando la unidad encarnante se disuelve en polvo y éter.

30. Esta es la Segunda Tríada, que forma a la Super-alma, al Yo Superior, al Santo Angel de la Guarda, al Primer Iniciador. La voz de este yo superior es la que tan a menudo se oye con el oído interior, y no la voz de entes desencarnados, o de Dios Mismo, como piensan quienes no están instruidos en la tradición.

31. Cubierta y dirigida por la Segunda Tríada, la Tercera Tríada se arma a través de la experiencia de la encarnación, con Malkuth como su vehículo físico. La consciencia cerebral es de

Malkuth, y mientras estemos aprisionados en Malkuth, eso es todo lo que tenemos. Pero hoy en día las puertas de Malkuth no están herméticamente cerradas y hay muchos que podrán fisgonear a través de la grieta en la fantasmagoría del plano astral y la experiencia de la consciencia psíquica de Yesod. Una vez logrado esto, se abre el camino para el psiquismo superior, para la videncia verdadera, que es lo característico de la consciencia de Tiphareth.

32. Por lo tanto, nuestra primera experiencia del psiquismo superior consiste habitualmente, en términos del psiquismo inferior, en comenzar; pues tan sólo nos elevamos de Malkuth, y contemplamos al Sol de Tiphareth desde la esfera de la Luna, perteneciente a Yesod. Por ello oímos voces con el oído interior y vemos visiones con el ojo interior, pero difieren de la consciencia psíquica corriente porque no son las representaciones directas de las formas astrales, sino presentaciones simbólicas de cosas espirituales en términos de consciencia astral. Esta es una función normal de la mente subconsciente, y es importantísimo que se la entienda cabalmente, pues los conceptos erróneos sobre esta cuestión suscitan gravísimos problemas e incluso pueden inducir desequilibrio mental.

33. Quienes están familiarizados con la terminología cabalística saben que se dice que la primera de las iniciaciones mayores consiste en la facultad de disfrutar del conocimiento y de la conversación de nuestro Santo Angel de la Guarda; este Santo Angel de la Guarda, recuérdese esto, es en realidad nuestro propio yo superior. La característica primordial de este modo superior de acción mental no consiste en voces ni en visiones, sino que es consciencia pura; es una intensificación de la consciencia, y de esta aceleración de la mente proviene una peculiar facultad intuitiva y de penetración que es de la naturaleza de la intuición hiperdesarrollada. La consciencia superior nunca es psíquica, sino siempre intuitiva, y no contiene imágenes sensorias. Esta ausencia de imágenes sensorias es la que le dice al iniciado experimentado que se halla en el nivel de la consciencia superior.

34. Los antiguos reconocían esto, y diferenciaban entre los métodos mántricos que inducían los contactos ctónicos, o del submundo, y la embriaguez divina de los Misterios. Las obsequiosas ménades del séquito de Dioniso eran de un orden enteramente distinto de las pitonisas; éstas eran psíquicas y mé-

diums, pero las ménadas, las iniciadas de los Misterios dionisíacos, disfrutaban de la exaltación de la consciencia y de una aceleración biológica que les permitía realizar asombrosos prodigios de fuerza.

35. Todas las religiones dinámicas tienen este aspecto dionisíaco; hasta en la religión cristiana, muchas santas dejaron constancia de que el Cristo Crucificado del que eran devotas acudió a ellas como el Novio Divino; y cuando hablan de esta embriaguez divina que les sobreviene, su lenguaje usa metáforas de amor humano como su adecuada expresión: "Cuán amorosa eres, hermana mía, esposa mía"; "Desfallecida por los besos de los labios de Dios..." Estas cosas dicen muchísimo a quienes tienen entendimiento.

36. El aspecto dionisíaco de la religión representa un factor esencial en la psicología humana, y la comprensión errónea de este factor impide, por un lado, la manifestación de las experiencias espirituales superiores en nuestra civilización moderna, y por el otro, permite las extrañas aberraciones del sentimiento religioso que cada tanto suscitan escándalo y tragedia en los elevados sitiales de los movimientos religiosos más dinámicos.

37. Hay cierta concentración y cierta exaltación emocionales que ponen a nuestra disposición las fases superiores de la consciencia, sin las cuales es imposible alcanzarlas. Las imágenes del plano astral pasan por una intensidad emotiva que semeja fuego abrasador, y una vez que toda la escoria de la naturaleza se extinguió en la llama, el humo se despeja, y quedamos con el calor blanco de la consciencia pura. Por la naturaleza misma de la mente humana, con el cerebro como su instrumento, este calor blanco no puede durar largo tiempo; pero, en el breve lapso que dura, ocurren cambios en el temperamento, y la mente misma recibe nuevos conceptos y experimenta una expansión que jamás se retrae totalmente. La tremenda exaltación de la experiencia se extingue, pero quedamos con una expansión permanente de la personalidad, con una elevada capacidad para la vida en general, una potencia cognoscitiva de las realidades espirituales que nunca podría haber sido nuestra si el impulso del éxtasis no nos hubiera hecho cruzar con fuerza el gran abismo de la consciencia.

38. Los directores espirituales modernos no tienen conocimiento de la técnica de la producción deliberada del éxtasis y

tampoco idea sobre cómo dirigirlo cuando ocurre espontáneamente. Los predicadores logran producir una ligera forma de éxtasis entre personas ingenuas por medio del magnetismo personal, y el valor de un predicador es juzgado por su poder para embriagar a sus oyentes. Pero las consecuencias de esta embriaguez tienden a parecerse a las consecuencias de cualquier otra embriaguez, y la vida parece excesivamente gastada, chata y sin provecho cuando el predicador queda relegado en otros campos de la actividad. El converso piensa que perdió a Dios porque la embriaguez se extingue; nadie parece comprender que el éxtasis es en la consciencia el fogonazo del magnesio, y si se prolongara, incendiaría el cerebro y el sistema nervioso. Pero aunque no pueda ser prolongado, ni se proponga serlo, por medio de él nos mecemos sobre el centro muerto de la consciencia y despertamos a una vida superior.

39. La técnica del Arbol da una definición exacta de estas experiencias espirituales, y los que están instruidos en esa técnica no confunden la agitación de su propia consciencia superior con la voz de Dios. Ellos ascienden y descienden con suavidad y destreza desde la consciencia sensoria de Malkuth, a través del psiquismo astral de Yesod, hasta las intuiciones sin forma y la acelerada consciencia de Tiphareth, sin confundir los planos ni consentirles que se filtren uno en el otro, y poniéndolos a todos en foco en una consciencia centralizada.

III

40. A Tiphareth los cabalistas lo llaman Shemesh, o la Esfera del Sol; y es interesante notar que todos los dioses solares son dioses que curan, y todos los dioses que curan son dioses solares, hecho este que nos induce a pensar.

41. El sol es el punto central de nuestra existencia. Sin el sol no habría sistema solar. La luz solar representa un papel importantísimo en el metabolismo, en el proceso biológico, de las criaturas vivas, y toda la nutrición de los vegetales depende de él. Su influencia está estrechamente aliada con la de las vitaminas, como lo prueba el hecho de que ciertas vitaminas pueden usarse para complementar sus actividades. Por lo tanto, vemos que la luz solar es un factor importantísimo de nuestro bienes-

tar; podríamos seguir más allá todavía y decir que es esencial para nuestra misma existencia y que nuestra asociación con el sol es mucho más estrecha de lo que advertimos.

42. El símbolo del sol en el reino mineral es el oro, puro y precioso, que todas las naciones convinieron en llamar el metal del sol y en reconocerlo como el metal más valioso y la unidad básica del intercambio. El papel que el oro representa en la política de las naciones supera con exceso su utilidad intrínseca como metal. Además, es la única sustancia de la tierra que es incorruptible e inoxidable. Puede deslustrarlo la acumulación de suciedad sobre su superficie, pero el metal mismo, a diferencia de la plata o del hierro, no experimenta cambios químicos ni descomposición. Tampoco el agua lo corroe.

43. El sol es para nosotros, verdaderamente, el Dador de la Vida y la fuente de todo ser; es el único símbolo adecuado del Dios Padre que puede llamarse adecuadamente el Sol detrás del Sol, Tiphareth, de hecho, siendo el reflejo inmediato de Kether. Por medio del sol la vida llega a la tierra, y por medio de la consciencia de Tiphareth entramos en contacto con las fuentes de la vitalidad y la extraemos, tanto consciente como inconscientemente.

44. Sobre todas las cosas, el sol es el símbolo de la energía de la manifestación; trátase de repentinos e insólitos borbotones de energía solar-espiritual que provocan la divina embriaguez del éxtasis; el oro, como la base del dinero, es el representante objetivo de la fuerza vital exteriorizada; pues en verdad, el dinero es vida y la vida es dinero, pues sin dinero no podemos tener plenitud de vida. La fuerza vital, que se manifiesta en el plano físico como energía, y en el plano mental como inteligencia y conocimiento, puede transmutarse, mediante la alquimia adecuada, en dinero, que es una prueba de la capacidad o de la energía de alguien. El dinero es el símbolo de la energía humana, por medio de la cual podemos almacenar, una hora tras otra, el trabajo que producimos, y gastarlo según nuestras necesidades o ahorrarlo para usarlo en el futuro cuando lo creamos apropiado. El oro que respalda los billetes es un símbolo de la energía humana, y sólo se gana gastando esa energía; aunque sea la energía de un padre o de un esposo, transmitida a través de un heredero, empero es el símbolo de la actividad de algún ser humano en al-

guna esfera, aunque sea solamente la esfera de la promoción de una empresa, o de un robo.

45. Los movimientos secretos y subterráneos del oro actúan en la política de las naciones como las hormonas actúan en el cuerpo humano, y hay leyes cósmicas que gobiernan sus movimientos de mareas y épocas que los economistas no sospechan.

46. Kether, el Espacio, la fuente de toda existencia, refléjase en Tiphareth, que actúa como un transformador y un distribuidor de la energía primordial espiritual. Recibimos esta energía directamente por medio de la luz solar, e indirectamente por medio de la clorofila en los vegetales, lo cual les permite utilizar la luz solar, y a la que comemos, en primer término, en los alimentos vegetales y, en segundo lugar, en los tejidos de las criaturas hervíboras.

47. Pero el dios del Sol es más que la fuente de vida. Es también quien cura cuando la vida anda mal. Pues la vida encauzada con exceso, con mengua o equivocadamente es lo activo de los procesos de enfermedad; ésta no tiene energía, salvo la que toma de la vida del organismo. Por lo tanto, la curación deberá producirse mediante ajustes de la fuerza vital, y los dioses solares son los que naturalmente hay que invocar a este respecto, pues la vida y el sol están íntimamente conectados.

48. Los antiguos sacerdotes-iniciados realizaban sus curaciones por medio de su conocimiento del manejo de la influencia solar, y el culto solar yace en la raíz del culto que la antigua Grecia rendía a Esculapio.

49. Los modernos hemos aprendido el valor de la luz solar y de las vitaminas en nuestra economía fisiológica, pero no hemos comprendido el papel importantísimo que el aspecto espiritual de las influencias solares representa en nuestra economía psíquica, usando esa palabra en su sentido que el diccionario señala. En el alma del hombre hay un factor de Tiphareth que, según la tradición antigua, tiene su correspondencia física en el plexo solar, no en la cabeza ni en el corazón, el cual es capaz de captar el aspecto sutil de la energía solar del mismo modo que la clorofila de la hoja de una planta extrae su aspecto más tangible. Si nos apartan de esta energía y nos impiden asimilarla, nos volvemos mental y corporalmente tan enfermizos y débiles como las plantas que creceen en un sótano, apartadas de su aspecto más tangible.

50. Este apartamiento del aspecto espiritual de la Naturaleza se debe a actitudes mentales. Cuando rehusamos reconocer nuestro papel en la Naturaleza, y el papel de ésta en nosotros, inhibimos esta libre corriente de magnetismo dador de vida entre la parte y el todo; y al carecer de ciertos elementos esenciales para la función espiritual, la salud psíquica es imposible.

51. Los psicoanalistas asignan gran importancia a la represión como causa de enfermedad psíquica; aprendieron a reconocer a la represión porque, en su forma extrema de represión sexual, sus malos efectos son visibles. Sin embargo, no comprendieron que la represión sexual, a menos que la causen las circunstancias, en cuyo caso no suscitan disociación, es sólo el resultado de una causa mucho más profunda que el sexo, y tiene sus raíces en una espiritualidad falsa, en un refinamiento y un idealismo espurios, que indujo el apartarse de las simpatías, del reconocimiento y de la gratitud de una criatura viva respecto del Dador de Vida, del aspecto superior de la Naturaleza. Esto lo causa una vanidad espiritual que considera como debajo de su dignidad a los aspectos más primitivos de la naturaleza.

52. En nuestro medio tenemos tanta neurosis a causa de nuestros espurios ideales con sus valores falsos. A causa de que a Príapo y Cloacina no se les tributa lo que les corresponde como deidades es que el dios del Sol nos maldijo y nos apartó de Su benigna influencia, pues un insulto a Sus aspectos subsidiarios es un insulto dirigido a Él.

53. Cuando una criatura no se siente apta para la reproducción, los avances sexuales le repugnan; esta es la base natural de la modestia y protege al organismo del desgaste y del agotamiento. A causa de que una acumulación de excreciones en descomposición suscita la enfermedad, el olor de sus excreciones es repulsivo para las criaturas vivas, hasta las más bajas, en cuanto a evolución, de modo que evitan acercársele. Toda calse de tabúes irracionales han surgido de estas dos repulsiones, tan racionales y valiosas bajo condiciones naturales. Cuando se exagera la repulsión, ésta deja de servir a su finalidad biológica.

54. Nuestra actitud hacia dos partes importantes de la vida natural implica que ellas son desnaturalizadas, bajas y venenosas. En consecuencia, nos apartamos de los contactos terrenos; luego, se interrumpe el circuito y también nos fracasan los contactos celestiales. La corriente cósmica desciende de Kether, a través de Tiphareth y Yesod, en Malkuth; si el circuito se interrumpe en algún sitio, no podrá funcionar. Es verdad que es imposible interrumpir totalmente el circuito durante la vida, pues los procesos biológicos están tan profundamente arraigados en la naturaleza que no podemos suprimirlos por completo; pero una actitud mental puede hacer que, por así decirlo, al retorcerse de tal manera el caño, pueda aislarse e inhibirse de modo que el organismo desesperado sólo pueda absorber a través de él, y con resistencia, una escasa influencia.

55. En Tiphareth, el Centro Solar, tenemos a lo espiritual que se manifiesta en lo natural, y debemos tributar reverencia al dios Sol como representante de la naturalización de los procesos espirituales; la espiritualización de los procesos naturales mucho ʰa tenido que ver en la historia del sufrimiento humano.

IV

56. Los símbolos asignados al Sexto Sephirah son un estudio muy esclarecedor cuando los examinamos a la luz de lo que ahora sabemos acerca del significado de Tiphareth, pues aquí tenemos un clarísimo ejemplo del modo en el que los símbolos asignados a un Sephirah dado se enlazan dentro y fuera, dentro y fuera, en largas cadenas de asociaciones interrelacionadas.

57. El significado de la palabra hebrea "Tiphareth" es "Belleza"; y de las muchas definiciones de la belleza que se han propuesto, la más satisfactoria es la que descubre que la belleza se halla en una proporción debida y justa, sea lo que fuere esa belleza , ya sea moral o material. Por lo tanto, es interesante encontrar al Sephirah de la Belleza como el punto central del equilibrio de todo el Arbol, y que una de las dos Experiencias Espirituales asignadas a Tiphareth es la Visión de la Armonía de las Cosas.

58. Es curioso que a Tiphareth se deban asignar dos Experiencias Espirituales separadas y, a primera vista, inconexas; de hecho, esta es la única Esfera del Arbol en la que esto ocurre. También es única al tener asignadas a ella varias Imágenes Mágicas; por lo tanto, debemos preguntarnos porqué el Sephirah central tiene estos múltiples aspectos. La respuesta ha de hallarse en el Texto del Yetzirah asignado a Tiphareth, que declara

que "El Sexto Sephirah se llama la Inteligencia Mediadora". Un mediador es esencialmente un vínculo conector, un intermediario; en consecuencia, Tiphareth, en su posición central, debe considerarse como un conmutador de dos direcciones y debemos considerarlo como recibiendo los "influjos de las Emanaciones" y como "haciendo que esa influencia fluya dentro de los depósitos de las bendiciones". Por lo tanto, podemos considerarlo como la manifestación externa de los cinco Sephiroth más sutiles, y también como el principio espiritual detrás de los cuatro Sephiroth más densos. Si se lo considera desde el lado de la forma, es la fuerza; si se lo considera desde el lado de la fuerza, es la forma. De hecho, es el Sephirah arquetípico en el que los grandes principios representados por los cinco Sephiroth superiores se formulan en conceptos; "En él se multiplican los influjos de las Emanaciones", como lo declara el *Sepher Yetzirah*.

59. Esta idea la expresa, además, el nombre Zoar Anpin, el semblante Menor, a diferencia de Arik Anpin, el Semblante Vasto, uno de los títulos de Kether. Pues las formulaciones sin forma de Kether toman forma en esto, la esfera de la mente superior. Como ya se indicó, Kether se refleja en Tiphareth. El Anciano de los Días Se ve reflejado como en un espejo, y la imagen reflejada del Semblante Vasto se llama el Semblante Menor y el Hijo.

60. Pero aunque como se lo ve desde arriba sea una manifestación menor y una generación más joven, Tiphareth es también Adam Kadmon, el Hombre Arquetípico, cuando se lo ve desde abajo: es decir, desde el lado de Yesod y Malkuth. Tiphareth es Malek, el Rey, el esposo de Malkah, la Desposada, que es uno de los títulos de Malkuth.

61. En Tiphareth encontramos las ideas arquetípicas que forman la estructura invisible de toda la creación manifiesta, que formula y expresa los principios primordiales que emanan de los Sephiroth más sutiles. Por así decirlo, es un Tesoro de Imágenes en un arco superior; pero mientras el plano astral está poblado por imágenes que se reflejan de las formas, las imágenes de la Esfera de Tiphareth son las que se formulan, y por así decirlo se cristalizan, desde las emanaciones espirituales de las potencias superiores.

62. Tiphareth media entre el microcosmos y el macrocosmos; "como es arriba, así es abajo", es la nota clave de la Esfera

de Shemesh, en la que el Sol que está detrás del sol se enfoca en la manifaestación.

63. En la anatomía del Hombre Divino está la interpretación de toda organización y toda evolución; de hecho, el universo material es literalmente los órganos y miembros de este Hombre Divino; y entendiendo al alma de Adam Kadmon, que consiste en los "influjos de las Emanaciones", podemos interpretar Su anatomía en términos de función, el cual es el único modo en que puede apreciarse inteligentemente la anatomía. Debido a que la ciencia se contenta en gran medida con ser descriptiva, y rehuye explicaciones concretas es tan estéril en cuanto a significación filosófica.

64. En la psicología trascendental, que es la anatomía del microcosmos, el pecho es la correspondencia asignada a Tiphareth. En el pecho están los pulmones y el corazón, e inmediatamente debajo de estos órganos, e íntimamente conectada con ellos y controlándolos, está la máxima red nerviosa del cuerpo, que se conoce como el plexo solar y así denominaron convenientemente los antiguos anatomistas. Los pulmones mantienen una relación singularmente íntima entre el microcosmos y el macrocosmos, determinando el incesante movimiento de mareas de la atmósfera, dentro y fuera, dentro y fuera, que nunca cesa día y noche, hasta que el cuenco dorado se rompe, se afloja el cordón plateado y cesamos de respirar. El corazón determina la circulación de la sangre, y ésta, como ciertamente lo dijo Paracelso, es un "fluido singular". La medicina moderna sabe bien qué significa la luz del sol para la sangre. También descubrió que la clorofila, que es la sustancia verde de las hojas de las plantas que les permite utilizar la luz del sol como su fuente de energía, tiene una influencia potentísima sobre la presión sanguínea.

65. Las tres Imágenes Mágicas de Tiphareth son curiosas, pues a primera vista son tan cabalmente inconexas que cada una parece cancelar a las demás. Pero a la luz de lo que ahora sabemos acerca de Tiphareth, su significado y su relación se patentizan claramente, hablando a través del lenguaje del simbolismo, especialmente cuando se lo estudia a la luz de la vida de Jesucristo, el Hijo.

66. Como Tiphareth es la primera coagulación de los Supernos, se lo representa convenientemente como el Hijo recién nacido en el pesebre de Belén; como el Dios que fue Sacrificado se

convierte en el Mediador entre Dios y el hombre; y cuando resucitó de entre los muertos, El es como un rey llegado a su reino. Tiphareth es el hijo de Kether y el rey de Malkuth, y El es sacrificado en Su propia esfera.

67. No entenderemos correctamente a Tiphareth a menos que tengamos algún concepto del significado real del sacrificio, que es muy distinto del significado popular, que lo concibe como la pérdida voluntaria de algo querido. El sacrificio es la traducción de la fuerza de una forma a otra. La destrucción total de la fuerza no existe como tal; por más que desaparezca completamente de nuestra percepción, se mantiene en alguna otra forma según la gran ley natural de la conservación de la energía, que es la ley que mantiene a nuestro universo en existencia. La energía puede encerrarse en la forma, y por tanto, ser estática; o puede librarse de su esclavitud respecto de la forma, y estar en circulación. Cuando hacemos cualquier clase de sacrificio, tomamos una forma estática de energía, y al romper la forma que la aprisiona, la ponemos en libre circulación en el cosmos. Lo que sacrificamos en una forma, a su debido tiempo se convierte nuevamente en otra forma. Aplíquese este concepto a las ideas religiosas y éticas del sacrificio y se obtienen algunas claves valiosísimas.

68. El nombre de Dios de esta esfera es Aloah Va Daath, que lo asocia íntimamente con el Sephirah Invisible que llega a estar entre él y Kether. Este Sephirah, como ya lo hemos visto, puede entenderse mejor como la aprehensión, como el amanecer de la consciencia; y podemos interpretar la frase "Tetragrammaton Aloah Va Daath" como "Dios hecho manifiesto en la esfera de la mente."

69. En el microcosmos, Tiphareth representa el psiquismo superior, el modo de consciencia de la individualidad, o del yo superior. Es esencialmente la esfera de la mística religiosa, para distinguirla de la magia y del psiquismo de Yesod; pues, recuérdese que los Sephiroth de la Columna Central del Arbol representan a los niveles de la consciencia, y los Sephiroth de las columnas laterales representan los poderes y modos de función. Dícese también que Tiphareth es la Esfera de los Maestros Mayores; es el Templo no fabricado con las manos, eterno en los cielos, y la Gran Logia Blanca. Aquí, el adepto iniciado funciona cuando está en la consciencia superior; aquí, llega a encontrar-

se con los Maestros, y por medio del Nombre, y entendiendo el significado del Nombre de Aloah Va Daath, abre la consciencia superior.

70. Pues adviértase que sólo en proporción al significado que una palabra tiene para nosotros se convierte en una Palabra de Poder. El nombre de su víctima es una palabra de poder para un asesino; y su reconocida potencia es tal que, en algunos países, cuando la policía interroga a un sospechoso, le pone en el brazo un instrumento que registra los cambios de presión arterial, y de repente se le musitan en el oído el nombre del occiso y otras palabras conectadas con el delito, y si éstas son "palabras de poder" para él, el instrumento lo registra incuestionablemente.

71. Créese popularmente que los Nombres de Poder ejercen influencia directa sobre espíritus, ángeles, demonios y afines, pero esto no es así. El Nombre de Poder ejerce su influencia sobre el mago, y al elevar y encauzar la consciencia, le permite entrar en contacto con el tipo escogido de influencia espiritual; si él tuvo experiencia de ese tipo particular de influencia, la Palabra de Poder agitará potentes recuerdos subconscientes; si no la tuvo, y enfoca el asunto con ese espíritu carente de imaginación e incrédulo que es propio del erudito, los "bárbaros Nombres de Evocación" serán para él tan sólo prestidigitación. Pero edviértase que para el católico creyente, "prestidigitación"*, que es la denominación protestante del engaño y la superstición, y de la que en inglés deriva la palabra "engaño"**, significa "Hoc est Corpus", lo cual es una historia completamente diferente. Tal es la importancia del punto de vista en estas cuestiones.

72. Por lo tanto, a cada Sephirah se le asigna una clara experiencia espiritual, y hasta que una persona haya tenido esa experiencia no es un iniciado en ese Sephirah ni podrá hacer uso de sus Nombres de Poder aunque los conozca. Tal como lo registra la tradición, no basta conocer un Nombre de Poder: también se deberá saber cómo hacerlo vibrar. Por lo general, se cree que la vibración de un Nombre de Poder es la nota clave con la que habrá que entonarlo; pero la vibración mágica es algo mucho más que eso. Cuando estamos profundamente conmovidos, y al mis-

---

* "Hocus-pocus", en inglés.
** "Hoax", en inglés.

mo tiempo devocionalmente exaltados, la voz cae varios tonos debajo de su registro normal y se torna resonante y vibrante; esta trémula emoción combinada con la resonancia devota es la que constituye la vibración de un Nombre, y esto no se puede aprender ni enseñar; sólo puede ser espontáneo. Se parece al viento, que sopla donde quiere. Cuando llega, nos sacude de pies a cabeza con una ola de calor abrasador, y todos los que involuntariamente lo oyen prestan atención. Oír una Palabra de Poder, que vibra, es una experiencia extraordinaria. Una experiencia aún más extraordinaria es hacerla vibrar.

73. El arcángel de Tiphareth es Rafhael, el "espíritu que está en el sol", que es también el ángel de la curación.

74. Cuando el iniciado "trabaja en el Arbol", es decir, arma en su imaginación un diagrama del Arbol de la Vida en su aura, formula a Tiphareth en su plexo solar entre el abdomen y el pecho; si se propone trabajar en la esfera del Sexto Sephirah, y concentra el poder en este centro, descubrirá que de pronto él mismo se convirtió en un espíritu que está en el sol, con la llameante fotosfera totalmente alrededor de él. Una cosa es formular un Sephirah en nuestra aura; pero otra muy distinta es encontrarse precisamente dentro del Sephirah. Aunque podamos recibir la influencia de un Sephirah por medio de la operación anterior, y sea un buen método de rutina para la meditación diaria, no es sino hasta que nos hayamos vuelto del revés —por así decirlo, nos hayamos dado totalmente vuelta, de modo que la posición se invierta, y en vez de que la Esfera esté dentro de nosotros, nosotros estemos dentro de la Esfera— que podremos trabajar con el poder de un Sephirah. Esta experiencia es la culminación de la iniciación de un Sephirah.

75. El Orden de Angeles de Tiphareth son los Malachim, o los Reyes. Estos son los principios espirituales de las fuerzas naturales, y nadie podrá controlar ni siquiera tomar seguramente contacto con los principios elementales a menos que tenga la iniciación de Tiphareth, que es la de un adepto menor. Pues deberán haberlo aceptado los Reyes Elementales, es decir, deberá haber conocido la naturaleza espiritual última de las fuerzas naturales antes de poder manejarlas en su forma elemental. En su forma elemental subjetiva, aparecen en el microcosmos como poderosos instintos de combate, de reproducción, de humillación personal, de exaltación personal, y de todos los fac-

tores emocionales que el psicólogo conoce. Por lo tanto, es evidente que si agitamos y estimulamos estas emociones de nuestras naturalezas, eso deberá ser a fin de que podamos usarlas como siervas del yo superior, dirigidas por la razón y por el principio espiritual. Por lo tanto, es necesario que cuando operemos con las fuerzas elementales lo hagamos a través de los Reyes, bajo la presidencia del Arcángel y mediante la invocación del Sagrado Nombre de Dios, apropiado para la esfera. Microcósmicamente, esto significa que las potentes fuerzas impulsoras elementales de nuestra naturaleza se correlacionan con el yo superior, en vez de disociarse en el submundo de los Qliphoth, correspondiente al inconsciente freudiano.

76. Por supuesto, las operaciones elementales no se realizan en la Esfera de Tiphareth, pero es esencial que se las controle desde la Esfera de Tiphareth si han de seguir siendo Magia Blanca. Si tal control superior no existe, pronto se deslizarán dentro de la Magia Negra. Dícese que en la Caída, los cuatro Sephiroth inferiores se apartaron de Tiphareth y asimilaron a los Qliphoth. Cuando las fuerzas elementales se separan de sus principios espirituales en nuestros conceptos de modo que se convierten en fines en sí mismas, aunque lo que se proponga no sea el mal sino meramente la experimentación, tiene lugar una Caída y pronto sobreviene la degeneración. Pero cuando comprendemos claramente el principio espiritual que está detrás de todas las cosas naturales, entonces se hallan en un estado de inocencia, para usar un término teológico con una clara connotación; no experimentaron la caída, y podemos trabajar con seguridad con ellas y desarrollarlas beneficiosamente en nuestras naturalezas, produciendo de esta manera la ausencia de represión y el equilibrio tan necesarios para la salud mental. Esta correlación de lo natural con lo espiritual, manteniéndose así exento de caída y en un estado de inocencia, es una cuestión importantísima en toda la actividad práctica de cualquier forma de magia.

V

77. Como ya vimos, dos experiencias espirituales constituirán la iniciación de Tiphareth: la Visión de la Armonía de las Cosas y la Visión de los Misterios de la Crucifixión. Ya hemos

visto en otra conexión que hay dos aspectos de Tiphareth, y, por lo tanto, deben ser dos experiencias espirituales en su iniciación.

78. En la Visión de la Armonía de las Cosas vemos profundamente dentro del lado espiritual de la Naturaleza; en otras palabras, nos encontramos con los Reyes Angélicos, con los Malachim. Mediante esta experiencia entendemos que lo natural no es sino el aspecto denso de lo espiritual, la "Túnica Externa que cubre" a la "Túnica Interna Gloriosa". Esta comprensión del significado espiritual de lo natural es lo que tan lamentablemente falta en nuestra vida religiosa de hoy en día, y lo que es responsable de tanta morbosidad neurótica y hasta desdicha conyugal.

79. A través de esta Visión de la Armonía de las Cosas nos unificamos con la Naturaleza, no por medio de contactos elementales. Los seres humanos, de algún modo educados por la cultura por encima de lo primitivo, no pueden unificarse con la Naturaleza en el nivel elemental, pues hacerlo es degeneración, y se bestializan en ambos sentidos del vocablo. Los contactos de la naturaleza se efectúan a través de los Reyes Angélicos de los Elementos en la Esfera de Tiphareth (en otras palabras, a través del conocimiento de los principios espirituales existentes detrás de las cosas naturales) y entonces el iniciado llega a los seres elementales en nombre del Rey que los preside. Desciende en los reinos elementales desde arriba, por así decirlo, trayendo consigo su virilidad; así es un iniciador de los elementales; pero si se encuentra con ellos en el nivel de éstos, anula su virilidad y regresa a una fase anterior de la evolución. La fuerza elemental no limitada ni controlada por las limitaciones de un cerebro animal, está obligada a ser una fuerza desequilibrada cuando corre a través de los amplios canales de un intelecto humano, y el resultado es el caos, que es uno de los Reinos de los Qliphoth.

80. Los Misterios de la Crucifixión son tanto macrocósmicos como microcósmicos. En su aspecto macrocósmico, los hallamos en los mitos de los Grandes Redentores de la humanidad, que nacen siempre de Dios y de una madre Virgen, recalcando así, nuevamente, la doble naturaleza de Tiphareth, en quien la forma y la fuerza se encuentran y unen. Pero no olvidemos el aspecto microcósmico de aquéllas, como una experiencia de la consciencia mística. Al entender los Misterios de la Crucifixión,

que se relacionan con el poder mágico del sacrificio, somos capaces de trascender las limitaciones de la consciencia cerebral, limitada a la sensación y habituada a la forma, y de entrar en la consciencia más vasta del psiquismo superior. Así podemos trascender a la forma y de ese modo liberar la fuerza latente, transformándola de estática en cinética, y poniéndola a disposición de la Gran Obra, que es la regeneración.

81. La virtud característica de la Esfera de Tiphareth es la Devoción de esta Gran Obra. La devoción es un factor importantísimo en el Camino de la Iniciación que conduce a la consciencia superior, y, por lo tanto, debemos examinarla con cuidado y analizarla en los factores en los cuales consiste. La devoción puede definirse como el amor hacia algo superior a nosotros mismos; algo que suscita nuestro idealismo; lo cual, si bien desesperamos de igualarnos a él, empero nos hace aspirar a que nos parezcamos a él; "Contemplando como en un espejo la gloria del Señor, se transforman en la misma imagen una gloria tras otra". Cuando un contento emocional más fuerte se funde con la devoción y se convierte en adoración, nos trasporta a través del abismo establecido entre lo tangible y lo intangible, y nos permite aprehender cosas que el ojo no vio ni el oído oyó. Esta Devoción, que se eleva hasta la Adoración, en la Gran Obra, es la que nos inicia en los Misterios de la Crucifixión.

82. El Vicio asignado a Tiphareth es el Orgullo, y al atribuirle esto tenemos algo de psicología muy cierta. El orgullo tiene sus raíces en el egoísmo, y mientras estemos concentrados en nosotros mismos no podremos unificarnos con las cosas. En el verdadero desinterés del Sendero, el alma desborda sus fronteras y entra en todas las cosas a través de la simpatía ilimitada y del amor perfecto; pero, en el orgullo, el alma trata de extender sus fronteras hasta que posee todas las cosas, y es una cuestión muy distinta poseer una cosa que unificarse con ella, donde ella igualmente nos posee en reciprocidad perfecta. Este ordenamiento unilateral es el vicio del adepto. Este deberá dar y recibir, y deberá darse sin reservas si quiere participar en la unión mística, que es el fruto del sacrificio de la crucifixión. "Que quien es el mayor entre vosotros sea el siervo de todos", dijo Nuestro Señor.

83. Los símbolos asociados con Tiphareth son el *lamen;* la Rosa Cruz; la Cruz del Calvario; la pirámide trunca; y el cubo.

84. El *lamen* es el símbolo que el adepto usa sobre el pecho,

e indica la fuerza que él representa. El adepto que realiza su trabajo en la Esfera de Shemesh, por ejemplo, suele usar sobre su pecho una imagen del sol en su esplendor. Un *lamen* es el arma mágica de Tiphareth; y, por lo tanto, resulta necesario decir algo sobre la naturaleza de las armas mágicas en general a fin de que pueda entenderse la función del *lamen*.

85. Un arma mágica es algún objeto que resulte adecuado como vehículo de un tipo particular de fuerza. Por ejemplo, el arma mágica del Elemento Agua es una copa o un cáliz; el arma mágica del Elemento Fuego es una lámpara encendida. Se escoge estos objetos porque su naturaleza congenia con la de la fuerza que se invocará; o en lenguaje moderno, porque su forma imprime fuerza a la imaginación mediante asociación de ideas.

86. A Tiphareth se lo asocia tradicionalmente con el pecho, tanto en virtud de la red nerviosa que se llama plexo solar como por su posición cuando el Arbol se arma en el aura. En consecuencia, sostiénese que la joya pectoral del adepto concentra la fuerza de Tiphareth, cualquiera que sea la operación que se realice. La fuerza real, que opera en su propia esfera, es representada por el arma mágica asignada a ella. Por ejemplo, un adepto que realice una operación del Elemento Agua tendría como su arma mágica a la Copa, y con la Copa efectuaría todos los signos, y sobre la Copa concentraría la fuerza que se hace descender mediante la invocación. Pero sobre su pecho estaría el signo cabalístico del Elemento Agua, y se reconocería que esto representa el factor espiritual de la operación, y que se refiere al arcángel que está sobre ese reino particular. A menos que el adepto entienda el significado de su *lamen,* a diferencia de su arma mágica, no es adepto, sino hechicero.

87. La Rosa Cruz y la Cruz del Calvario se dan ambas como símbolos de la Esfera de Tiphareth. A fin de entender su significado, es necesario decir algo respecto de las cruces en general, y cómo se las usa en los sistemas simbólicos. Aunque la cruz con la que más generalmente estamos familiarizados es la Cruz del Calvario, debido a su asociación con el cristianismo, hay muchas otras formas de cruz, y cada una tiene su propio significado. A la Cruz de Brazos Iguales, como la Cruz Roja del servicio médico de las fuerzas armadas, los iniciados la llaman la Cruz de la Naturaleza, y representa al poder en equilibrio. Se la hallará arriba de algunas cruces celtas, a menudo encerrada en un círculo,

de modo que una cruz celta consiste, de hecho, en un madero que remata en una cruz de la naturaleza, y no tiene relación alguna con la Cruz del Calvario, que es la del cristianismo. En realidad, el madero de la cruz celta es una pirámide trunca, y existen ejemplos de este tipo de cruz celta que no dejan dudas sobre esta cuestión. Algunas formas arcaicas sugieren la colocación de la cruz y del círculo sobre la piedra fálica cónica, que es objeto tan universal del culto primitivo.

88. La esvástica es también una cruz de la naturaleza, y a veces se la llama la Cruz de Thor, o el Martillo de Thor, suponiéndose que su forma indica la arremolinada acción de sus rayos.

89. La Cruz del Calvario es la Cruz del Sacrificio, y su color adecuado es el negro. Su madero vertical debe tener tres veces la longitud de sus brazos, y el largo de cada brazo tres veces el ancho del madero. Meditar sobre esta cruz procura iniciación mediante sufrimiento, sacrificio y abnegación. Por supuesto, el Crucifijo es una derivación de la Cruz del Calvario.

90. El círculo sobre la cruz es un símbolo iniciático, especialmente cuando la cruz se eleva sobre tres peldaños, como debe ser en esta forma. El círculo indica la vida eterna; también la sabiduría; y vemos una forma de ella en el emblema de la Sociedad Teosófica, que tiene como distintivo a la "serpiente que retiene su cola en su boca". Una Cruz del Calvario con el círculo sobreimpuesto significa iniciación por el Camino de la Cruz, y los tres peldaños son los tres grados de la iluminación. A esto se lo denomina la Rosa Cruz. El fantasioso objeto con zarzas que crecen sobre él no es un símbolo iniciático. La Rosa asociada con la Cruz en el simbolismo occidental es la Rosa Mundi y es clave de la interpretación de las fuerzas de la naturaleza. En sus pétalos están marcados los treinta y dos signos de las fuerzas de la naturaleza; aquéllos guardan correspondencia con las veintidós letras del alfabeto hebreo y los Diez Sagrados Sephiroth; a su vez, éstos se asignan a los Treinta y dos Senderos del Arbol de la Vida, y esta es la clave para entender a la Rosa Mundi. Los curiosos garabatos que se llaman rúbricas de los espíritus elementales están constituidos por el dibujo de líneas de una a otra letra de sus nombres en la Rosa.

91. A la luz de esta explicación, entendemos sin duda el valor de lo que afirman las organizaciones que lucen como símbolo un emblema floral. Se equiparan a lo que afirmaba aquel ca-

ballero que le exigía a su camisero una corbata de la Escuela Pública con un poco de rojo en ella.

92. Dícese habitualmente que el cubo se asigna a Tiphareth porque es una figura de seis lados, y seis es el número de Tiphareth. Pero en el simbolismo del cubo hay más que esto. El cubo es la forma más sencilla de sólido, y como tal es el símbolo adecuado de Tiphareth, en cuya esfera se halla la primera anticipación de la forma. El símbolo de Malkuth es el cubo doble, que simboliza "como es arriba, así es abajo".

93. La pirámide simboliza al hombre perfeccionado, de base ancha en la tierra y con su punta que remata hacia la unidad en los cielos; en otras palabras, el *Ipsissimus*. La pirámide truncada simboliza al adepto iniciado, o Adepto Menor, que atravesó el Velo pero todavía no completó sus grados. Esta pirámide, a cuyos seis lados corresponden los seis Sephiroth centrales que constituyen a Adam Kadmon, o el Hombre Arquetípico, se completa con la suma de los Tres Supernos que terminan en la unidad de Kether.

94. Los Seis de los palos del Tarot se asignan también a Tiphareth, y en ellos se muestra claramente la naturaleza armónica y equilibrada de este Sephirah. El Seis de Bastos es el Señor de la Victoria. El Seis de Copas, el Señor de la Alegría. Hasta el maléfico palo de Espadas está sintonizado con la armonía en esta esfera, y al Seis de Espadas se lo conoce como el Señor del Triunfo Ganado, es decir, triunfo logrado después de la lucha. El Seis de Pentáculos es el Triunfo Material; en otras palabras, el poder en equilibrio.

Tercera Parte

Capítulo XXI

LOS CUATRO SEPHIROTH INFERIORES

1. Cuando a los Diez Sephiroth Sagrados se los ordena sobre el Arbol de la Vida en su dibujo tradicional, caen en tres principales divisiones horizontales, al igual que en las tres divisiones verticales de las Columnas. La más elevada de estas divisiones horizontales consiste en los Tres Supernos, que, para todos los fines prácticos, están más allá de la esfera de lo que podemos entender. Los proponemos como principios fundamentales que deben existir si han de explicarse manifestaciones subsiguientes. Representan al Ser Puro y a los antagónicos principios de Actividad y Pasividad, y bien puede describírselos llamándolos el Triángulo Superno.

2. El siguiente triángulo funcional sobre el Arbol consiste en Chesed, Geburah y Tiphareth. Estos representan los principios activos del Anabolismo, el Catabolismo y el Equilibrio, y mejor podría describírselos llamándolos el Triángulo Abstracto.

3. A estos seis Sephiroth superiores los hemos considerado minuciosamente, y hemos visto cómo los tres principios Supernos forman la base de la manifestación, y los tres principios Abstractos dan expresión a la manifestación. Los tres superiores están latentes, y los tres inferiores son potentes. Si entendemos estas cosas, descubrimos que tenemos un sistema para explicar la infinita diversidad de la manifestación de los planos de la forma reduciéndolos a sus principios primordiales, lo cual torna claramente comprensibles las relaciones entre ellos y el modo de su interacción y desarrollo; lo cual nunca fue ni podrá ser cuando se realiza el intento de reducir todas las cosas a términos de forma, en vez de resolverlas en términos de fuerza.

4. La unidad funcional más baja en el Arbol de la Vida no

consiste en un triángulo sino en un cuaternario, y los cabalistas dicen que este cuaternario fue afectado por la Caída, alzándose la cabeza de Leviatán desde el Abismo hasta un punto entre Yesod y Tiphareth. Más allá de esto no estaba permitido ir, y los seis Sephiroth superiores retenían su inocencia. En otras palabras, los cuatro Sephiroth inferiores pertenecen a los planos de la forma, en los que la fuerza deja de tener libertad de movimientos y está "enclaustrada, enjaulada, confinada"; tan sólo para que la liberen las obras de destrucción.

5. Como ya se vio, Tiphareth es el centro del equilibrio del Arbol. El equilibrio suscita la estabilidad, y la estabilidad suscita la cohesión. De ahora en adelante, en el descenso de la vida en el Sendero de la Involución, encontramos el principio de la cohesión que representa un papel cada vez más predominante hasta que, en Malkuth, alcanza su apogeo.

6. Bien podemos concebir que los principios activos del Triángulo Abstracto experimentaron una subdivisión y una especialización en el transcurso del descenso de la vida a través de Netzach, y en Yesod alcanzaron considerable grado de esterotipación por medio de la cual determináronse las formas de Malkuth. Una vez que Malkuth, que es el plano de la forma pura, alcanzó el desarrollo, la corriente evolutiva empezó a volver atrás hacia el espíritu, liberándose de la esclavitud de la forma mientras retenía las capacidades adquiridas por la experiencia de la disciplina de la forma.

7. Podemos concebir, entonces, numerosos principios abstractos de función biológica que se revisten de forma debido a la influencia de la experiencia de sus manifestaciones externas en el Reino de la Forma. O, en el lenguaje de los cabalistas, aquéllas sintieron la influencia de la Caída, y perdieron su inocencia.

8. Estas consideraciones nos hacen conocer la naturaleza del Cuaternario de los Planos de la Forma, y nos permiten recorrer el Camino Medio entre la credulidad y el escepticismo en esta Esfera de la Ilusión, como se lo llamara algo duramente.

9. La gran marea de la vida evolutiva, que resultó como una emanación de Tiphareth, se fragmenta en el Sephirah Netzach como por un prisma, manifestando muchos rayos; de donde deriva la descripción que el Yetzirah da sobre este Sephirah como "el esplendor refulgente". En Hod, estas fuerzas varia-

das se revisten de forma; y en Yesod actúan como moldes etéricos de las emanaciones finales de Malkuth.

10. La manifestación en Malkuth completa el arco saliente de la involución, y la vida vuelve hacia sí misma para seguir un rumbo paralelo en el arco evolutivo de retorno. La inteligencia humana se desarrolla, y empieza a meditar sobre la causalidad y distingue a los dioses. Nótese que el hombre primitivo nunca llegó de un solo paso al monoteísmo; siempre concibió a la causalidad como variada, y necesitó muchas generaciones de cultura para reducir la multiplicidad a la Unidad.

11. Esto nos lleva a la gran cuestión, que casi podría llamarse el Habitante del Umbral de la ciencia oculta, el horror que afronta todo quien se aventura en lo Invisible; lo cual une en sí mismo las funciones de la Esfinge, y le plantea al alma una pregunta de cuya respuesta pende su destino. ¿Se le condenará a vagar por los reinos de la ilusión? Se le hará regresar a los planos de la forma, o se le permitirá ingresar en la Luz? La pregunta es: ¿Crees en los dioses? Si responde afirmativamente, vagará por los planos de la ilusión, pues los dioses no son personas reales como nosotros entendemos la personalidad. Si responde negativamente, se le hará regresar a la puerta, pues los dioses no son ilusiones. ¿Qué contestará entonces?

12. La intuición de un poeta nos ha dado la respuesta:

"Pues ningún pensamiento humano hizo que se amara y honrara a los dioses
Antes que el canto comenzara dentro del corazón silencioso,
Y tampoco la tierra, en sueño o en acto, podría llevar al cielo sobre ella
Hasta que los labios del hombre revistieran a la palabra con lenguaje."*

13. Allí tenemos la clave del enigma. Los dioses son las creaciones de lo creado. Los fabrica la adoración de sus fieles. No son los dioses quienes realizan el trabajo de la creación. Esto lo hacen las grandes fuerzas naturales que trabajan cada una según

---

* For no thought of man made Gods to love and honour
Ere the song within the silent soul began,
Nor might earth in dream or deed take heaven upon her
Till the word was clothed with speech by lips of man.

su naturaleza; los dioses llegan en procesión después que el Cisne del Empíreo depositó el huevo de la manifestación en las tinieblas de la noche cósmica.

14. Los dioses son emanaciones de las mentes grupales de las razas; no son emanaciones de Eheieh, el Uno y Eterno. No obstante, son inmensamente poderosos, porque por medio de su influencia sobre lo que sus fieles se forjan vinculan al microcosmos con el macrocosmos; pues, meditando sobre la belleza ideal de Apolo, el alma del hombre se abre hacia la belleza en general.

15. Cuando el hombre analizó la vida y discernió un factor tras otro sus motivos primordiales, logró llevarlos a la apoteosis. Y porque el hombre halló en todas partes del mundo que las mismas necesidades y motivaciones le impulsan, hizo evolucionar panteones comparables. Porque los temperamentos difieren, él desarrolló los distintos panteones como los demonios sedientos de sangre de México y los seres radiantes de la Hélade.

16. Podemos preguntarnos, entonces, si los dioses son enteramente subjetivos; si viven sólo en lo que sus fieles imaginan, o si tienen una vida independiente que les pretenece. La respuesta a esta pregunta ha de hallarse en un hecho de la experiencia oculta que no puede explicarse con lo que conocemos de la ciencia natural, pero que han de darlo por sentado todos los ocultistas prácticos antes de poder obtener resultados. De hecho, podría decirse que los resultados que el ocultista obtiene son proporcionales a su fe, pues para él ésta es cierta tan pronto cree en ella. El hecho es que sólo una pequeñísima proporción de la sustancia mental existe del universo, cualquiera que ésta sea, se organiza en los cerebros y sistemas nerviosos de las criaturas sensibles. El vasto conjunto de lo que, por falta de un nombre mejor, llamamos sustancia mental (porque esa es su más cercana analogía entre las cosas conocidas), se mueve en libertad sobre lo que los ocultistas llaman el plano astral, organizado en forma dentro de sí mismo, pero no necesariamente apegado a la materia. Distintos ocultistas se refieren con distintos nombres a esta sustancia mental libre. La señora Blavatsky la llama *Akasha;* Eliphas Lévi la llama el éter reflector. Netzach representa al aspecto de la fuerza, y Hod al aspecto de la forma, pertenecientes a este *Akasha.*

17. A partir de esta sustancia mental se forman los moldes de todas las formas; y dentro de estos moldes se construye la es-

tructura de las tensiones etéricas que funcionan en la esfera de Yesod, y dentro de la cual se mantienen las moléculas de la materia que forman el cuerpo de la manifestación en el plano físico.

18. Normalmente, estas formas son construidas por la consciencia cósmica que se expresa como fuerzas naturales, funcionando cada una según su naturaleza; pero cuando la consciencia empezó a desarrollarse en las criaturas del Creador, ejerció su función en diversos grados sobre la sustancia mental astral que, por su naturaleza, está sujeta a las influencias de la consciencia; en consecuencia, "el pensamiento del hombre hizo que se amara y honrara a los Dioses". Estas formas, una vez construidas, se convirtieron en canales de las fuerzas especializadas designadas para representar, concentrándolas sobre sus fieles. Con este sentido iluminado, los iniciados no sólo creen en los dioses, sino que también los adoran.

Capítulo XXII

NETZACH

TITULO: Netzach, la Victoria. (Grafía hebrea: נצח : Nun, Tzaddi, Cheth.)
IMAGEN MAGICA: Una bella mujer desnuda.
SITUACION EN EL ARBOL: Al pie de la Columna de la Misericordia.
TEXTO DEL YETZIRAH: El Séptimo Sendero se llama la Inteligencia Oculta porque es el esplendor refulgente de las virtudes intelectuales que son percibidas por los ojos del intelecto y las contemplaciones de la fe.
TITULO QUE SE DA A NETZACH: La firmeza.
NOMBRE DE DIOS: Jehovah Tzabaoth, El Señor de las Huestes.
ARCANGEL: Haniel.
ORDEN DE ANGELES: Elohim, Dioses.
CHAKRA MUNDANO: Nogah, Venus.
EXPERIENCIA ESPIRITUAL: Visión de la belleza triunfante.
VIRTUD: El desinterés.
VICIO: La incontinencia. La lujuria.
CORRESPONDENCIA EN EL MICROCOSMOS: Región lumbar y caderas y piernas.
SIMBOLOS: La lámpara y la guirnalda. La rosa.
CARTAS DEL TAROT: Los cuatro Siete.
  SIETE DE BASTOS: El valor.
  SIETE DE COPAS: El triunfo ilusorio.
  SIETE DE ESPADAS: El esfuerzo inestable.
  SIETE DE PENTACULOS: Triunfo incumplido.
COLOR EN ATZILUTH: Ambar.
COLOR EN BRIAH: Esmeralda.
COLOR EN YETZIRAH: Verde amarillento brillante.
COLOR EN ASSIAH: Oliva, con manchas doradas.

I

1. A Netzach, la Esfera de Venus, se lo entiende mejor en contraste con Hod, la Esfera de Mercurio, representando estos dos a la fuerza y la forma en un arco inferior, como ya se vio. Netzach representa los instintos y las emociones que ellos suscitan, y Hod representa a la mente concreta. En el macrocosmos, representan dos niveles del proceso de la concreción de la fuerza en la forma. En Netzach, la fuerza es todavía relativamente libre de movimientos, sólo ligada a figuras excesivamente fluídicas y siempre cambiantes, y asumiendo en Hod por primera vez una forma definida y permanente, aunque de naturaleza excesivamente tenue. En Netzach, una forma particular de fuerza se representa como un tipo de seres, que fluyen hacia atrás y hacia adelante sobre los límites de la manifestación de una manera excesivamente esquiva. Tales seres no tienen personalidaddes individualizadas, pero semejan los ejércitos con estandartes que pueden verse en las nubes del ocaso. Sin embargo, en Hod, tuvo lugar la individualización en unidades, y hay continuidad de existencia. En Netzach, toda mente es una mente grupal, pero en Hod la mente humana tiene sus inicios.

2. Consideremos ahora a Netzach mismo, tanto en sus aspectos microcósmico como macrocósmico, teniendo constantemente presente que ahora estamos en la esfera de la ilusión, y que lo que está a punto de describirse en términos de forma son apariencias como las que el intelecto se representa y que vuelven a proyectarse en la luz astral como formas de pensamiento. Esta es una cuestión importantísima, y debe entenderse cabalmente a fin de evitar caer en la superstición. Todo lo que es percibido por los "ojos del intelecto y la contemplación de la fe", como tan gráficamente lo expresa el Texto del Yetzirah, tiene su base metafísica en Chokmah, el Sephirah Superno al frente de la Columna de la Misericordia. Pero con Netzach sobreviene nuestro modo de aprehender los diferentes tipos de existencia asignada a cada esfera. Hasta aquí hemos percibido por medio de la intuición; nuestras aprehensiones fueron sin forma, o por lo menos representadas por símbolos muy abstractos; después de Tiphareth no hay más de éstos, y llegamos a símbolos concretos como la rosa, asignada a Venus, para Netzach, y al caduceo, asignado a Mercurio, para Hod.

3. Como se vio, concebimos a los Sephiroth superioress bajo el aspecto de factores de manifestación y funciones. En nuestro estudio de Tiphareth vimos cómo la Inteligencia Mediadora, como la llama el *Sepher Yetzirah,* fragmentaron la Luz Blanca de la Vida Unica como en un prisma de modo que se convierte en el Esplendor Refulgente de matices de muchos rayos en Netzach. Aquí no tenemos fuerza, sino fuerzas; no tenemos vida, sino vidas. Por lo tanto, apropiadamente, el Orden de Angeles asignados a Netzach son los Elohim, o los dioses. La Unidad se redujo a la Multiplidad, a los fines de la manifestación en la forma.

4. Estos rayos no se representan como la luz blanca pura por la que vemos todo en sus colores verdaderos, sino como de muchos matices, cada uno de los cuales produce e intensifica algún aspecto especializado de la manifestación, como un rayo de luz azul sólo mostrará los colores que simpatizan con él, y hará que sus colores complementarios parezcan negros. Toda vida o forma de fuerza que se manifieste en Netzach es una manifestación parcial pero especializada; por lo tanto, ningún ser que tenga como su esfera de evolución a la esfera de Netzach podrá tener jamás un desarrollo cabal, sino que deberá ser siempre una criatura de una sola idea, de una sola función, simple y estereotipada.

5. El factor de Netzach que está en nosotros es la base de nuestros instintos, cada uno de los cuales, en su esencia no intelectualizada, suscita los reflejos adecuados, tal como los labios de un infante succionarán todo lo que se coloque entre ellos.

6. Los seres de Netzach, los Elohim, no son tanto inteligencias cuanto encarnaciones de ideas.

7. Estos Elohim, para darles su nombre hebreo, son las influencias formativas por las que la fuerza creadora se expresa en la Naturaleza. Su carácter verdadero ha de discernirse en Chesed, donde el *Sepher Yetzirah* los describe como los "Poderes Sagrados". Sin embargo, en Netzach, que representa el estamento superior del éter reflector, experimentan un cambio, la mente del hombre, fabricante de imágenes, empezó a trabajar sobre ellas, moldeando a la luz astral en formas que las representarán a su conciencia.

8. Es importantísimo que comprendamos que estos Sephiroth inferiores del Plano de la Ilusión están densamente pobla-

dos por las formas de pensamiento; que todo lo que la imaginación humana fue capaz de concebir, por opacamente que sea, tiene una forma construida en torno de ello a partir de la luz astral, y que cuanto más se detenga en ello la imaginación para idealizarlo, más clara se vuelve esa forma. Por lo tanto, subsiguientes generaciones de videntes, cuando procuran discernir la naturaleza espiritual y la esencia más recóndita de cualquier forma de vida, se encuentran con estas imágenes, las "creaciones de lo creado", y se engañarán con ellas, confundiéndolas con la esencia abstracta misma, que no ha de hallarse en plano alguno que produzca imágenes para la visión psíquica, sino sólo en las que la intuición pura las discierna.

9. Cuando la mentalidad del hombre era todavía primitiva, él adoraba a estas imágenes, por medio de las cuales se representaba las grandes fuerzas naturales de tan cabal importancia para su bienestar material, estableciendo así un vínculo con ellas, por medio del cual se desarrollaba un canal por el que las fuerzas que ellas representaban se derramaban dentro de su alma, estimulando de esta manera el factor correspondiente en su propia naturaleza, y, de ese modo, desarrollándolo. Las operaciones de este culto, especialmente cuando se volvieron altamente organizadas e intelectualizadas, como en Grecia y en Egipto, armaron imágenes por demás claras y potentes, y a éstas se las entendió generalmente como los dioses. Generaciones de culto y adoración construyen una fortísima imagen en la luz astral, y cuando al culto se le suma el sacrificio, a la imagen se la hace descender un escalón más en los planos de la manifestación y adquiere una forma en los éteres densos de Yesod, y es un objeto mágico potentísimo, capaz de acción independiente cuando la animan las ideas concretas generadas en Hod.

10. Vemos entonces que todo ser celestial que la mente del hombre concibe tiene como su base una fuerza natural, pero que sobre la base de esta fuerza natural se arma una imagen simbólica que la representa, la cual se anima y activa mediante la fuerza que ella representa. La imagen, entonces, es sólo un modo de representación que la mente humana consiente por su propia conveniencia, pero la fuerza que la imagen representa, y que la anima, es realmente una cosa muy real, y bajo ciertas circunstancias puede ser por demás poderosa. En otras palabras, aunque la forma bajo la cual el dios es representado sea pura

imaginación, la fuerza asociada con esa forma es real y activa a la vez.

11. Este hecho es la clave, no sólo de la magia talismánica en su sentido más amplio, que incluye todos los objetos consagrados que se usan en el ceremonial y la meditación, sino de muchas cosas de la vida que no podemos dejar de observar pero de las que no tenemos explicación. Esto explica muchísimas cosas de la religión organizada que son muy reales para el creyente, pero muy desconcertantes para el incrédulo, que no puede explicarlas ni disculparlas con explicaciones.

12. Sin embargo, en Netzach tenemos la forma más tenue de estas cosas, y las perciben más las "contemplaciones de la fe" que los "ojos del intelecto". En la Esfera de Hod se celebra toda clase de operaciones mágicas en las que el intelecto mismo se lo dirige sobre estas imágenes tenues y fugaces para darles forma y permanencia; pero en la Esfera de Netzach tales operaciones no tienen lugar en gran medida; a todas las formas de dioses en Netzach se les rinde culto por medio de las artes, sin que se las conciba por medio de filosofías. No obstante, para todos los fines prácticos es imposible separar las actividades de Hod y Netzach, que son un par funcional, tal como Geburah y Chesed constituyen los dos aspectos del metabolismo; el catabólico y el anabólico. Las funciones de Netzach están implícitas en Hod porque Netzach emana a Hod, y los poderes desarrollados por la evolución en la Esfera de Netzach son la base de las capacidades de Hod. En consecuencia, todas las operaciones mágicas de la Esfera de Hod trabajan sobre una base de las tenues formas de vida de Netzach; y a causa de que el intelecto humano trabaja desde una Esfera a la otra, las almas iniciadas que siguen adelante de la evolución traspasaron a Netzach gran parte de los poderes de Hod. Por lo tanto, las dos Esferas no están bien definidas en su división y su clasificación, pero en cada una predomina muy claramente cierto tipo de función.

13. Los contactos de Netzach no se realizan por medio de la concepción filosófica de su vida, ni por medio del psiquismo corriente fabricador de imágenes, sino, como tan gráficamente lo expresara Algernon Blackwood en sus novelas, mediante un "sentimiento compartido", del que tanto participa la Esfera de Netzach. Con los ángeles de Netzach se toma contacto y se los evoca por medio del baile, el sonido y el color. El fiel de un

dios, en la Esfera de Netzach, entra en comunión con el objeto de su adoración por medio de las artes; y en la proporción en que sea un artista de un medio u otro, y pueda representar allí simbólicamente a su deidad, será capaz de efectuar el contacto y atraer la vida hacia sí. Todos los ritos que tienen ritmo, movimiento y color trabajan en la Esfera de Netzach. Y como Hod, la Esfera de las actividades mágicas, extrae su fuerza de Netzach, se desprende que toda operación mágica de la Esfera de Hod debe tener un elemento de Netzach si ha de animarse eficazmente; y a fin de proporcionar una base de manifestación, a la sustancia etérica se le ha de suministrar alguna forma de sacrificio, aunque sólo sea el quemar incienso. Esta cuestión será tratada en plenitud al estudiar la Esfera de Yesod, a la cual pertenece. Es necesario referirse a ella aquí, porque la importancia de los ritos de Netzach no puede entenderse sin un conocimiento de los medios por los que esta manifestación se efectiviza y se pone el dios cerca de sus fieles.

II

14. Consideremos ahora a Netzach desde el punto de vista del microcósmico Arbol de la Vida, es decir, el Arbol subjetivo dentro del alma, donde los Sephiroth son factores de la consciencia.

15. Los Tres Supernos, y el primer par de Sephiroth que se manifiestan (Chesed y Geburah), representan al Yo Superior, con Tiphareth como el punto de contacto con el Yo Inferior. Los cuatro Sephiroth inferiores (Netzach, Hod, Yesod y Malkuth) representan al Yo Inferior, o a la personalidad, la unidad de la encarnación, con Tiphareth como el punto de contacto con el Yo Superior, que a veces se llama el Santo Angel de la Guarda.

16. Desde el punto de vista de la personalidad, Tiphareth representa a la consciencia superior, consciente de las cosas espirituales; Netzach representa a los instintos, y Hod al intelecto. Yesod representa al quinto elemento, el Eter, y Malkuth a los cuatro elementos que son el aspecto sutil de la materia. Todo lo que el intelecto humano promedio puede comprender es la naturaleza de la materia densa (Malkuth) y del intelecto (Hod) y ambos son aspectos concretos de la existencia. No tiene aprecia-

ción de las fuerzas que construyen las formas, como las representa Netzach (la Esfera de los instintos) y Yesod (el doble etérico o el cuerpo sutil). En consecuencia, debemos efectuar un estudio cuidadoso de Netzach porque su naturaleza y su importancia se entienden tan poco.

17. Comprenderemos mejor la naturaleza de Netzach en el microcosmos si recordamos que es la Esfera de Venus, con todo lo que eso implica. Traducido del lenguaje simbólico de la Cábala al idioma sencillo, significa que aquí nos interesa la función de la polaridad, que es muchísimo más que mero sexo, como popularmente se la concibe.

18. Es importante notar a este respecto que Venus, en su forma griega, Afrodita, no es una diosa de la fertilidad, como lo son Ceres y Perséfone; es la diosa del amor. Ahora bien, en el concepto griego de la vida, el Amor abarcaba mucho más que la relación entre los sexos: incluía la camaradería de hombres que luchaban y la relación de maestro y alumno. La hetaira griega, o la mujer cuya profesión es el amor, era algo muy distinto de nuestra moderna prostituta. El griego mantenía la simple relación física de los sexos respecto de su esposa legítima, quien se recluía en su gineceo, o harén, y la mantenía sencillamente con fines de reproducción, a fin de poder tener herederos legítimos; y ella era una mujer sin educación aunque de buena sangre, y no se la estimulaba para que se volviera atractiva o se ocupase de las artes del amor. Menos aún se la estimulaba para rendir culto a la diosa Afrodita, que preside los aspectos superiores del amor; esperábase que las deidades que ella adoraba fueran los dioses del hogar; Ceres, la madre tierra, era quien regía los Misterios de las mujeres griegas.

19. El culto de Afrodita era muchísimo más que el simple cumplimiento de una función animal. Se refería a la interacción sutil de la fuerza vital entre dos factores; el curioso flujo y reflujo, el estímulo y la reacción, que representa papel tan importante en las relaciones de los sexos, pero que se extiende mucho más allá del ámbito sexual.

20. Se esperaba que la hetaira griega fuera una mujer culta; por supuesto, entre ellas existían todos los grados, desde el inferior que se aproximaba a la *geisha* japonesa, hasta el superior, que poseía salones a la manera de las famosas mujeres cultas francesas, y eran mujeres de limpia virtud física a las que ningún

hombre se atrevería a insinuárseles sensualmente; pero debido a la reverencia que la función sexual tenía entre los griegos, es probable que en ningún nivel de la sociedad la hetaira se aproximara a la degradación de la prostituta profesional moderna.

21. La función de la hetaira era la de proveer tanto al intelecto de sus clientes como a sus apetitos; era tanto anfitriona como amante, y a ella recurrían los filósofos y los poetas para recibir inspiración y aguzar su ingenio; pues era bien sabido que no hay mayor inspiración para un hombre intelectual que el trato con una mujer vital y culta.

22. En los templos de Afrodita, se cultivaba diligentemente el arte del amor, y a las sacerdotisas se las instruía en su arte desde la infancia. Pero este arte no era simplemente el de provocar la pasión, sino el de satisfacerlo adecuadamente en todos los niveles de la consciencia; no simplemente mediante la complacencia de las sensaciones físicas del cuerpo, sino mediante el sutil intercambio etérico del magnetismo y de la polarización intelectual y espiritual. Esto elevaba al culto de Afrodita fuera de la esfera de la simple sensualidad, y explica porqué las sacerdotisas de ese culto imponían respeto y de ningún modo se las consideraba como prostitutas comunes, aunque recibían a todos los que acudían a ellas. Por medio de su arte, en el que eran expertas, se ocpaban de asistir a algunas de las necesidades más sutiles del alma humana. Con películas, revistas y música sincopada, al arte de estimular el deseo lo hemos llevado a un punto más alto de desarrollo que el que conocieran los griegos, pero no tenemos conocimiento del arte mucho más importante de satisfacer las necesidades del alma humana respecto de intercambio etérico y mental de magnetismo, y es por esta razón que nuestra vida sexual, tanto fisiológica como socialmente, es tan inestable e insatisfactoria.

23. No podremos entender correctamente al sexo a menos que advirtamos que es un aspecto de lo que el esoterista llama polaridad, y que este principio corre a través de toda la creación y, de hecho, es la base de la manifestación. En el Arbol, lo representan las dos Columnas de la Severidad y la Misericordia. Toda la actividad de la fuerza está abarcada en el principio de la polaridad, tal como toda la función de la forma está abarcada en el principio del metabolismo.

24. Polaridad significa realmente la corriente de fuerza de

una esfera de alta presión a una esfera de baja presión; y "alto" y "bajo" son siempre términos relativos. Toda esfera de energía necesita recibir el estímulo de un influjo de energía en una presión superior, y tener una salida en una esfera de presión inferior. El origen de toda energía está en el Gran Inmanifiesto, y se abre camino descendentemente en los niveles, cambiando su forma de uno al otro, hasta que finalmente "hace tierra" en Malkuth. En toda vida individual, en toda forma de actividad, en todo grupo social organizado para cualquier finalidad, ya sea ejército, iglesia o compañía limitada, vemos la ejemplificación de esta corriente de energía en circuito. La gran cuestión que necesitamos comprender es que, en el Arbol microcósmico, hay una corriente que baja y sube por los aspectos positivo y negativo de nuestros niveles subjetivos de consciencia, por la que el espíritu inspira a la mente, y la mente dirige las emociones, y las emociones forman el doble etérico, y el doble etérico moldea el vehículo físico, que es la "tierra" del circuito. Este es un hecho que por lo general se comprende, y sus implicancias se observan fácilmente tan pronto se les presta atención.

25. Pero una cuestión que no comprendemos con tanta facilidad es que hay un flujo y un reflujo entre cada "cuerpo" o nivel de consciencia y su correspondiente aspecto en el macrocosmos. Tal como hay una entrada y una salida en el nivel de Malkuth, por las que en el cuerpo se recibe la comida y el agua como alimento y se los desecha como excrementos, que es el alimento del reino vegetal bajo el cumplido nombre de abono, de igual modo hay una entrada y una salida entre el doble etérico y la luz astral, y entre el cuerpo astral y el lado mental de la naturaleza, y así sucesivamente hasta los planos, con los factores más sutiles representados por los seis Sephiroth superiores. La esencia de la Cábala Mágica, que es la aplicación práctica del Arbol de la Vida, es desarrollar estos circuitos magnéticos de los diferentes niveles, y de este modo fortalecer y reforzar el alma. Tal como el cuerpo físico se nutre comiendo y bebiendo, y se mantiene sano mediante adecuada excreción, lo cual podría llamarse las operaciones de la Esfera de Malkuth, de igual modo el alma del hombre es dinamizada por las operaciones de la Esfera de Tiphareth, que también se llama la Esfera del Redentor, que procura salud al alma. Sabemos cómo la iniciación desarrolla los poderes del psiquismo superior y permite que el entendimiento

humano capte las verdades espirituales; lo que no comprendemos es que para la gama completa de la evolución humana necesitamos desarrollar también nuestro poder para tomar contacto con la energía natural en su forma esencial como la representa la Esfera de Netzach. Estamos acostumbrados a tener como norma que lo espiritual y lo natural son mutuamente antagónicos y que debemos robar a Pedro para pagar a Pablo, y a concluir que si lo espiritual es el bien supremo, lo natural seberá ser, necesariamente, el mal más bajo; no advertimos que la materia es espíritu cristalizado, y que el espíritu es materia volatilizada, y que no hay diferencia de sustancia entre ellos, como no la hay entre el agua y el hielo, sino que ambos son diferentes estados de la Cosa Unica, como la llaman los alquimistas; este es el gran secreto de la alquimia que forma la base filosófica de la doctrina secreta de la transmutación.

26. Pero la transmutación de los metales es de poca importancia, salvo la académica, en comparación con la transmutación de la energía dentro del alma. De esto se ocupan los iniciados por medio de la técnica del Arbol de la Vida; y tal como la consciencia se transmuta ascendente y descendentemente por la Columna Central de la Indulgencia, o del Equilibrio, de igual modo la energía transmuta ascendente y descendentemente por la Columna de la Misericordia, de la que Netzach es la base, y la forma se transmuta ascendente y descendentemente por la Columna de la Severidad, de la que Hod, el intelecto, es la base.

27. En Chokmah, entonces, tenemos el tremendo impulso de la vida, que es la gran potencia masculina del universo; en Chesed, tenemos la organización de las fuerzas en totalidades interactuantes; y en Netzach, tenemos una esfera en la que la evolución, ascendiendo desde Malkuth como fuerza organizada que anima a la forma vivificada, es capaz de tomar contacto una vez más con la fuerza esencial. Netzach, la Esfera de Nogah, que es el nombre hebreo de Venus-Afrodita, es por lo tanto una Esfera por demás importante desde el punto de vista del trabajo práctico del ocultismo. A causa de que la mayoría sólo procura el trabajo ocultista de la Columna Central (que es la Columna de la Consciencia) y no presta atención a las columnas laterales (que son las Columnas de la Función) se obtienen de la iniciación resultados tan insignificantes. Los ciegos guían a los ciegos, y el eventual iniciador promedio de las fraternidades ocultas moder-

nas (que habitualmente es más místico que ocultista) no advierte que tiene que iniciar tanto la subconsciencia como la consciencia, e iluminar tanto los instintos como la razón.

III

28. Hemos considerado a Netzach desde los puntos de vista objetivo y subjetivo; ahora queda por estudiar el simbolismo asignado a este Sephirah a la luz del conocimiento que ya hemos obtenido.

29. Observaremos de inmediato que el simbolismo contiene dos ideas distintas: la idea de poder y la idea de belleza; y nos acordamos del amor que existía entre Venus y Marte según el antiguo mito. Ahora bien, estos mitos no son fabulosos, salvo en el sentido histórico, sino que representan verdades del espíritu; y cuando hallamos que la misma idea se repite en diferentes panteones, cuando descubrimos que el cabalista hebreo y el poeta griego, cuyas mentalidades estaban mutuamente tan distantes como los polos, presentan el mismo concepto en diferentes formas, debemos concluir que esto no es accidental sino que convendrá un cuidadoso examen.

30. Dejemos nuestro método habitual de analizar los símbolos en el orden dado, y clasifiquémoslos según los dos tipos dentro de los cuales se presentan.

31. El título hebreo del Séptimo Sephirah es Netzach, que significa Victoria. Su otro título es Firmeza, que transmite la misma idea de energía dominante y victoriosa. El nombre de Dios es Jehovah Tzabaoth, que significa el Señor de las Huestes, o el Dios de los Ejércitos. El Orden de Angeles asignado a Netzach son los Elohim, o los dioses, los que gobiernan la Naturaleza.

32. Las cuatro cartas del Tarot asignadas a este Sephirah contienen todas la idea de batalla, aunque en forma negativa. Sin embargo, es curioso notar que sólo el Siete de Bastos tiene un significado bueno, o positivo; los otros tres Siete son todos cartas de infortunio. Sin embargo, la razón de esto es clara cuando entendemos el simbolismo como una totalidad, de modo que por el momento lo dejaremos de lado, y lo volveremos a considerar después.

33. Volvamos ahora a considerar al otro conjunto de imáge-

nes simbólicas. El Chakra Mundano de Netzach es el planeta Venus, y la imagen mágica es, bastante adecuadamente, "una bella mujer desnuda". La experiencia espiritual asignada a esta esfera es la Visión de la Belleza Triunfante. La virtud es el Desinterés, es decir, la capacidad de polarizar desde el polo negativo. Los vicios son los evidentes, propios del maltrato del amor: la incontinencia y la lujuria.

34. La correspondencia en el microcosmos es con la región lumbar, las caderas y las piernas. Se notará que éstos forman la ubicación de los órganos de la generación, pero no los órganos generativos mismos, y expresan la idea antes indicada, de que la diosa del Amor y la diosa de la fertilidad no son la misma cosa.

35. Los símbolos asignados a Netzach son la Lámpara, la Guirnalda y la Rosa. La Guirnalda y la Rosa se explican por sí solas, pues están tradicionalmente asociadas con Venus. Sin embargo, la Lámpara exige más explicación, pues las asociaciones clásicas no nos proporcionan clave alguna sobre esta cuestión. Debemos volver a la alquimia.

36. Los cuatro Elementos están asociados con los cuatro Sephiroth inferiores, y de éstos, el Elemento Fuego se asocia con Netzach. La Lámpara es el arma mágica que se usa en las operaciones del Elemento Fuego. De allí la asociación con Netzach. El Elemento Fuego se asocia con la energía abrasadora existente en el corazón de la Naturaleza, y se conecta con el aspecto de Marte del Sephirah de Venus.

37. Vemos entonces por un estudio del simbolismo precedente, que el simbolismo de Marte, o de la Victoria, se asocia con el Macrocosmos, y el simbolismo de Venus, o del Amor, con el aspecto Microcósmico o subjetivo. Esto nos da la clave de una importantísima verdad psicológica, que los antiguos entendían bien, pero que tuvo que aguardar el trabajo de Freud para su interpretación en el lenguaje moderno. Esto puede expresarse mejor diciendo que la energía elemental, o el dinamismo fundamental de un individuo, está muy estrechamente conectado con la vida sexual de ese individuo.

38. Este es un hecho importantísimo en nuestra vida psíquica, que los psicólogos entienden bien pero que los místicos y psíquicos aprecian poco, los cuales se inclinan por lo general hacia un idealismo que procura escapar de la materia y sus problemas. Pero escapar de este modo implica dejar detrás de nosotros

baluartes sin conquistar; y el modo más sabio y el único que podrá producir integridad de la vida y temperamento equilibrado, es acordar el lugar debido a Netzach, que equilibra la intelectualidad de Hod y la materialidad de Malkuth, recordando siempre que el Arbol consiste en las dos Columnas de la Polaridad y el Sendero del Equilibrio entre ellas.

39. El verdadero secreto de la bondad natural radica en el reconocimiento de los derechos en pugna de los Pares de Opuestos; la antinomia entre Bien y Mal no existe como tal, sino sólo el equilibrio entre los dos extremos, cada uno de los cuales es malo cuando se lo lleva al exceso, y ambos sucitan el mal si son insuficientes para equilibrarse. La licencia sin freno conduce a la degeneración; pero el idealismo desequilibrado conduce a la psicopatología.

40. Hay tres tipos de personas que atraviesan el Velo: el místico, el psíquico y el ocultista. El místico aspira a la unión con Dios, y logra su fin dejando de lado todo lo que en su vida no es de Dios. El psíquico es un receptor de vibraciones sutiles, pero no un transmisor. El ocultista tiene la obligación de ser, hasta cierto punto al menos, un receptor, pero su objetivo primordial es poder controlar y dirigir en los reinos invisibles del mismo modo que el hombre de ciencia aprendió a controlar y dirigir en el reino de la Naturaleza.

41. Para lograr este fin deberá trabajar en armonía con las fuerzas invisibles, del mismo modo que el científico domina a la Naturaleza entendiéndola. De estas fuerzas invisibles, algunas son espirituales, descendiendo de Kether, y otras son elementales, elaborándose desde Malkuth. Las fuerzas de Kether, pertenecientes al Macrocosmos, las recoge el centro de Tiphareth en el Microcosmos, para usar la terminología cabalística; las fuerzas elementales las recoge el centro de Yesod, pero (y esta es la cuestión importante) son dirigidas y controladas por la manera en que se mantiene el equilibrio entre Netzach y Hod.

42. Netzach, en el Microcosmos, representa el lado instintivo y emocional de nuestra naturaleza, y Hod representa al intelecto; Netzach es el artista que hay en nosotros, y Hod es el científico. Según sea el cambio de nuestra disposición anímica entre represión y dinamismo, tal será la polaridad de Hod y zach en el Microcosmos que es el alma. Si no hay influencia de Netzach para introducir un elemento dinámico, la excesiva pre-

ponderancia de Hod conducirá totalmente a teorizar y a nada práctico en cuestiones ocultas. Aquel en quién la Esfera de Netzach no funciona no podrá manejar la magia, pues el escepticismo de Hod matará todas las imágenes mágicas antes de que éstas nazcan. Como todas las cosas de la naturaleza, Hod, no fertilizado por su polaridad opuesta, es estéril. En todo ocultista que quiera realizar un trabajo práctico deberá haber algo del artista. El intelecto solo, por poderoso que sea, no confiere poderes. A través del Netzach de nuestra naturaleza, las fuerzas elementales obtienen acceso a la consciencia; sin Netzach, permanecen en la Esfera subconsciente de Yesod, trabajando a ciegas. En los Misterios se enseña que cada nivel de manifestación tiene su propia ética, o norma, sobre lo bueno y lo malo, y que no debemos confundir los planos esperando de uno la norma del otro, lo cual allí no es aplicable. En el reino de la mente, la ética es la Verdad; en el plano astral, que es la esfera de las emociones y los instintos, la ética es la Belleza. Debemos aprender a entender la justicia de la Belleza, tanto como la belleza de la justicia, si queremos hacer que todas las jurisdicciones del reino interno obedezcan al poder central de la consciencia unificada.

43. Al entrar en la región de los cuatro Sephiroth inferiores, ingresamos en la esfera de la mente humana. Considerados subjetivamente, constituyen la personalidad y sus poderes. El objeto de la iniciación oculta es desarrollar estos poderes y, si se lo considera desde el punto de vista superior, (como debe ser siempre si no ha de degenerar en magia negra) unirlos con Tiphareth, que es el punto focal del yo superior, o de la Individualidad. Por lo tanto, al discutir a Netzach, hemos traspuesto definidamente el portal de los Misterios, y pisamos el suelo sagrado que está reservado a los iniciados.

44. No abogo por un carácter secreto que es simplemente práctica sacerdotal, pero hay ciertos secretos prácticos, pertenecientes a los Misterios, que no es aconsejable que se los pregone, a no ser que se los maltrate. Existe también la tendencia inveterada de la naturaleza humana a aplicar sus propias definiciones a términos familiares, y a rehusar reconocerlos aparte de sus asociaciones familiares. Si alzo un rincón del Velo del Templo y revelo el hecho de que el sexo es simplemente un ejemplo especial del principio universal de la polaridad, de inmediato se supone que polaridad y sexo son términos sinónimos. Si digo que

aunque el sexo es parte de la polaridad, hay mucha polaridad que nada tiene que ver con el sexo, a mi explicación se la ignora. Tal vez se me entienda mejor si substituyo la terminología de la física por la de la más apropiada psicología, y digo que la vida fluirá sólo en circuito; aíslesela, y se volverá inerte. Consideremos a la personalidad humana como una máquina eléctrica; deberemos conectarla con la usina, que es Dios, la Fuente de toda Vida, o no habrá fuerza motriz; pero de igual modo deberá "hacer tierra", o la energía no correrá. Todo ser humano debe "hacer tierra" tanto literal como metafóricamente. El idealista trata de inducir un aislamiento completo de todos los contactos con la tierra para que la energía que afluye no se agote; no llega a comprender que la tierra es un gran imán.

45. La tradición declara desde antiguo que la clave de los Misterios fue escrita en la Tabla de Esmeralda de Hermes, en la que se inscribieron las palabras: "Como es arriba, es abajo". Aplíquese los principios de la física a la psicología, y se leerá el enigma. Quien tenga oídos para oir, que oiga.

46. Finalmente, llegamos a considerar el significado de las cartas del Tarot asociadas con Netzach. Estas son los cuatro Siete del mazo del Tarot.

47. Como ahora entramos en la esfera de influencia del plano terrestre, tal vez sea bueno explicar qué representan en la adivinación estas cartas inferiores del mazo del Tarot. Simbolizan los diferentes modos de función de las diferentes fuerzas sephiróthicas en los cuatro mundos de los cabalistas. El mazo de Bastos guarda correspondencia con el nivel espiritual; Copas con el nivel mental; Espadas con el plano astral; y Pentáculos con el plano físico. En consecuencia, si el Siete de Pentáculos ocurre en adivinación, significa que la influencia de Netzach representa un papel en el plano físico. Hay un viejo proverbio: "Afortunado en el amor, desdichado en las cartas", que es otro modo de decir que la persona atractiva para el sexo opuesto por lo común está perpetuamente en aprietos. Venus es una influencia perturbadora en los asuntos mundanos. Distrae de la actividad seria de la vida. Tan pronto se produce su influencia a través de Malkuth, deberá pasarle el cetro a Ceres y dejarla en paz. No son los hijos, sino el amor el que mantiene unido al hogar. El nombre cabalístico del Siete de Pentáculos es "Triunfo Incumplido", y nos basta observar las biografías de Cleopatra, Ginebra, Isolda y

Eloísa, para advertir que Venus en el plano físico tiene como lema: "¡Todo por el amor y húndase el mundo!".

48. El palo de Espadas se asigna al plano astral. El título secreto del Siete de Espadas es "Esfuerzo Inestable". ¡Qué bien expresa esto la acción de Venus en la esfera de las emociones, con su efímera intensidad!

49. El título secreto del Siete de Copas es "Triunfo Ilusorio". Esta carta representa la actividad de Venus en la esfera de la mente, donde su influencia de ningún modo conduce a la perspicacia. Creemos lo que queremos creer cuando estamos bajo la influencia de Venus. En este plano, su lema bien podría ser: "El amor es ciego".

50. Venus entra en lo suyo sólo en la esfera del espíritu. Aquí, su carta, el Siete de Bastos, se llama la "Valentía", que describe bien la influencia dinámica y vitalizadora que ella ejerce cuando se entiende y emplea su significado espiritual.

51. Las cuatro cartas del Tarot asignadas a Netzach revelan muy interesantemente la naturaleza de la influencia venusina cuando desciende por los planos. Aquéllos nos enseñan una lección importantísima, pues muestran cuán esencialmente inestable es esta fuerza, a menos que se arraigue en el principio espiritual. Las formas inferiores del amor son de las emociones, y esencialmente inconfiables; pero el amor superior es dinámico y da energía.

Capítulo XXIII

HOD

TITULO: Hod, Gloria. (Grafía hebrea: הוד: Hé, Vau, Daleth.)

IMAGEN MAGICA: Un hermafrodita.

SITUACION EN EL ARBOL: Al pie de la Columna de la Severidad.

TEXTO DEL YETZIRAH: Al Octavo Sendero se lo llama la Inteligencia Absoluta o Perfecta porque es el medio de lo Primordial, que no tiene raíz con las que pueda penetrar o reposar, salvo en los ocultos lugares de Gedulah, de los que emana su apropiada esencia.

NOMBRE DE DIOS: Elohim Tzabaoth, el Dios de las Huestes.

ARCANGEL: Michael.

ORDEN DE ANGELES: Beni Elohim, Hijos de Dios.

CHAKRA MUNDANO: Kokab, Mercurio.

EXPERIENCIA ESPIRITUAL: Visión de Esplendor.

VIRTUD: Veracidad.

VICIO: Falsía. Falta de honradez.

CORRESPONDENCIA EN EL MICROCOSMOS: Región lumbar y piernas.

SIMBOLOS: Nombres y versículos, y el mandil.

CARTAS DEL TAROT: Los cuatro Ocho.

OCHO DE BASTOS: Celeridad.

OCHO DE COPAS: Triunfo abandonado.

OCHO DE ESPADAS: Fuerza reducida.

OCHO DE PENTACULOS: Prudencia.

COLOR EN ATZILUTH: Púrpura violácea.

COLOR EN BRIAH: Anaranjado.

COLOR EN YETZIRAH: Color bermejo.

COLOR EN ASSIAH: Negro amarillento, con manchas blancas.

I

1. Las dos energías raigales del universo son representadas en el Arbol de la Vida por Chokmah y Binah, la Fuerza Positiva y Negativa. Los cabalistas sostienen que, aunque cada Sephirah emana su Sephirah siguiente en orden numérico, estos dos Supernos, una vez establecido el Arbol, se reflejan diagonalmente de modo particular. Esto lo indica claramente el Texto del Yetzirah de este Sephirah, donde dice que Hod "no tiene raíz con la cual penetrar o reposar, salvo en los ocultos lugares de Gedulah, de donde emana su apropiada esencia".. Recuérdese que Gedulah es otro nombre de Chesed.

2. Binah es el Dador de la Forma. Chesed es el anabolismo cósmico, la organización de las unidades formuladas por Binah en estructuras complejas e interactuantes: Hod, el reflejo de Chesed, es a su vez un Sephirah de la Forma, y representa en otra esfera este principio coagulador.

3. Chokmah, por otra parte, es el principio dinámico; refléjase en Geburah, que es el Catabolista Cósmico, que representa la desintegración de lo complejo en lo simple, liberando así la energía latente; y esto se refleja a su vez en Netzach, la fuerza vital de la Naturaleza.

4. Para entender los cinco Sephiroth inferiores es importante notar que la actual etapa evolutiva introdujo en sus Esferas algún grado de evolución de la conciencia humana. Tiphareth representa a la consciencia superior en la que la individualidad se une con la personalidad; Netzach y Hod representan los aspectos de la fuerza y la forma de la consciencia astral, respectivamente. Debido a que la consciencia humana concretó en estas esferas un grado de evolución, su naturaleza puramente cósmica está considerablemente cubierta por sus influencias; y como la consciencia humana, al evolucionar en Malkuth, es una consciencia de las formas derivada de la experiencia de las sensaciones físicas, las condiciones de Malkuth se reflejan hacia atrás, aunque en forma rarificada, en Hod y Netzach, y en menor grado en Tiphareth; Yesod es incluso condicionado más marcadamente por la creciente influencia de Malkuth.

5. Esto se debe al hecho de que la mente de todo ser de suficiente grado de evolución que logró una voluntad independiente trabaja objetivamente en su medio ambiente, modificán-

dolo de ese modo. Aclaremos esto con una ilustración. Las criaturas de baja evolución, como las formas simples de vida que no tienen energía movible, como las anémonas de mar, pueden ejercer poquísima influencia sobre su medio ambiente, pero un tipo superior y más inteligente de criatura puede ejercer muchísima influencia, obligando a su medio ambiente, con su energía y su inteligencia, a que se adapte a su voluntad, como cuando el castor construye un dique. Los seres humanos —las más elevadas de todas las criaturas materiales— aprendieron a ejercer una profunda influencia sobre su medio ambiente, de modo que el mundo material se está sometiendo poco a poco al hombre, controlándose pues, de hecho, todas las esferas.

6. Las condiciones relativas a cada nivel de conciencia son precisamente análogas. La mente construye a partir de la sustancia mental, y la naturaleza espiritual, a partir de las fuerzas espirituales del Cosmos, exactamente del mismo modo que la anémona de mar elabora su sustancia a partir del alimento que el agua le procura. Sin embargo, los tipos superiores de personalidad son análogos a los tipos superiores de animales en que, en grado creciente, según su energía y su capacidad, pueden influir sobre su medio ambiente sutil; y la mente, elaborada a partir de la sustancia mental, hace sentir su influencia en el plano de la mente.

7. En nuestro trato con el plano astral, que es esencialmente el nivel funcional de los aspectos más densos de la mente humana, observamos que las fuerzas y los factores de este plano se presentan a la consciencia como formas etéreas de un tipo claramente humano; y si enfocamos el tema de modo filosófico, y no crédulamente, no acertamos a explicar cómo puede ser esto. Sin embargo, el iniciado tiene su explicación. El declara que es la mente humana misma la que creó estas formas representando para sí estas fuerzas naturales inteligentes como si tuvieran formas de tipo humano, razonando por analogía que, porque están individualizadas, su individualidad debe tener el mismo género de vehículo para su manifestación que la propia individualidad del iniciado.

8. Por supuesto, esta no es una consecuencia necesaria. En realidad, estas formas de vida, libradas a sus propias tendencias, logran encarnar en fenómenos naturales, y sus vehículos son fuerzas naturales coordinadas, como un río, una cordillera o una

tormenta. Siempre que el hombre entra en contacto con el astral, ya sea como psíquico o como mago, proyecta siempre su versión antropomórfica, y crea formas hechas a su propia semejanza para representar las esquivas fuerzas sutiles con las que se empeña en tomar contacto, en entenderlas y en someterlas a su voluntad. El hombre es verdadero hijo de la Gran Madre, Binah, y sus naturales propensiones de organización y fabricación de formas las lleva a cualquier plano hacia el cual él pueda elevar su consciencia.

9. Las formas percibidas en el plano astral por quienes pueden ver allí, son las creadas por la imaginación de los hombres para representar estas fuerzas naturales sutiles de formas de evolución distintas de la humana. A las inteligencias de formas de evolución distintas de la nuestra, si entran en contacto con la vida humana, a veces se las puede persuadir para que utilicen estas formas, tal como un hombre se pone un traje de baño y desciende en otro elemento. Un tipo cierto y fundamental de magia se ocupa de la fabricación de estas formas y de inducir a las entidades a que las animen.

10. Consideraremos qué se hace cuando tal proceso está en vías de preparación. El hombre primitivo, que es mucho más psíquico que el hombre civilizado, como su mente no está tan acabadamente organizada por la educación, conoce intuitivamente que detrás de toda unidad muy organizada de fuerza natural hay algo que la diferencia de cualquier otra unidad. Los humanos conocen esto subconscientemente, en mayor proporción de la que admitirán; no por nada una nave es "ella", y hablamos del "Padre Támesis". Cuando un salvaje percibe esta vida detrás de los fenómenos, procura tomar contacto a fin de ponerse de acuerdo con ella. Como evidentemente no espera conquistarla, deberá ponerse de acuerdo con ella, tal como lo haría con otras vidas extrañas animadas en los cuerpos de otra tribu. Para ponerse de acuerdo tendrá que parlamentar. No podemos ponernos de acuerdo con las personas que no parlamenten. El salvaje piensa, razonando con su primitivo método analógico, que los seres que están detrás de los fenómenos habitan en un reino similar a aquel en el que continúa su propia vida onírica; como el ensueño es estrechamente afín al sueño onírico, y tiene la ventaja de que se lo puede inducir a voluntad, procura acercarse a estos seres de otra esfera entrando en el reino de és-

tos; es decir, con ensueño o fantasía fabrica el enfoque más aproximado que puede a las visiones nocturnas, y si puede lograr un alto grado de concentración, es capaz de clausurar su consciencia vigil y entrar voluntariamente en el estado onírico de un sueño que él mismo determina.

11. Para lograr este fin, elabora en su imaginación un cuadro mental que se propone representar al ser que es el genio que preside el fenómeno natural con el que desea ponerse de acuerdo; lo construye repetidamente; lo adora; le reza; lo invoca. Si esta invocación es suficientemente fervorosa, el ser que él está buscando le oirá telepáticamente y tal vez se interese por lo que él está haciendo; si su adoración y su sacrificio le son agradables, tal vez obtenga su cooperación. Poco a poco se le puede someter y domesticar; y finalmente, se le puede persuadir para que, cada tanto, anime la forma que, para que sea su vehículo, se elaboró con sustancia mental. Por supuesto, el logro en esta operación depende del grado en que el fiel pueda apreciar, por simpatía, la naturaleza del ser que él se inclina a invocar, y esto lo podrá hacer sólo en proporción a cómo su propio temperamento participe de la naturaleza de ese ser.

12. Si este proceso se consuma, entonces tenemos domesticada una parte de la vida de la Naturaleza, y encarnada en una forma que sus fieles le construyeron. Mientras a la forma astral se la mantiene viva con el adecuado género de culto, llevado a cabo por fieles que tienen la necesaria capacidad para entrar en comunión simpática con esa clase de vida, hay un dios encarnado, del que se dispone para tomar contacto, y que se hace descender dentro del alcance de la percepción humana. Si el culto cesa, el dios se retira a su propio sitio en el seno de la Naturaleza. Sin embargo, si llegan otros fieles que poseen el conocimiento necesario para construir una forma que concuerde con la naturaleza de la vida que ha de invocarse, es cuestión comparativamente sencilla atraerla para que entre en la forma una vez más la vida que acostumbraba animarla; al menos, no es más difícil que atrapar con un cesto de avena a un caballo que corre desenfrenado por el pastizal.

13. Ahora bien, puede decirse que todo esto es muy descabellada especulación y dogmatismo puro. ¿Cómo sé yo que ese es el modo en que el hombre primitivo trabajaba? Porque ese es el modo de ponerse a trabajar que nos legó la Tradición secreta

de los Misterios desde épocas muy antiguas, y porque cuando lo usa alguien que adquirió el grado necesario de destreza en la concentración y conoce los símbolos que se usan para construir las diferentes formas, el método funciona, y los Viejos Dioses regresan a los altares, cuyos fuegos se vuelven a encender. Se obtienen claros resultados en la consciencia de los fieles; y si éstos toman la técnica del espiritista, y disponen de un *medium* capaz de materializaciones, se producen fenómenos de género muy definido.

14. Este es el método que, al celebrar la Misa, utilizan los sacerdotes que tienen conocimiento. En la Iglesia Romana hay dos tipos de sacerdote: el clérigo que tiene el beneficio de una parroquia, y los hombres que pertenecen a Ordenes monásticas y se encargan, como parte de su servicio, del trabajo parroquial y especialmente del trabajo misional vernáculo. Estos monjes introducen con frecuencia en la celebración de la Misa un grado elevadísimo de poder mágico, como cualquier psíquico podrá atestiguarlo. El acto real de la Transustanciación es la animación de una forma astral con fuerza espiritual. La fuerza de la Iglesia Una Católica y Apostólica radica en el conocimiento de estas cosas, y en la posesión de cuerpos organizados de hombres y mujeres instruidos en su uso en las Ordenes enclaustradas; la falta de todo conocimiento interior de esa índole es la debilidad de las comuniones cismáticas, una falta que hace que los ritos anglicanos, aunque se los celebre con todo el ceremonial, sean como agua en el vino cuando se los compara con los ritos romanos; pues quienes los celebran no tienen conocimiento del funcionamiento secreto que es tradicional en la comunión romana, y no están instruidos en la técnica de la visualización. No soy católica, y jamás lo seré, porque no me sometería a la disciplina católica, ni creo que haya sólo Un Nombre bajo el cielo por el que los hombres se salven, por lo mucho que reverencio a ese Nombre, pero conozco el poder cuando lo veo, y lo respeto.

15. Pero el poder de la Iglesia Romana no radica en el título sino en la función. Es poderosa, no porque Pedro recibiera las Llaves (que probablemente no recibió), sino porque conoce su trabajo. No hay razón de porqué los sacerdotes de la comunión anglicana no deban trabajar con el poder si aplican los principios que he explicado en estas páginas. En la Hermandad del Maestro Jesús, que es parte de mi propia organización, la Fraternidad de

la Luz Interior, celebramos la Misa con poder porque aplicamos estos principios. Cuando nos pusimos en marcha por primera vez, a nuestros oficiantes se les ofreció la Sucesión Apostólica, pero renunciamos a ella porque percibimos que era mejor usar nuestro conocimiento para efectuar los contactos de nuevo por nuestra cuenta que recibir la Sucesión Apostólica de una fuente que no estaba por encima de sospecha, y la experiencia justificó nuestra elección.

II

16. Para entender plenamente la filosofía de la magia debemos recordar que los Sephiroth solos nunca son funcionales; para que funcionen debemos tener el Par de Opuestos en pleno equilibrio, con el resultado de un Tercero equilibrado que es funcional. El Par de Opuestos, por sí mismo, no es funcional porque ambos se neutralizan mutuamente; sólo cuando se unen en una fuerza equilibrada para fluir hacia adelante como un Tercero, según el simbolismo del Padre, la Madre y el Hijo, ellos logran la actividad dinámica, para distinguirla de la fuerza latente que está eternamente encerrada en ellos, esperando que se la haga salir.

17. El triángulo funcional de la Tríada Inferior consiste en Hod, Netzach y Yesod. Hod y Netzach, como ya lo hemos notado, son respectivamente la Forma y la Fuerza en el plano astral. Yesod es la base de la sustancia etérica, Akasha, o la Luz Astral, como se la llama de diversos modos. Hod es especialmente la Esfera de la Magia, porque es la esfera de la formulación de las formas, y por lo tanto es la esfera en la que el mago trabaja realmente, pues su mente es la que formula las formas y su voluntad la que establece el vínculo con las fuerzas naturales de la Esfera de Netzach para que las animen. Sin embargo, nótese que sin los contactos de la Naturaleza, sin el aspecto de la fuerza perteneciente al astral, no podría haber animación; y con Netzach, que es la Esfera de las emociones, se efectúan los contactos a través de la simpatía y del "sentimiento compartido". El poder de la voluntad proyecta al mago fuera de Hod, pero sólo el poder de simpatía puede llevarle dentro de Netzach. En su trabajo con el poder, no será más adepto quien sea de sangre fría y voluntad

dominante que quien tenga afinidades fluídicas y sea puramente emcional. El poder de la voluntad concentrada es necesario para permitirle al mago reunir sus energías para su trabajo, pero el poder de la simpatía imaginativa es esencial para permitirle que haga sus contactos. Pues sólo a través de nuestro poder para entrar imaginativamente en la vida de tipos de existencia distintos del nuestro podremos restablecer nuestros contactos con las fuerzas de la Naturaleza. Es pura hechicería el intentar dominarlas mediante la voluntad pura, maldiciéndolas con los Poderosos Nombres de Dios si se resisten.

18. Como ya lo notamos, entramos en contacto con las fuerzas de la Naturaleza a través de los correspondientes factores de nuestros propios temperamentos. La Venus interior es la que nos pone en contacto con las influencias simbolizadas por Netzach. La capacidad mágica de nuestra mente es la que nos pone en contacto con las fuerzas de la Esfera de Hod-Mercurio-Thoth. Si en nuestra naturaleza no hay Venus, si no hay capacidad para reponder al llamado del amor, jamás se nos abrirán las puertas de la Esfera de Netzach y jamás recibiremos la iniciación de éste. De igual modo, si no tenemos capacidad mágica, que es el trabajo de la imaginación intelectual, la Esfera de Hod será para nosotros un libro cerrado. Sólo podemos obrar en una Esfera después que recibimos la iniciación de esa Esfera, la cual, en el lenguaje de los Misterios, confiere sus poderes. En el quehacer técnico de los Misterios, estas iniciaciones se confieren en el plano físico por medio de ceremonial, que puede ser eficaz o no. El núcleo de la cuestión radica en el hecho de que no podemos despertar a la actividad lo que no está latente. La vida es la iniciadora real; las experiencias de la vida estimulan y hacen funcionar las capacidades de nuestros temperamentos en el grado en el que las poseemos. La ceremonia de iniciación, y las enseñanzas que deben recibirse en diversos grados, están sencillamente ideadas para volver consciente lo que antes era subconsciente, y poner bajo el control de la voluntad, dirigida por la inteligencia superior, las evolucionadas capacidades de reacción que hasta allí sólo respondían ciegamente a sus estímulos apropiados.

19. Nótese bien que a nuestras aptitudes de reacción las podremos convertir en poderes mágicos sólo en la medida en que las elevemos fuera de la esfera de los reflejos emocionales y las

pongamos bajo control racional. El aspirante, apto para responder en todos los planos al llamado de Venus, podrá convertirse en iniciado de la esfera de Netzach solamente cuando, con facilidad, sin esfuerzo y a voluntad, pueda abstenerse de responder. Por esta razón, se dice del adepto que dispone del uso de todas las cosas, sin depender de nada.

20. Esbozamos estos conceptos para quienes tienen ojos para ver en el simbolismo de Hod. El texto del Yetzirah declara que Hod es la Inteligencia Perfecta, pues es el medio de lo Primordial. En otras palabras, es el poder en equilibrio, pues la palabra "medio" implica una posición a mitad de camino entre dos extremos.

21. El concepto de reacción que fue inhibida y satisfacción a la que se renunció se expresa en el título del Ocho de Copas del mazo del Tarot, cuyo nombre secreto es "Triunfo Abandonado". El palo de Copas, en el simbolismo del Tarot, está bajo la influencia de Venus y representa los diferentes aspectos e influencias del amor. El "Triunfo Abandonado", la inhibición de la reacción instintiva que suele dar satisfacción (en otras palabras, la sublimación) es la clave de los poderes de Hod. Pero recuérdese que sublimación no es lo mismo que represión o erradicación, y se aplica tanto al instinto de propia conservación como al instinto de reproducción, con los que está exclusivamente asociado en la mentalidad popular.

22. El mismo concepto reaparece en el título secreto del Ocho de Espadas, que es "El Señor de la Fuerza Reducida". En estas palabras obtenemos una clara imagen del control, o frenado del poder dinámico a fin de ponerlo bajo control.

23. En el Ocho de Pentáculos, que representa a la naturaleza de Hod que se manifiesta en el plano material, tenemos al Señor de la Prudencia: nuevamente, una influencia controladora e inhibidora. Pero estas tres cartas negativas e inhibidoras se sintetizan bajo la presidencia del Ocho de Bastos, que representa la acción de la Esfera de Hod en el plano espiritual, y a esta carta se la llama el Señor de la Celeridad.

24. Vemos, entonces, que mediante inhibiciones y restricciones en los planos inferiores se torna asequible la energía dinámica del plano supremo. En la Esfera de Hod, la mente racional impone estas inhibiciones sobre la naturaleza dinámica animal del alma, condensándolas, formulándolas, dirigiéndolas me-

diante la limitación de ellas e impidiendo la difusión. Esta es la operación de la magia que trabaja con símbolos. Por medio de ella, las fuerzas naturales, de libre movimiento, se constriñen y dirigen hacia los fines que se quiere y proyecta. Este poder de dirección y control sólo se obtiene mediante el sacrificio de la fluidez, y por tanto dícese que Hod es el reflejo de Binah a través de Chesed.

25. Tras considerar los principios generales de la Esfera de Hod, estamos ahora en condiciones de considerar pormenorizadamente su simbolismo.

26. El significado de la palabra hebrea "Hod" es Gloria, y esto sugiere de inmediato a la mente que, en esta primera Esfera en la que las formas se organizan claramente, el resplandor de lo Primordial se patentiza a la consciencia humana. Los físicos nos dicen que la luz sólo se vuelve visible como cielo azul debido a su reflejo de las partículas de polvo en la atmósfera. La atmósfera absolutamente sin polvo es atmósfera absolutamente oscura. Y esto es lo que ocurre en la metafísica del Arbol. La gloria de Dios sólo podrá resplandecer en la manifestación cuando haya formas para manifestarla.

27. La Imagen Mágica de Hod proporciona un tema interesantísimo para meditar. Quienes captaron el significado de las páginas precedentes verán cuán bien la naturaleza de forma y fuerza de la actividad mágica se sintetiza en este símbolo del ser en el que se combinan los elementos masculino y femenino.

28. Hod es esencialmente la esfera de las formas animadas por las fuerzas de la Naturaleza; y a la inversa, es la esfera en la que las fuerzas de la Naturaleza asumen formas sensibles.

29. El Texto del Yetzirah ya fue discutido extensamente, y el lector podrá remitirse a esa discusión para su esclarecimiento.

30. El hombre de Dios perteneciente a Hod, Elohim Tzabaoth, Dios de las Huestes, contiene el símbolo hermafrodítico de un modo interesantísimo, indicando de esta manera, según la modalidad de los cabalistas, que representa un tipo doble de actividad, una fuerza que funciona a través de una organización. Los tres Sephiroth de la Columna Negativa del Arbol tienen la palabra "Elohim" como parte del nombre de Dios. Tetragrammaton Elohim en Binah; Elohim Gebor en Geburah; y Elohim Tzabaoth en Hod.

31. La palabra "Tzabaoth" significa una hueste o un ejérci-

to, y de este modo tenemos la idea de la Vida Divina que se manifiesta en Hod por medio de una hueste de formas animadas con la fuerza, para distinguirla de la actividad fluídica de Netzach.

32. Nutre nuevamente nuestro pensamiento la asignación del poderoso Arcángel Michael a Hod. Se lo representa siempre pisoteando una serpiente y hendiéndola con una espada, y con frecuencia sostiene en su mano un par de balanzas, que simbolizan el equilibrio y expresan la misma idea que las palabras del Yetzirah: "El Medio de lo Primordial".

33. La serpiente que el gran Arcángel pisa es la fuerza primitiva, la serpiente fálica de los freudianos; y este jeroglífico nos enseña que la "prudencia" restrictiva de Hod "reduce" a la fuerza primitiva y le impide que se desborde de sus fronteras. Recuérdese que la Caída es representada en el Arbol por la Gran Serpiente de siete cabezas que traspasa los lindes que le impusieron y eleva sus cabezas coronadas incluso hacia Daath. Es interesantísimo observar la manera con que los símbolos se entretejen recíprocamente, y se refuerzan e interpretan en su mutuo significado y dan sus frutos a la contemplación cabalística.

34. El Orden de Angeles que funciona en Hod son los Beni Elohim, los Hijos de los Dioses. Además, tenemos el concepto del "Dios de las Huestes" o de los ejércitos. Uno de los más importantes conceptos de la ciencia arcana concierne al quehacer del Creador a través de los intermediarios. Los no iniciados y los profanos conciben a Dios trabajando como lo hace el obrero que añade con sus manos un ladrillo al otro, modelando el edificio; pero los iniciados conciben a Dios trabajando como el Gran Arquitecto del Universo, trazando Sus planes sobre el plano de los arquetipos; a Quien acuden los supervisores, los arcángeles, para pedir instrucciones, dirigiendo estos últimos los ejércitos de humildes trabajadores que suman una piedra a la otra según el plan arquetípico del Altísimo. ¿Cuándo el arquitecto que proyecta el edificio trabajó solamente con sus dos manos y sin ayuda? Jamás, ni siquiera cuando el universo estaba por construirse.

35. El Chakra Mundano, como ya lo notamos, es Mercurio, y su simbolismo como Hermes-Thoth ya lo hemos considerado.

36. La Experiencia Espiritual asignada a este Sephirah es la Visión del Esplendor, que es el conocimiento de la gloria de Dios que se manifiesta en el mundo creado. El iniciado de Hod ve detrás de la apariencia de las cosas creadas y discierne a su

Creador, y al comprender el esplendor de la Naturaleza como el atavío del Inefable, recibe su iluminación y se convierte en colaborador con el Gran Artífice. Este conocimiento de las fuerzas espirituales que manejan todas las manifestaciones y apariencias es la clave de los poderes de Hod como se los ejerce en la Magia de la luz. Convirtiéndose en canal de estas fuerzas, el Maestro de la Magia Blanca pone orden en el desorden de las Esferas de Fuerza Desequilibrada, sin desviar los poderes invisibles hacia su voluntad personal. El es quien equilibra lo que está en desequilibrio, no quien maneja arbitrariamente la Naturaleza.

37. En esta Esfera, que es la Esfera de Mercurio-Hermes, dios de la ciencia y de los libros, ¡cuán claramente podemos ver que la virtud suprema es la veracidad, y que el aspecto contrario de este Sephirah es el que revela a Mercurio en su aspecto comó el dios de los ladrones y los pícaros arteros! En la ética esotérica se comprende que cada plano tiene su propia norma del bien y del mal. La norma del plano físico es la fuerza; la norma del plano astral es la belleza; la norma del plano mental es la verdad; y la norma del plano espiritual es la del bien y del mal como nosotros entendemos los términos; por tanto, no hay ética, salvo en términos de valor espiritual; todo lo demás es, en el mejor de los casos, conveniencia. En la Esfera que es esencialmente la Esfera de la mente concreta, cuán correcto es que la Cábala diga que la viertud suprema es la veracidad.

38. La Correspondencia en el Microcosmos se da como la región lumbar y las piernas, de acuerdo con la regencia astrológica del planeta Mercurio.

39. Los símbolos asociados con Hod se dan como los nombres y los versículos, y el mandil. Los nombres son las Palabras de Poder en las que el mago sintetiza y evoca en la consciencia las potencias multiformes de los Beni Elohim. Estos nombres de ningún modo son vocablos arbitrarios y bárbaros, sin etimología o significado. Son fórmulas filosóficas. En algunos casos, su interpretación es etimológica, como en el caso de las deidades egipcias, cuyos nombres se construyen con los nombres de potencias y símbolos cuando se usan para indicar fuerzas compuestas. Sin embargo, en todos los sistemas de la magia, que tienen su raíz en la Cábala, los nombres mágicos se construyen con el valor numérico de las consonantes de cualquiera que sea el alfabeto sagrado que se use; hay una cábala griega, árabe, y

copta lo mismo que la Cábala hebrea, que mejor se conoce. Estas consonantes, cuando se las reemplaza con números adecuados, dan una cifra, que puede ser tratada matemáticamente de muchos modos. Algunas cifras concuerdan con los métodos de la matemática pura, y el resultado se vuelve entonces a traducir nuevamente en letras, y muestra correspondencias interesantísimas con los nombres de potencias similares o conexas. Este es un aspecto curiosísimo de la sabiduría cabalística, y en manos de expositores competentes da interesantes resultados; sin embargo, está lleno de trampas para los incautos, pues no hay límite para lo que se le puede hacer producir, y sólo un sólido conocimiento de los primeros principios podrá decirnos cuándo las analogías son legítimas o no, e impedirnos caer en la credulidad y la superstición.

40. Los versículos son frases mántricas, y un *mantra* es una frase sonora que, cuando se la repite una y otra vez a la manera de un rosario, trabaja sobre la mente como una forma especial de autosugestión, cuya psicología es demasiado compleja como para abordarla ahora.

41. El mandil tiene inmediata asociación para los iniciados del Sabio Salomón; es el atuendo característico del iniciado en los Misterios Menores, al que se lo juzga siempre un artesano, es decir un fabricante de formas, y como el Sephirah Hod es la Esfera de las operaciones de los fabricantes de formas mágicas, se verá que este simbolismo es nuevamente apropiado. El mandil cubre y oculta al centro de la Luna, Yesod, respecto del cual hablaremos en su lugar apropiado. Como ya se notó, Yesod es el aspecto funcional del Par de Opuestos del plano astral.

42. Respecto de los cuatro Ocho del mazo del Tarot, asignado a este Sephirah, ya hemos hablado en una página anterior.

43. Para resumir, entonces, en Hod tenemos a la Esfera de la magia formal, para distinguirla del simple poder mental. Las formas que allí formula el mago que inicia las fuerzas de la naturaleza son los Beni Elohim, o los Hijos de los Dioses.

Capítulo XXIV

YESOD

TITULO: Yesod, el Cimiento. (grafía hebrea: יסוד: Yod, Samech, Vau, Daleth.).

IMAGEN MAGICA: Un bello hombre desnudo, muy fuerte.

SITUACION EN EL ARBOL: Hacia la base de la Columna del Equilibrio.

TEXTO DEL YETZIRAH: El Noveno Sendero se llama la Inteligencia Pura porque purifica a las Emanaciones. Comprueba y corrige el diseño de sus representaciones, y dispone la unidad con la que se las diseña, sin disminución ni división.

NOMBRE DE DIOS: Shaddai el Chai, el Todopoderoso Dios Vivo.

ARCANGEL: Gabriel.

ORDEN DE ANGELES: Kerubim, los Fuertes.

CHAKRA MUNDANO: Levanah, la Luna.

EXPERIENCIA ESPIRITUAL: Visión de la Maquinaria del Universo.

VIRTUD: Independencia.

VICIO: Ocio.

CORRESPONDENCIA EN EL MICROCOSMOS: Los órganos de la reproducción.

SIMBOLOS: Los Perfumes y las sandalias.

CARTAS DEL TAROT: Los cuatro Nueve.

NUEVE DE BASTOS: Gran fortaleza.

NUEVE DE COPAS: Felicidad material.

NUEVE DE ESPADAS: Desesperación y crueldad.

NUEVE DE PENTACULOS: Ganancia material.

COLOR EN ATZILUTH: Indigo.

COLOR EN BRIAH: Violeta.

COLOR EN YETZIRAH: Púrpura muy oscuro.

COLOR EN ASSIAH: Limón, con manchas azules.

I

1. El estudio del simbolismo de Yesod revela dos conjuntos simbólicos aparentemente incongruentes. Por un lado, tenemos el concepto de Yesod como el cimiento del universo, establecido en la fuerza; esto lo indica la recurrencia de la idea de la fuerza, como en la Imagen Mágica de un bello hombre desnudo, muy fuerte; en el nombre de Dios, de Shaddai, Todopoderoso; en los Kerubim, los ángeles fuertes; y en el Nueve de Bastos, cuyo nombre secreto es el Señor de la Gran Fuerza. Pero por el otro lado, tenemos al simbolismo de la Luna, que es muy fluídica, en continuo estado de flujo y reflujo, bajo la presidencia de Gabriel, el arcángel del elemento Agua.

2. ¿Cómo hemos de conciliar estos conceptos en conflicto? La respuesta ha de hallarse en las palabras del Texto del Yetzirah, que dice del Noveno Sendero que "purifica las Emanaciones. Comprueba y corrige el diseño de sus representaciones, y dispone la unidad con la que se las diseña, sin disminución ni división". Este concepto lo esclarece más la naturaleza de la Experiencia Espiritual asignada a Yesod, que es descripto como "La Visión de la Maquinaria del Universo".

3. Tenemos, entonces, el concepto de las aguas fluídicas del caos que finalmente se juntan y organizan por medio de las "representaciones" que se "diseñaron" en Hod; esta "comprobación, corrección y disposición" finales "de la unidad" de estas "representaciones" o imágenes formativas dan por resultado la organización de la "Maquinaria del Universo", cuya visión constituye la experiencia espiritual de este Sephirah. De hecho, Yesod podría describirse adecuadamente como la Esfera de la Maquinaria del Universo. Si comparamos al reino de la tierra con un gran barco, entonces Yesod sería la sala de máquinas.

4. Yesod es la esfera de esa sustancia peculiar, que participa de la naturaleza de la mente y la materia, la cual se llama el Eter de los Sabios, el *Akasha,* o la Luz Astral, según la terminología que se use. No es igual al éter de los físicos, que es el elemento fuego de la Esfera de Malzuth; sino que respecto de ese éter es lo que ese éter es en relación con la materia densa; en realidad, es la base de los fenómenos que el físico atribuye a su éter empírico. De hecho, al Eter de los Sabios se lo podría llamar la base del éter de la física.

5. El universo material es un enigma insoluble para el materialista porque éste insiste en tratar de explicarlo con términos del plano del universo material. Esto no puede hacerse jamás en esfera alguna del pensamiento. Nada podrá ser explicado reduciéndolo a sí mismo: se lo deberá resumir en una totalidad mayor. Los cuatro elementos de los antiguos se explican con un quinto elemento, el Eter, como los iniciados lo han sostenido siempre. Pues es doctrina de la filosofía esotérica que cuatro estados visibles cualesquiera tienen siempre, como base, un quinto estado, un estado invisible. Por ejemplo, los Cuatro Mundos de los cabalistas tienen su base detrás de los Velos de lo Inmanifiesto. Sólo proponiendo este quinto elemento inmanifiesto, y asignándole ciertos atributos deducidos de los cuatro manifiestos como esenciales en la causa primera, podemos llegar a entender algo de la naturaleza de los cuatro. Así, en Yesod, hallamos al quinto elemento inmanifiesto de los cuatro elementos de Malkuth, el fuego de los antiguos, correspondiente al éter de los modernos, y la tierra, el agua y el aire correspondientes a los estados sólido, líquido y gaseoso de la materia.

6. A Yesod debe concebírselo entonces como el receptáculo de las emanaciones de todos los demás Sephiroth, como lo enseñan los cabalistas, y como el transmisor inmediato y único de estas emanaciones a Malkuth, el plano físico. Como lo dice el Texto del Yetzirah, la función de Yesod consiste en purificar las emanaciones, y comprobarlas y corregirlas; en consecuencia, en la Esfera de Yesod se llevan a cabo las operaciones proyectadas para corregir a la Esfera de la materia densa o, de algún modo, para desechar su unidad de diseño. Yesod es, entonces, la Esfera omnipotente de toda magia proyectada para que tenga efecto en el mundo físico.

7. Nótese ahora bien que todas las Esferas actúan según su naturaleza, y que ésta no puede ser alterada por influencias mágicas o milagrosas, por poderosas que sean; sólo podemos "corregir" el "diseño" de las representaciones. Las cosas representadas permanecen constantes. Por tanto, de las condiciones del mundo material ni siquiera puede prescindir arbitrariamente la fuerza espiritual suprema, como lo creen quienes le rezan a Dios para que intervenga en su defensa, curando sus enfermedades o prodigando lluvia a la tierra, como tampoco podrá ser de mayor influencia el más poderoso hechicero que se valga de encanta-

mientos. La única aproximación a Malkuth es a través de Yesod, y la aproximación a éste es a través de Hod, donde se "diseñan" las "representaciones". Dejemos de maltratar de una vez por todas a nuestras mentes con la idea de que pueden trabajar directamente sobre la materia; nunca lo hacen. El espíritu trabaja a través de la mente, y ésta trabaja a través del Eter; y éste, que es la estructura de la materia y el vehículo de las fuerzas biológicas, puede ser manejado dentro de los límites de su naturaleza, que de ninguún modo son de poca monta. Por tanto, todos los sucesos milagrosos y sobrenaturales se producen mediante el manejo de las cualidades naturales del Eter, y si entendiéramos la naturaleza de éste, entenderíamos qué es lo que fundamentalmente los produce. Debemos dejar de atribuirlos a la intervención directa de Dios, o al quehacer de los espíritus de los difuntos, tal como en la actualidad no atribuimos al flogisto los fenómenos de la combustión, que una generación anterior creía que era el principio activo del fuego, cuya presencia o ausencia determinaba que una sustancia dada ardiera o no. Hoy en día, hay gente que en su época escolar tuvo noticias del flogisto pero que observó cómo cambió el modo de pensar al respecto; de igual modo, día vendrá en que la gente considerará a los fenómenos psíquicos y de curación "espiritual" como nosotros consideramos al flogisto.

8. En el estado actual de nuestro conocimiento, no es posible dar una explicación muy completa de la naturaleza del Eter de Yesod. Sin embargo, podemos expresar ciertas cosas sobre él, aprendidas por experiencia. Mucho se aprendió mediante experimentos con ectoplasma, que es de naturaleza muy estrechamente afín a él; de hecho, podría describírselo como Eter orgánico, para distinguirlo del éter de la física, que es Eter inorgánico. Sabemos que el ectoplasma asume formas, y las retiene y suelta con igual facilidad, demostrando que no es la forma la que confina a la vida, sino la vida la que determina a la forma. De modo parecido, sabemos que al ectoplasma se lo puede hacer emanar y se lo puede absorber, aunque no conocemos las condiciones que gobiernan este fenómeno. De hecho, el ectoplasma es un género de protoplasma etérec; y podemos concebir que el Eter o la Luz Astral tiene la misma relación con el ectoplasma que el ectoplasma con el protoplasma.

9. Pero aunque a la naturaleza última del Eter astral no la

conocemos más de lo que entendemos la naturaleza última de la electricidad, no obstante sabemos por observación que posee ciertas propiedades; por experiencia sabemos que existen, porque nos permiten manejar esta sustancia sutil de ciertos modos definidos, dentro de los límites de su propia naturaleza, como ya se explicó. Dos de estas propiedades son totalmente importantes para el trabajo del ocultista práctico, formando, de hecho, la base de todo su sistema.

10. La primera de estas propiedades es la capacidad del Eter astral para que la mente lo moldee en formas; la segunda es la capacidad del Eter astral para mantener las moléculas de materia densa en sus líneas de tensión, que parecen redes, como en un estante con casilleros. Puede preguntarse: ¿cómo sabemos que el Eter posee estas cualidades, tan vitables para nuestra hipótesis mágica? Respondemos que la existencia de estas propiedades es la única explicación de las propiedades de la materia viva y de la mente consciente. No podemos explicar la mente o la materia en términos de ellas mismas solas; no podemos explicar la mente sin emplear términos de sensación y no podemos explicar la materia viva sin emplear términos de consciencia. La sensación debe ser siempre cuestión tanto de la mente como de la materia, inexplicable aisladamente. Para explicar una sensación nerviosa debemos proponer una sustancia que sea intermedia entre la mente y la materia; para entender un movimiento deliberado necesitamos, de igual modo, la existencia de tal sustancia, o sea, la que posea la energía para recibir y mantener la impresión del pensamiento e influir sobre la posición en el espacio de las unidades atómicas de la materia. Estas son las propiedades que asignamos a nuestro Eter astral hipotético, adelantando los mismos argumentos para justificar este procedimiento que los aceptados en defensa de similar procedimiento en el caso del éter de la física. Abogamos por el precedente de nuestra hipótesis; y si son aceptables los argumentos en favor del éter de la física, es difícil ver porqué no debería permitirse un Eter a la psicología. Existe una vieja máxima que dice que las hipótesis no deben multiplicarse innecesariamente, pero cuando una hipótesis como la del éter resultó tan fructífera, con seguridad estamos ampliamente justificados al experimentar con una parecida en la hermana ciencia de la psicología. Una cosa es segurísima: la psicología jamás avanzó algo realmente mientras se limitó al punto de

vista materialista y consideró a la consciencia como un epifenómeno, es decir, como un derivado irrelevante e inútil perteneciente a la actividad fisiológica: si es que en la Naturaleza hay algo a lo que pueda llamarse irrelevante e inútil. Aprendamos una lección del alquitrán, ese derivado irrelevante y carente de finalidad, perteneciente a la producción del gas, que prácticamente se regalaba a todo aquel que quería embrear una empalizada y luego se descubrió que era la fuente de valiosísimos productos químicos, tinturas y drogas.

II

11. Desde el punto de vista de la magia, Yesod es el Sephirah de importancia total, con sus contactos trascendentes con lo Superno. Si el Arbol de la Vida se lo considera una totalidad, se verá claramente que trabaja en tríadas. Los Tres Supernos tienen sus correlativos en un arco inferior en Chesed, Geburah y Tiphareth. Quien haya tenido experiencia sobre cabalismo práctico sabe que, para todos los fines prácticos, Tiphareth es para nosotros Kether mientras tenemos nuestro tabernáculo en esta casa de carne, pues ningún hombre puede mirar el rostro de Dios y vivir. Sólo podemos ver al Padre reflejado en el Hijo, y Tiphareth "nos muestra al Padre".

12. Netzach, Hod y Yesod forman la Tríada Inferior, cubierta por Tiphareth como el Yo Inferior es cubierto por el Yo Superior. De hecho, podría decirse que los cuatro Sephiroth inferiores forman la Personalidad, o la unidad de la encarnación, del Arbol; la Tríada Superior de Chesed, Geburah y Tiphareth forma la Individualidad, o el Yo Superior, y los Tres Supernos corresponden a la Chispa Divina.

13. Se observará que, aunque cada Sephirah se considera que hace emanar a su sucesor, a las Tríadas, una vez emanadas y en equilibrio, se las considera siempre como un Par de Opuestos que se manifiestan en un Tercero Funcional. Entonces, en esta Tríada Inferior hallamos a Natzach y Hod equilibrados en Yesod, que se concibe que recibe sus emanaciones. Pero también se conciben las emanaciones de Tiphareth, y a través de Tiphareth, o Kether, porque siempre hay una línea de fuerza que trabaja descendentemente en una Columna; en consecuencia, como

también recibió a Netzach y de Hod las influencias que a su vez recibiera de sus Columnas respectivas, puede llamarse adecuadamente, según las palabras de los cabalistas, el "receptáculo de las emanaciones"; y es de Yesod que Malkuth recibe el influjo de las fuerzas Divinas.

14. Yesod es también de suprema importancia para el ocultista práctico, porque es la primera Esfera con la que se familiariza cuando comienza a "elevarse en los planos" y eleva la consciencia encima de Malkuth. Tras hollar el terrible Sendero Trigésimo segundo de la Tau o de la Cruz del Sufrimiento, y de Saturno, entra en Yesod, el Tesoro de Imágenes, la esfera de *Maya*, de la Ilusión. Considerado en sí mismo, Yesod es incuestionablemente la Esfera de la Ilusión, porque el Tesoro de Imágenes no es otro que el Eter Reflector perteneciente a la esfera terrestre, y en el microcosmos corresponde al Inconsciente de los psicólogos, lleno de cosas antiguas y olvidadas, reprimidas desde que la raza estaba en pañales. Las llaves que abren las puertas donde se guarda el Tesoro de Imágenes y que nos permite gobernar a sus habitantes han de hallarse en Hod, la Esfera de la Magia. Dícese verdaderamente en los Misterios que ningún grado cobra funcionalidad hasta que llega al siguiente. Todo el que, como mago, trata de funcionar en Yesod, advierte pronto su error, pues aunque percibe las Imágenes del Tesoro, no tiene palabra de poder para gobernarlas. Por tanto, en todo caso, en la iniciación sobre el Sendero occidental, (no puedo responder por el oriental, porque no lo conozco), los grados de los Misterios Menores se proyectan directamente hacia la Columna Central rumbo a Tiphareth, y no siguen la línea del Destello Centelleante. En Tiphareth, el iniciado toma el primer grado del adepto, y regresa de allí, si lo desea, para aprender la técnica del mago, concerniente a la Personalidad del Arbol, es decir, la unidad macrocósmica de la encarnación. Si no anhela esto, pero desea ser libre de la rueda de Nacimiento y Muerte, sigue subiendo por la Columna Central, que los cabalistas llaman también el Sendero de la Flecha, y cruza el Abismo, entrando en Kether. Quien ingresa en esta Luz no vuelve a salir.

15. Yesod es también la Esfera de la Luna; por lo tanto, para entender su significado debemos conocer algo sobre el modo con que la Luna es considerada en ocultismo. Los iniciados sostienen que la Luna se separó de la Tierra en un período

en el que la evolución estaba en la cúspide entre la fase etérica de su desarrollo y la fase de la materia densa. Quienes están familiarizados con la terminología astrológica sabrán que la cúspide es la fase entre dos signos en la que se entremezcla la influencia de ambos. La Luna, entonces, tiene en su composición algo de lo material y de allí el globo luminoso que vemos en el cielo; pero la parte realmente importante de su composición es etérica, porque fue durante la fase de la evolución cuando la vida desarrollaba la forma etérica que la Luna tuvo su apogeo, y por esta razón algunos ocultistas llaman a esta fase la Fase de la evolución perteneciente a la Luna. Quienes quieran saber más sobre este tema descubrirán que lo tratan *Concepto Rosacruz del Cosmos,* de Max Heindel, y *La Doctrina Secreta,* de la señora Blavatsky. Como los cabalistas usan un sistema de clasificación diferente de los vedantistas, en estas páginas no podremos presentar el vasto tema de los "Rayos y las Rondas". Deberá bastar que demos dogmáticamente ciertos hechos que los ocultistas conocen e indicar dónde el lector podrá encontrar más información si lo desea.

16. La Luna y la Tierra, según la teoría oculta, comparten un solo doble etérico, aunque sus dos cuerpos físicos están separados, y la Luna es la compañera mayor; es decir, en asuntos etéricos, la Luna es el polo positivo de la batería, y la Tierra el negativo. Yesod, como ya vimos, refleja al Sol de Tiphareth, que a su vez es Kether en un arco inferior. Hace tiempo que los astrónomos nos han dicho que la Luna brilla con luz prestada, que se refleja del Sol, y ahora empiezan a sugerir que el Sol puede recibir su energía ardiente del espacio exterior. Traducido en terminología cabalística, el espacio exterior sería el Gran Inmanifiesto, y los cabalistas enseñaron esta doctrina desde los días en que Enoc caminaba con Dios y desapareció, pues Dios se lo llevó consigo: en otras palabras, recibió la iniciación de Kether.

17. Por lo anterior se verá que Yesod-Luna está siempre en estado de flujo y reflujo, porque la cantidad de luz solar recibida y reflejada crece y mengua en un ciclo de veintiocho días. Malkuth-Tierra está también en un estado de flujo y reflujo en un ciclo de veinticuatro horas, y por la misma razón. De modo parecido, Malkuth-Tierra tiene un ciclo de trescientos sesenta y cinco días, cuyas fases están marcadas por los Equinoccios y los Solsticios. El conjunto interactuante de estas mareas es totalmen-

te importante para el ocultista práctico, porque gran parte de su trabajo depende de ellas. Los mapas de estas mareas fueron mantenidos siempre en secreto, y algunos de ellos son por demás complejos. Como aquéllos conciernen a quehaceres secretos, a secretos ocultos genuinos y legítimos, que sólo se dan después de ser iniciado, no se los puede tratar en estas páginas. Sin embargo se ha dicho bastante para indicar que ciertas mareas del Eter lunar existen y son importantes, y que quienes estudian lo oculto pierden probablemente su tiempo si tratan de operar sin los mapas necesarios.

18. Estas mareas lunares representan un papel importantísimo en los procesos fisiológicos tanto de plantas·como de animales, y especialmente en la germinación y el crecimiento de las plantas y la reproducción de los animales, como lo atestigua el ciclo sexual lunar de veintiocho días, perteneciente a la mujer. El varón tiene un ciclo sexual que se basa en el año solar, pero en las casas donde reina la civilización, iluminadas y calefaccionadas artificialmente, este ciclo no es tan marcado, aunque el poeta llamó nuestra atención sobre el hecho de que "En primavera, la fantasía juvenil se pone alegremente a pensar en el amor", y descubrimos que tan adecuada es la referencia que resulta casi demasiado trillada para usarla como cita.

19. La Luz de la Luna es el factor estimulante de estas actividades etéricas, y como la Tierra y la Luna comparten un solo doble etérico, todas las actividades etéricas están en su máxima actividad cuando hay Luna Llena. De modo parecido, durante la oscuridad de la Luna, la energía etérica está en su nivel más bajo, y las fuerzas desorganizadas tienen tendencia a subir y causar problemas. El Dragón de los Qliphoth alza sus múltiples cabezas. En consecuencia, lo mejor es que todos los que trabajen en esto, salvo los expertos, dejen en paz al trabajo oculto práctico durante la oscuridad. Las fuerzas que dan vida son relativamente débiles y las fuerzas en desequilibrio son relativamente fuertes; en manos inexpertas, el resultado de esto es el caos.

20. Todos los psíquicos y sensitivos son conscientes del conjunto de estas mareas cósmicas, y hasta los que no son declaradamente sensibles son afectados por aquéllas más de lo que por lo general se conoce, especialmente en la enfermedad, cuando las energías físicas están bajas.

21. No puede decirse mucho respecto de Yesod, porque en

ella se esconden las claves de los quehaceres mágicos. Por tanto, deberemos contentarnos con esclarecer el simbolismo de forma algo críptica, aunque quien tenga oídos para oir está en libertad de usarlas.

22. Ya hemos notado la curiosa naturaleza bilateral de Netzach y Hod, siendo la imagen mágica de Hod un hermafrodita, y representándose Venus-Afrodita, a veces, entre los antiguos, como barbuda. En Yesod nos encontramos nuevamente con este simbolismo doble, y otra vez, como lo veremos ahora, en Malkuth. Esto indica con claridad que en estos Sephiroth perteneciente a los niveles inferiores del Arbol deberemos reconocer muy claramente un lado de la forma y la fuerza en cada uno. Esto resulta muy claramente tanto en Yesod como en Malkuth, a los que se han de asignar dioses y diosas.

23. Yesod es esencialmente la Esfera de la Luna, y como tal la preside Diana, la diosa lunar de los griegos. Ahora bien, Diana fue primeramene una diosa casta, siempre virgen, y cuando el por demás presuntuoso Acteón la fastidió, los perros de caza de éste lo despedazaron. Sin embargo, en Efeso, a Diana se la representaba como la de Muchos Pechos, y se la consideraba una diosa de la fertilidad. Además, Isis es también una diosa lunar, como lo indica la media luna sobre su frente, que en Hathor se convierte en los cuernos de vaca, siendo la vaca, entre todos los pueblos, el símbolo especial de la maternidad. En el simbolismo cabalístico, los órganos de la generación se asignan a Yesod.

24. Todo esto es muy desconcertante a primera vista, pues los símbolos parecen excluirse mutuamente. Sin embargo, si damos un paso adelante, empezamos a encontrar vínculos conectores entre las ideas.

25. La Luna tiene tres diosas asignadas a ella, Diana, Selene o Luna, y Hécate, siendo esta última la diosa de la hechicería y los encantamiento, y presidiendo también el parto.

26. Hay también un importantísimo dios lunar, que no es otro que el mismo Thoth, el Señor de la Magia. De modo, pues, que cuando hallamos a Hécate en Grecia y a Thoth en Egipto, ambos asignados a la Luna, no podemos dejar de reconocer la importancia de la Luna en cuestiones mágicas. ¿Cuál es entonces la clave de la Luna mágica, que a veces es una diosa virgen y a veces una diosa de la fertilidad?

27. La respuesta no está muy lejos como para buscarla. Ha

de hallársela en la naturaleza rítmica de la Luna y, de hecho, en la naturaleza rtítmica de la vida sexual de la mujer. Hay veces en las que Diana tiene muchos pechos; hay ocasiones en que sus perros despedazan al intruso.

28. Al tratar los ritmos de la Luna, nos ocupamos de condiciones etéricas, no físicas. El magnetismo de las criaturas vivas crece y mengua con una marea definida. Esta es una cosa que no es difícil de observar cuando sabemos qué buscar. Se patentiza más claramente en las relaciones entre personas cuyo magnetismo está muy parejamente equilibrado. Algunas veces estaremos en creciente, otras en menguante.

29. Ahora bien, puede formularse esta pregunta: "Si la Esfera de Yesod es etérica, ¿por qué los órganos de la generación se asignan a esta esfera, pues, con seguridad, su función, si la hay, es física?". La respuesta a esta pregunta ha de hallarse en el conocimiento de los aspectos más sutiles del sexo, que el mundo occidental parece haber perdido enteramente de vista. En estas páginas no podemos entrar en minucias, y baste señalar que todos los aspectos más importantes del sexo son etéricos y magnéticos. Al sexo podríamos compararlo con un *iceberg* cuyas cinco sextas partes del volumen están debajo de la superficie. Las reacciones físicas reales, correspondientes al sexo, forman una proporción pequeñísima, y de ningún modo constituyen la parte más vital de su funcionamiento. Debido a que ignoramos esto, son tantos los matrimonios que no logran cumplir la finalidad de la sólida unión de dos mitades en una totalidad perfecta.

30. No tomamos en cuenta el lado mágico del matrimonio, a pesar del hecho de que la Iglesia lo clasifica como un sacramento. Ahora bien, un sacramento se define como un signo externo y visible de una gracia interna y espiritual, y esa gracia interna y espiritual es la que tan raras veces se halla en el acto del matrimonio de las razas anglosajonas, con su temperamento relativamente frío y su desdén hacia el cuerpo. La gracia interior y espiritual que convierte al matrimonio en un sacramento verdadero en su género, no es la gracia de la sublimación, o del renunciamiento, ni una pureza abnegada y abstinente; es la gracia de la bendición de Pan en el gozo de las cosas naturales, que Walt Whitman expresara con tanta belleza en su poema "Los Hijos de Adán" (*Children of Adam*).

31. Es muy significativo que a Yesod se le asignen los perfu-

mes y las sandalias. Ambas cosas representan importantísimo papel en las operaciones mágicas. Las sandalias (o zapatillas blandas, sin contrafuerte, que permiten al pie un libre juego), se usan siempre, en la labor ceremonial, para pisar el círculo mágico. Son parte tan importante del equipo rnágico del ocultista práctico como lo es su cetro de poder. Dios dijo a Moisés: "Quita tu calzado de tus pies, pues el lugar en que tú estás tierra santa es". El adepto crea para sí el suelo santo calzando sus pies con sandalias consagradas. La alfombra, con el color y las señales simbólicas pertinentes, constituye también pieza importante de los adminículos de la logia. Su finalidad es concentrar el magnetismo terrestre que se usa en la operación, tal como el altar es el foco de las fuerzas espirituales. Con nuestros pies tomamos el magnetismo terrestre; y cuanto éste es de un género especial, usamos peculiares zapatillas que no lo inhibirán.

32. Los perfumes son también importantísimos en las operaciones ceremoniales, pues representan el lado etérico de la cuestión. Su influencia psicológica es bien conocida, pero, fuera de las logias ocultas, poco se estudió el delicado arte de usarlos psicológicamente. El uso del perfume es el modo más eficaz de actuar sobre las emociones y, en consecuencia, de cambiar el foco de la consciencia. ¡Con cuánta rapidez nuestros pensamientos se alejan de las cosas terrenas cuando, desde el elevado altar llega hasta nosotros el vagaroso humo del incienso; con cuánta celeridad volvemos a ellas nuevamente cuando nos llega una vaharada de pachulí desde el contiguo banco de la iglesia!

33. Y en las cuatro cartas del Tarot asignadas a este Sephirah, ¡con cuánta claridad vemos aparecer la actividad del magnetismo etérico! Hay Gran Fuerza cuando estamos en los contactos terrestres y benditos correspondientes a Pan; hay también Felicidad Material; en realidad, sin la bendición de Pan no puede haber felicidad material porque los nervios no están tranquilos. Sin embargo, en su lado negativo han de hallarse las honduras de la Desesperación y la Crueldad; pero con los contactos terrestres firmes bajo nuestros pies llega la Ganancia Material porque nos adecuamos al trato con el plano material.

Capítulo XXV

MALKUTH

TITULO: Malkuth, el Reino. (Grafía hebrea: מלכות: Mem, Lamed, Vau, Tau.).

IMAGEN MAGICA: Una mujer joven, coronada y entronizada.

SITUACION EN EL ARBOL: En la base de la Columna del Equilibrio.

TEXTO DEL YETZIRAH: El Décimo Sendero se llama la Inteligencia Resplandeciente porque se eleva por encima de todas las cabezas y se asienta en el Trono de Binah. Ilumina los esplendores de todas las Luces, y hace que una linfluencia emane del Príncipe de los Semblantes, el Angel de Kether.

TITULOS QUE SE DA A MALKUTH: La Puerta. La Puerta de la Muerte. La Puerta de la Sombra de la Muerte. La Puerta de las Lágrimas. La Puerta de la Justicia. La Puerta de la Oración. La Puerta de la Hija de los Poderosos. La Puerta del Jardín del Edén. La Madre Inferior. Malkath, la Reina. Kallah, la Novia. La Virgen.

NOMBRE DE DIOS: Adonai Malekh o Adonai ha Aretz.

ARCANGEL: Sandalphon.

CORO DE ANGELES: Ashim, Almas de Fuego.

CHAKRA MUNDANO: Cholem ha Yesodoth, Esfera de los Elementos.

EXPERIENCIA ESPIRITUAL: Visión del Santo Angel de la Guarda.

VIRTUD: Discriminación.

VICIO: Avaricia. Inercia.

CORRESPONDENCIA EN EL MICROCOSMOS: Los pies. El ano.

SIMBOLOS: Altar del doble cubo. La cruz de los brazos iguales.

El círculo mágico. El triángulo del arte.
CARTAS DEL TAROT: Los cuatro Diez.
DIEZ DE BASTOS: Opresión.
DIEZ DE COPAS: Triunfo.
DIEZ DE ESPADAS: Ruina.
DIEZ DE PENTACULOS: Riqueza.
COLOR EN ATZILUTH: Amarillo.
COLOR EN YETZIRAH: Limón, oliva, bermejo y negro, con manchas doradas.
COLOR EN BRIAH: Limón, oliva, bermejo y negro.
COLOR EN ASSIAH: Negro, con rayas amarillas.

I

1. Se observará que la conformación del Arbol corresponde naturalmente a tres triángulos funcionales, pero que Malkuth no participa de tal triángulo, sino que se mantiene separado y los cabalistas dicen que recibe las influencias o las emanaciones de todos los demás Sephiroth. Pero aunque Malkuth es el único Sephirah que se representa en parcelados cromatismos en vez de una unidad, pues se divide en cuatro sectores, que se asignan a los cuatro elementos: Tierra, Aire, Fuego y Agua. Y aunque no es funcional en triángulo alguno, representa los resultados finales de todas las actividades del Arbol. Es el nadir de la evolución, el punto más exterior del arco saliente, a través del cual deberá pasar toda la vida antes de regresar al lugar de donde provino.

2. Dícese que Malkuth es la Esfera de la Tierra; pero no debemos cometer el error de pensar que los cabalistas significaron con Malkuth solamente la esfera terrestre. También significaron el alma de la Tierra, es decir, el aspecto sutil, psíquico, de la materia; el noúmeno subyacente del plano físico que suscita todos los fenómenos físicos. De modo parecido ocurre con los cuatro elementos. Estos no son la tierra, el aire, el fuego y el agua como los conocen los físicos, sino los cuatro estados en los que la energía puede existir. El esoterista los distingue respecto de sus contrapartes mundanas refiriéndose a ellos como el Aire

de los Sabios, o la Tierra de los Sabios, según sea el caso. Es decir, el Elemento Aire o Tierra, como lo conoce el iniciado.

3. El físico reconoce la existencia de la materia en tres estados: Primero, como sólido, en el que las partículas de que está compuesto se adhieren firmemente entre sí; segundo, líquido, en el que las partículas se mueven libremente una sobre otra; tercero, gaseoso, en el que todas las partículas procuran alejarse una de la otra tan lejos como les sea posible, o, en otras palabras, difundirse. Estos tres modos de la materia corresponden a los tres elementos de Tierra, Agua y Aire, y los fenómenos eléctricos corresponden al elemento Fuego. La Ciencia esotérica clasifica a todos los fenómenos que se manifiestan en el plano físico bajo estos cuatro títulos, y da la mejor clave para entender realmente su naturaleza; y reconoce que cualquier fuerza dada puede pasar de un estado a otro bajo ciertas condiciones, tal como el agua puede existir en estado de hielo o vapor, lo mismo que en su normal fluidez.

4. El esoterista ve en Malkuth el resultado final de todas las operaciones; y no puede decirse que hayan completado ningún ciclo dado de experiencia hasta que los Pares de Opuestos hayan alcanzado el equilibrio afianzado que da el estado de Tierra, o de coherencia. Cuando se logra esto, construyen un vehículo permanente de expresión que evolucionado de esta manera se torna auto-regulador, y continuará funcionando con el mínimo de atención, tal como el corazón humano abre y cierra sus válvulas con regularidad perfecta en respuesta a un ciclo estereotipado de impulsos nerviosos y de presión sanguínea.

5. La gran cuestión a recordar respecto de Malkuth es que aquí se logra estabilidad. La virtud a Malkuth radica en su inercia. Todos los otros Sephiroth son móviles en grados variables; incluso la Columna Central que sólo alcanza equilibrio en la función, tal como lo alcanza el que camina por la cuerda floja.

6. Como todos los demás Sephiroth, a Malkuth sólo puede entendérselo cuando se lo considera en relación con sus vecinos. Pero en este caso hay solamente un vecino: Yesod. A Malkuth no se lo puede llegar a entender, salvo entendiendo a Yesod.

7. Pues si bien Malkuth es esencialmente la esfera de la forma, toda la coherencia de las partes, salvo simples tensiones mecánicas y atracciones y rechazos electromagnéticos, depende de las funciones de Yesod. Y Yesod, aunque es esencialmente un

Sephirah que da vida, para manifestar sus actividades depende de la sustancia que Malkuth le provee. Las formas de Yesod son "de aquella sustancia con que están hechos los sueños" hasta que extrajeron las partículas materiales de Malkuth para hacer encarnar sus formas. Son sistemas de tensiones dentro de cuya estructura son construidas las partículas físicas.

8. Y de igual modo ocurre con Malkuth, que es materia inanimada hasta que los poderes de Yesod lo animan.

9. Debemos concebir al plano material como el signo externo y visible de la actividad etérica invisible. A Malkuth, en su esencia primordial, el físico sólo lo conoce mediante sus instrumentos. Huelga decir que donde hay vida, existe Yesod, porque Yesod es el vehículo de la vida; pero también debe comprenderse que donde hay cualquier género de actividad o conductividad eléctrica, ya sea de cristales, metales o productos químicos, funciona la fuerza de Yesod. Este hecho es el que hace que ciertas sustancias sean apropiadas para que se las use como talismanes, porque reciben una carga de fuerza astral.

10. En estas páginas no es posible entrar en un estudio minucioso de la física esotérica; sin embargo, debe decirse bastante para hacerle comprender al estudiante los principios que subyacen en este concepto del mundo material, que lo ve como un cortinado visible sobre una trama invisible.

11. La naturaleza exacta de la relación entre Yesod y Malkuth debe entenderse claramente, porque es de total importancia para el trabajo oculto práctico. Por supuesto Yesod es el principio que da vida, y cualquiera que sea la forma que se construya en su Esfera, encarnará en la Esfera de Malkuth a menos qu contenga elementos incompatibles, pues tenderá a atraer hacia sí las condiciones de expresión material. Sin embargo, las partículas materiales son de naturaleza por demás resistente e insensible, y las fuerzas de Yesod pueden producir algunos efectos sólo si trabajan sobre el elemento más tenue de la materia (al que los iniciados llaman Elemento Fuego). Una vez que sea posible obtener respuesta de este fuego Elemental, se podrá, a su vez, influir sobre los demás Elementos.

12. Empero, el Fuego Elemental es un género de super-estado de la materia con el que sólo la física muy avanzada está algo familiarizada. Mejor que cosa en sí misma, podría llamárselo estado de relaciones. Al Aire Elemental podría describírselo como

capacidad para lograr estas relaciones, y, como tal, es el principio vital de la vida física; pues la sustancia orgánica sólo es posible en la medida en que la materia sea capaz de organizarse. El Agua Elemental, el Agua de los Sabios, sólo es protoplasma puro; y la Tierra Elemental es materia inorgánica.

13. Ahora bien, cada uno de estos tipos de fuerza organizada y de capacidad de reacción tiene su propia naturaleza muy definida, de la que no se apartará ni el grosor de un cabello hacia fuerza alguna del cosmos manifiesto. Pero como hay claras interrelaciones de influencia y expresión entre estos cuatro estados elementales, mediante el uso de la recíproca influencia de ellas es posible lograr resultados que, por falta de conocimiento, se llaman mágicos. Por supuesto, el método de la magia consiste en manejar estas formas elementales tenues; pero el método de la vida consiste también en hacer lo mismo, y si la magia ha de ser algo más que autosugestión, deberá usar los métodos de la vida: es decir, deberá trabajar por intermedio del protoplasma, pues éste, en su curiosa estructura tramada, transporta la sutil fuerza magnética del Fuego de los Sabios, transmitida a través del aire elemental. En otras palabras, el operador tiene que usar su propio cuerpo para "arrrancar" por sí sólo; pues el magnetismo de su propio protoplasma provee la base de manifestación de cualquier fuerza que se introduce en la Esfera de Malkuth. Llevado a su conclusión lógica, este es el principio de la generación, tanto de protozoos como de espermatozoides.

14. El concepto moderno de la materia se aproxima muchísimo a lo que la ciencia esotérica sostuvo desde tiempo inmemorial. Lo que nuestros sentidos perciben son los fenómenos atribuibles a actividades de diferentes tipos de fuerza, habitualmente organizadas y combinadas. La naturaleza de la materia ha de entenderse sólo conociendo la naturaleza de estas fuerzas. La ciencia exotérica se ocupa del problema sutilizando su concepto de la materia hasta que en él no queda sustancia. Lo que el físico ahora conoce como materia dista muchísimo de ser evidente.

15. El esoterista, al enfocar el problema desde la dirección contraria, señala que materia y mente son dos caras de la misma moneda, pero que, cuando investigamos, llegamos a un punto en el que es beneficioso que modifiquemos nuestro léxico y hablemos de fuerzas y formas según los términos de la psicolo-

gía, como si aquéllas fueran conscientes y deliberadas. Según él, esto nos permite ocuparnos mucho mejor de los fenómenos con que nos topamos que si nos limitáramos a términos sólo aplicables a materia inanimada y fuerza ciega y sin dirección. A causa de la naturaleza de nuestro intelecto, debemos usar siempre la analogía como una ayuda para que comprendamos; si las analogías que usamos en este nivel de la investigación son las de la materia inanimada, las hallaremos tan inadecuadas que serán muy limitativas, desorientadoras y oscurecedoras del misterio en general.

16. Sin embargo, si el léxico que usamos consiste en vida, inteligencia y voluntad deliberada, debidamente atemperado para adecuarlo a las necesidades de la muy rudimentaria evolución de aquello que tenemos que tratar, descubriremos que la analogía con que contamos es iluminadora en vez de limitadora, y que propenderá a que nuestra comprensión avance.

17. Por esta razón, el esoterista personifica a las fuerzas más sutiles y las llama Inteligencias. Luego, procede a tratarlas como si fueran inteligentes, y halla que hay un lado sutil de su propia naturaleza y consciencia que responde a ellas y al cual él es afecto a creer que ellas responden. En todo caso, ya sea que la respuesta sea mutua o no, sus poderes para tratar con ellas se extienden grandemente, por este medio, más allá de los que él posee cuando las considera como una "fortuita concurrencia de incidentes inconexos".

II

18. Malkuth es el nadir de la evolución, pero no se lo debe considerar como el postrer abismo de lo que no es espiritual, sino como la boya que es señal en una regata de yates. Todo yate que enfile de regreso su rumbo antes de haber circundado la señal de esa boya queda descalificado. Y lo mismo ocurre con el alma. Si tratamos de escapar de la disciplina de la materia antes de haber dominado las lecciones de la materia, no estamos avanzando hacia el cielo, sino sufriendo por una evolución que se detiene. Estas deficiencias espirituales son las que se congregan, una y otra vez, en las innumerables y poco seguras organizaciones edificantes que llegan a nosotros procedentes del Lejano

Oriente y del Lejano Occidente. Ellas encuentran en un barato idealismo un escape de las rigurosas exigencias de la vida. Tarde o temprano tendrán que enfrentar los obstáculos y superarlos. La vida se los presenta una y otra vez, y en la actualidad empieza a usar el látigo y el azote de la enfermedad psicológica; pues quienes no enfrenten a la vida, se disocian; y la disociación es la causa primera de la mayoría de las enfermedades de las que la mente es la heredera.

19. Si estudiamos las lecciones de la historia, obtendremos mucha luz sobre problemas morales y espirituales desde un ángulo inesperado. Vemos que toda la civilización y toda la inspiración nació en Oriente; cuestión esta que quienes pertenecen a la raza oriental o siguen una tradición oriental señalan con orgullo, diciendo que Occidente deberá sentarse a los pies de Oriente si ha de aprender los secretos de la vida.

20. Ahora bien, no puede negarse que hay muchas cosas, especialmente los aspectos más recónditos de la psicología, respecto de los cuales Oriente conoce muchísimo más que Occidente, y que deberíamos tener la sensatez de aprenderlos; pero tampoco podrá negarse que, tras su origen en Oriente, la cima de la evolución se halla ahora en Occidente, y que en lo concerniente a cualquier adelanto en el arte de vivir en este planeta tierra, Oriente deberá volver su vista hacia Occidente, a menos que se contente con retroceder al nivel de vida del tiempo de la rueca. Pero no olvidemos que, junto con el nivel primitivo de la vida, marcha también el nivel primitivo de la muerte. Una cultura primitiva sólo puede sostener una población escasa. Muchísimas personas tendrán que morir, principalmente viejos y jóvenes. Cuando retornamos hacia la Naturaleza, ésta nos trata a su modo, mostrándonos sus enrojecidos dientes y garras. El duro impacto de la Naturaleza no es agradable. Cuando los seres humanos enferman demasiado y quedan postrados, ella los barre con enfermedad y hambruna. La civilización de los blancos marcha a la par del estado sanitario de esos mismos blancos. Absteniéndonos de toda acción podemos lograr liberarnos de la esclavitud del cuerpo con mayor rapidez y eficacia de lo que esperamos, si entre las acciones de las que nos abstenemos están las relacionadas con el aseo de la comunidad en un país densamente poblado.

21. Los griegos entendieron mejor que nadie el principio de

Malkuth, y fueron los fundadores de la cultura europea. Ellos nos enseñaron a que viéramos a la belleza en la proporción y la función perfectas, no en otra parte. Fueron las figuras de una urna griega las que indujeron a Keats a ponerse a contemplar mentalmente a la Verdad y a la Belleza ideales. No hay ideal más elevado que éste para que la mente finita lo contemple, pues en él la Ley y los Profetas se remontan muy por encima de las toscas prohibiciones mosaicas, y se internan en la inscripción de un ideal que es menester seguir.

22. La civilización trabajó en la Esfera de Malkuth durante los últimos mil años. No es preciso que astrólogo alguno nos diga que la Gran Guerra* señaló el final de una época, y que ahora estamos en la alborada de una nueva fase. Según la doctrina cabalística, el Destello Centelleante, tras bajar del Arbol y terminar en Malkuth, es ahora reemplazado por el simbolismo de la Serpiente de la Sabiduría, que se enrosca y anuda ascendentemente en los Senderos hasta que su cabeza descansa junto a Kether. El Destello Centelleante representa al descenso inconsciente de la fuerza, que construye los planos de la manifestación, y pasa de activo a pasivo y regresa de nuevo a fin de que el equilibrio se mantenga. La Serpiente que se enrosca en los Senderos representa la alborada de la consciencia objetiva y es el símbolo de la iniciación; la evolución, llevando consigo a la raza íntegra, comienza a marchar por el Sendero que los iniciados recorrieron, adelantándose a su época. Ahora es normal que el hombre promedio haga lo que sólo los iniciados solían hacer.

23. Vemos entonces que el punto creciente de la evolución empieza a nacer de Malkuth a proyectarse hacia Yesod. Esto significa que la ciencia, tanto la pura como la aplicada, trasciende el estudio de la materia inanimada y comienza a tener en cuenta el lado etérico y psíquico de las cosas. Esta fase cambiante, que nos rodea, pueden verla quienes son capaces de leer los signos de los tiempos. La observamos en la medicina, en las relaciones internacionales, en la organización industrial. Por último, y muy renuentemente, advertimos que se hace sentir en la fisiología y la psicología (que se aferran tenazmente a una explicación materialista de todas las cosas, y especialmente de los procesos

* 1914-1918

biológicos), incluso después que la física (que declaradamente se ocupa de la materia inanimada) abandonó la posición materialista y habla en términos matemáticos.

24. Una clave valiosísima nos la da la división oculta de Malkuth en los Cuatro Elementos. Debemos considerar a la materia, como la conocemos, como la Tierra de Malkuth. Los diferentes tipos de actividad física, tanto en moléculas como en masas, pueden clasificarse bajo los dos títulos de anabolismo y catabolismo, es decir, los procesos constructivo y destructivo; en la terminología esotérica, pueden clasificarse como el Agua o el Aire de Malkuth, y sea lo que fuere que la filosofía esotérica o la mitología pagana digan en relación con estos elementos, será de aplicación a estos dos procesos y funciones metabólicos. El Fuego de Malkuth es el aspecto electro-magnético sutil de la materia que es el vínculo con los procesos de la consciencia y la vida, y a él se aplican todos los mitos sobre la vida.

25. Cuando se entiende este principio de clasificación, la terminología de los alquimistas se torna menos recóndita y absurda, pues se ve que la clasificación en Cuatro Elementos se refiere realmente a cuatro modos de manifestación en el plano físico. Este método de clasificación es de grandísimo valor, porque permite ver fácilmente la relación y la correspondencia entre el plano físico y el proceso biológico existente detrás de éste. Es especialmente importante en el estudio de la fisiología y la patología, y en su aplicación práctica es una clave importantísima de la terapéutica. Los médicos más avanzados empiezan a percibir su rumbo hacia esta posición, y las clasificaciones de Paracelso las cita hoy en día más de una autoridad en medicina. Está recibiendo atención el concepto de diátesis o predisposición constitucional. Asimismo, la psicoterapia empieza a ver que la vieja clasificación en los cuatro temperamentos proporciona una útil guía de tratamiento, y que no corresponde manejar a todos del mismo modo; y que ni siquiera los resultados parecidos brotan siempre de causas parecidas en los reinos de la mente, porque interviene el temperamento y falsifica los resultados. Por ejemplo, apatía de tipo flemático puede significar sencillamente "tedio"; mientras el mismo grado de apatía de tipo sanguíneo puede significar un derrumbe completo de toda la personalidad. Las analogías entre cosas materiales y mentales pueden ser muy equívocas; mientras que las analogías entre

cosas mentales y materiales pueden ser muy esclarecedoras.

26. Los cuatro elementos corresponden a los cuatro temperamentos como los describiera Hipócrates, a los cuatro palos del Tarot, a los doce signos del Zodíaco, y a los siete planetas. Si se determinan las implicancias de estas afirmaciones, se verá que aquí están contenidas algunas claves importantísimas.

27. El Elemento Tierra corresponde al Temperamento Flemático; el palo de Pentáculos; los signos de Tauro, Virgo y Capricornio; y los planetas Venus y Luna.

28. El Elemento Agua corresponde al Temperamento Bilioso; el palo de Copas; los signos de Cáncer, Escorpio y Piscis; y el planeta Marte.

29. El Elemento Aire corresponde al Temperamento Colérico; el palo de Espadas; los signos de Libra, Géminis y Acuario; y los planetas Saturno y Mercurio.

30. El Elemento Fuego corresponde al Temperamento Sanguíneo; el palo de Bastos; los signos de Aries, Sagitario y Leo; y los planetas Sol y Júpiter.

31. Entonces, se advertirá que, si a los asuntos y fenómenos mundanos los clasificamos en términos de Cuatro Elementos, observaremos al punto su relación con la astrología y con el Tarot. Ahora bien, en el método científico, la clasificación es la etapa inmediatamente siguiente a la observación. La labor científica, en su mayoría, consiste simplemente en estos dos procesos; concretamente, entre quienes corrientemente se ocupan de lo científico, aquellos procesos representan el ámbito total de sus actividades. Si la ciencia se limita a estas dos actividades, no sería más que una recopilación de listas de fenómenos naturales, como si el universo consistiera en una simple tabulación. Pero el científico dueño de imaginación (que es el único que merece llamarse investigador) no usa la clasificación tanto como un medio para separar las cosas prolijamente, sino para ser capaz de reconocer las relaciones.

32. Del científico con imaginación, que percibe, hasta el

científico que filosofa e interpreta hay un solo paso; y del científico filosófico que interpreta en términos de causalidad hasta el científico esotérico que interpreta en términos de finalidad, y así vincula a la ciencia con la ética, hay sólo otro paso. La tragedia de la Ciencia Esotérica consiste en que sus exponentes estuvieron casi siempre equipados inadecuadamente en el plano de Malkuth, y, en consecuencia, fueron incapaces de coordinar sus resultados con los que obtenían quienes trabajaban en otros campos. Mientras nos contentemos con este estado de cosas; seguiremos teniendo, como suerte inalienable, pensamientos tontos y suposiciones crédulas. La Ciencia Esotérica necesita observar la regla de las regatas de yates, y hacer que cada operación mágica dé la vuelta por la boya señalizadora de Malkuth antes de que se la compute completa.

33. Interpretemos ahora este símil desde el punto de vista del ocultismo técnico. El propósito de cada operación mágica es hacer que descienda energía a los planos y se ponga al alcance del operador, quien luego la aplica para cuantos fines se proponga. Muchos operadores se contentan con obtener resultados puramente subjetivos: es decir, una sensación de exaltación; otros aspiran a producir fenómenos psíquicos. Sin embargo, debe reconocerse que ninguna operación se completa hasta que el proceso se expresó en términos de Malkuth, o, en otras palabras, se puso en acción en el plano físico. Si no se hace esto, la fuerza generada no "hace tierra" apropiadamente, y esta fuerza suelta, que se deja dando vueltas por allí, es la que causa trastornos en los experimentos mágicos. Tal vez no cause trastornos en un solo experimento, pues unos pocos operadores generan bastante energía como para causar algo, pero no trastornos propiamente dichos; pero en una serie de experimentos, el efecto puede ser acumulativo y dar por resultado un trastorno psíquico generalizado y una racha de mala suerte y de hechos raros que los experimentadores informan con tanta frecuencia. Esta clase de cosas es la que da un mal nombre a la magia experimental e induce a que se la considere tan peligrosa y se la compare con la drogadicción. Sin embargo, la verdadera analogía sería con los peligros de la investigación con rayos X en los primeros tiempos de éstos. Trátase de una técnica defectuosa que suscita trastornos, como deberá ocurrir siempre que se manejen potencias activas. Perfeccionemos nuestra técnica y nos libraremos de nuestros problemas, y dispondremos de una fuerza potentísima para usarla.

III

34. El único medio de transición de Yesod a Malkuth es por mediación de las sustancias vivas. Ahora bien, hay varios grados de vitalidad. El esoterista reconoce a la vida dondequiera que haya forma organizada, pues dice que la vida es la única que organiza la forma, aunque en lo que popularmente se llaman sustancias inorgánicas la proporción de vida es pequeñísima, y en algunos casos infinitesimal. Sin embargo, en algunas formas de materia inorgánica hay una proporción de vida que de ningún modo es despreciable, tal como en las plantas hay una proporción de inteligencia que de ningún modo es insignificante. Sólo recientes adelantos en el trabajo experimental, especialmente los de Sir Jagindranath Bhose, demostraron este hecho, pero el ocultista práctico lo conocía empíricamente mucho tiempo atrás. Este empleó siempre sustancias cristalinas y metálicas como baterías de almacenamiento de las fuerzas sutiles. A la seda la consideró siempre como un aislante. De hecho, se valió de las propiedades de las mismas sustancias que el electricista emplea hoy en día. Considérase que los mejores talismanes son discos de metal grabado con dibujos adecuados y que se conservan envueltos en seda de color que se adapta a la fuerza con la que el talismán está cargado. Una piedra preciosa, que por supuesto es un cristal de color, es parte importantísima de ciertas operaciones, pues se afirma que actúa para concentrar la fuerza. Asimismo, es parte importantísima de ciertos tipos de receptores inalámbricos. Ahora está bien reconocida la influencia de los colores sobre los estados mentales. A ningún operario se le permite que trabaje durante un lapso prolongado en los recintos de luz roja de los fabricantes de artículos fotográficos, porque se reconoce que tales operarios son propensos a trastornos emocionales e incluso a desequilibrio mental temporario. Estamos volviendo a descubrir todas estas cosas por medio del método científico moderno y de sus instrumentos, pero los antiguos las conocían bien y sus aplicaciones prácticas se manejaban en una proporción que hoy ni siquiera se imagina, salvo entre los pocos que popularmente se conocen como "chiflados".

35. Descubrimos que a las plantas también les acreditan un grado variable de "actividad psíquica". Esto se atribuye espe-

cialmente a las plantas aromáticas. Los antiguos tenían un acabado sistema de atribución de plantas a las diferentes formas de fuerza sutil. Por supuesto, algunas de éstas eran fantásticas, pero hay ciertos principios vastos que brindan su guía. Donde encontremos una planta asociada tradicionalmente con alguna deidad, podemos tener la seguridad de que esa planta demostró tener afinidades con el tipo de fuerza que esa deidad representa. Tal vez esa asociación parezca superficial e irracional a nuestros ojos modernos, asociación ésta que Freud nos demostró que es empleada por la mente que sueña; pero los fieles de esa deidad, si la tradición sacralizó la asociación, habrán construido la conexión psíquica entre la planta y la fuerza, y como en todas esas asociaciones tradicionales, una vez que se establecen, el vínculo es fácilmente recuperable por quienes saben cómo usar la imaginación constructiva. Si hay alguna relación intrínseca entre la naturaleza de la planta y la naturaleza de la fuerza a la cual es asignada, como en el caso de la rosa asignada a Venus y el lirio a la Virgen María, tal relación la establecen con rapidez los fieles de un culto y es velozmente recuperable por los que siguen sus huellas, incluso luego de transcurridos siglos. Por tanto, tal relación existe para todos los fines prácticos, no sólo respecto de las plantas asignadas a una deidad particular sino también respecto de los animales.

36. Una atribución que tiene importancia práctica especial es la de los perfumes y colores. Las atribuciones de los colores ya se dieron en las tablas, al principio de cada capítulo. Respecto de los perfumes, es menos fácil fijar normas rigurosas y seguras, pues los perfumes de que disponemos son casi incontables, y en la labor práctica las fuerzas tienden a menudo a correr una dentro de la otra. Por ejemplo, es difícil, y, de hecho, indeseable, mantener a las fuerzas de Netzach separadas de las de Tiphareth, y a las de Hod respecto de Yesod, o Yesod respecto de Malkuth; y quien procura trabajar con Geburah sin Gedulah suele chasquearse.

37. Los perfumes no sólo se usan para hacer que la deidad se manifieste, sino también para sintonizar la imaginación del operador. Con este último fin son eficacísimos, como cualquiera lo descubrirá por sí mismo si trata de celebrar una ceremonia sin el perfume apropiado. Con operadores inexpertos es aconsejable

prescindir del uso del perfume en caso de que el efecto psíquico sea demasiado drástico para la comodidad o la conveniencia.

38. En sentido lato, podemos dividir a los perfumes en los que exaltan la consciencia y los que agitan lo subconsciente y lo ponen en actividad. De los que exaltan la consciencia, se destacan las resinas aromáticas, empleadas exclusivamente en la fabricación del incienso que se usa en las iglesias. Además de aquéllas, ciertos aceites especiales poseen propiedades similares, especialmente los que son más bien aromáticos y astringentes que dulces y especiados. Estas sustancias son valiosas en todas las operaciones en las que el objetivo es acrecentada claridad intelectual o exaltación de tipo místico.

39. Los perfumes que despiertan a la mente subconsciente son de dos tipos: el dionisíaco y el venusino. Las fragancias dionisíacas son del tipo aromático, especiado, como las piñas de cedro, sándalo o pino que se hacen arder lentamente. Las fragancias venusinas son de naturaleza dulce y empalagadora, como la vainilla. En la práctica concreta, estos dos tipos de fragancia se matizan mutuamente, y han de hallarse fragancias características de flores en ambas divisiones. En el trabajo práctico de preparar los perfumes, se emplea casi siempre una combinación de ingredientes, que se realzan recíprocamente. Muchos perfumes, de por sí no refinados y acres, o empalagadores y nauseabundos, se vuelven admirables al combinarlos.

40. Se ha dicho que los perfumes sintéticos no son útiles para el trabajo mágico. Según mi experiencia, esto no es así, siempre que la esencia sea de buena calidad. Las esencias sintéticas buenas no llegan a distinguirse de los productos naturales, salvo mediante comprobaciones químicas. Como el valor de los perfumes es psicológico, y su acción es sobre el operador, no sobre el poder invocado, la naturaleza química de la sustancia es inmaterial, siempre que obtengamos el efecto apropiado.

41. Lo mismo es de aplicación para las piedras preciosas, aunque sea una consumada herejía decirlo. Todo lo que necesitamos es un cristal de color adecuado, y no representa diferencia alguna que sea un rubí de Birmania o un Burma, salvo en nuestra cuenta bancaria. El hecho de que los antiguos supieran esto lo atestigua el que a las diversas deidades se les asignaba piedras preciosas de alternativa en las listas correspondientes a aquéllas. Por ejemplo, Crowley, en "777", dice que perlas,

adularias, cristal y cuarzo están todos consagrados a las fuezas lunares, y el rubí o cualquier piedra roja están consagrados a Marte. 42. El ocultista cree que la concentración mental de una corriente volitiva, con el respaldo de la imaginación, tiene efecto sobre ciertos cristales, metales y aceites. Utiliza esta propiedad a fin de conservar en ellos fuerzas de tipo particular para que éstas fuerzas puedan volver a despertarse a voluntad, o incluso ejercer su influencia todo el tiempo por medio de una firme emanación. El ceremonial, en su mayoría, depende, en algún grado al menos, del principio de las armas mágicas consagradas. Es digno de nota que los más importantes elementos eclesiásticos se consagran siempre antes de ponerlos en uso. El hecho de que esta consagración sea eficaz no es cuestión de opinión. Todo buen psíquico distinguirá fácilmente entre objetos consagrados y no consagrados, siempre que, por supuesto, la consagración haya sido eficaz. En todo ocultista práctico, es cuestión de experiencia que en él tiene lugar un cambio muy claro cuando toma en su mano sus instrumentos mágicos acostumbrados o se pone sus vestimentas de costumbre. Con éstos podrá hacer lo que no podrá hacer sin ellos. También sabe que insume tiempo "empezar a usar" un nuevo instrumento mágico. Es interesante notar a este respecto que soy enteramente incapaz de escribir algo sobre la "Cábala Mística" sin mi antiguo y gastado "Arbol de la Vida" junto a mí. Es también interesante notar que cuando este Arbol de la Vida, que otro preparó originalmente para mí, se puso tan oscuro que casi quedó indescifrable, yo misma lo volví a pintar, y de allí en adelante descubrí que de inmediato su magnetismo aumentó notablemente: y de esta manera se confirmó la vieja tradición de que debemos preparar siempre nuestras armas mágicas, en la medida de lo posible con nuestras propias manos.

43. El gran problema en el trabajo práctico es llevar las cosas a través de la Esfera de Malkuth. Los antiguos describieron muchos métodos: no tenemos medios para saber con cuánta verdad. ¿Hasta dónde se obtenían las materializaciones reales mediante el método de sacrificio sangriento que describía Virgilio, y hasta dónde la exaltada imaginación de los participantes en estos ritos imponentes suministran la base de la manifestación?

44. Pero sean lo que fueren estos hechos, los holocaustos de los antiguos no son un método practicable para que los siga el

experimentador moderno. Sin embargo, la base de la idea radica en el hecho de que la sangre recién derramada despide ectoplasma. Por supuesto, hay *médiums* materializadores que también despiden ectoplasma sin efusión de sangre. Pero quienes despiden apreciable cantidad son pocos y muy ocasionales. Cuando una cantidad de personas psíquicamente desarrolladas se congrega en un círculo con el fin de una evocación, entre ellas pueden despedir suficiente ectoplasma para formar la base necesaria para los fenómenos físicos. Tal método no carece de dificultades, para no decir riesgos, y el esoterista, que es más bien un filósofo que un experimentador, raras veces hace uso de él. Le basta si logra manifestaciones en la Esfera de Yesod y las percibe con la visión interior.

45. El único canal satisfactorio de evocación es el operador mismo. En el método egipcio de evocación, que se conoce como el hecho de asumir formas de dioses, el operador se identifica con el dios y se ofrece como el canal de la manifestación. Es su propio magnetismo el que sirve de puente al abismo entre Malkuth y Yesod. No hay otro método tan satisfactorio, pues la cantidad de magnetismo de un ser vivo es mucho mayor que en cualquier metal o cristal, por precioso que éstos sean.

46. Este método antiguo lo conocemos también bajo otro nombre; los modernos lo llaman mediumnidad. Cuando el espíritu habla a través del *médium* en trance, está ocurriendo precisamente lo mismo que ocurría en el antiguo Egipto cuando el sacerdote con la máscara de Horus hablaba con la voz de éste:

47. Cuando consideramos al Arbol microcósmico, el cuerpo físico es Malkuth; el doble etérico es Yesod; el cuerpo astromental es Hod y Netzach; y la mente superior es Tiphareth. Cuanto la mente superior pueda concebir podrá ponerse en manifestación en el Malkuth subjetivo. Es mejor que confiemos en este método de evocación que en los extraños artificios de despedir ectoplasma o hacer emanar fluidos vitales, aunque este último recurso pudiera practicarse en nuestra moderna civilización.

48. La mejor arma mágica es el mago mismo, y todos los demás artilugios son sólo medios enderezados hacia un fin, el cual es la exaltación y la concentración de la consciencia que, a un hombre corriente, lo convierte en mago. "¿No sabéis que sois el templo del Dios vivo?", dijo el Grande. Si sabemos cómo usar

los accesorios simbólicos de este templo vivo, tenemos en nuestras manos las llaves del cielo.

49. La clave para usar esto se da en las atribuciones microcósmicas del Arbol. Interpretando esto en términos de función, y la función en términos de principios espirituales, podemos abrir la puerta del Depósito de la Fuerza. La manifestación mejor y más completa de poder de Dios es a través del dinámico entusiasmo del hombre instruido y consagrado. Seríamos más sabios si procurásemos que el resultado final de una operación mágica se produjese a través de canales naturales en vez de esperar que se interfiera el curso de la Naturaleza: expectativa esta que, en la naturaleza misma de las cosas, está condenada a la decepción.

50. Aclaremos esto mediante una ilustración. Suponiendo que deseamos curar una enfermedad, debemos emplear, al trabajar mediante el método del Arbol, un rito o una meditación de Tiphareth. ¿Pero por esta razón hemos de limitar nuestras operaciones a la Esfera de Tiphareth y es menester que la curación sea puramente espiritual, como lo hacen los cultores de la Ciencia Cristiana? ¿O modificaremos nuestro método lo suficiente como para permitir la imposición de manos y la unción con aceite, que son operaciones de la Esfera de Yesod, con el propósito de conducir la fuerza magnética? O, lo que me parece el método más sabio, ¿haremos uso también de una operación de Malkuth, haciendo que de esta manera la energía descienda firmemente por los planos y se manifieste sin interrupción o brecha en la transmutación y la conducción?

51. ¿Y qué es una operación de la Esfera de Malkuth? Es sencillamente acción en el plano físico. Por tanto, en una invocación de curación, creo que obramos mejor invocando al Gran Médico para que nos manifieste Su poder a través del médico humano, pues ese es el canal natural, que confiando en una fuerza espiritual para la que el único canal de evocación es la naturaleza espiritual del paciente, que tal vez sea capaz, o no, de ponerse a la altura de la ocasión.

52. Es indiscutible que puede hacerse que grandes fuerzas espirituales actúen sobre la curación de nuestras enfermedades, pero deberán tener un canal de manifestación; ¿y por qué afligirse construyendo un canal psíquico cuando ya hay a mano un canal natural? Dios se mueve de modo misterioso para realizar

sus prodigios cuando la ley natural es para nosotros un libro cerrado; pero cuando entendemos los modos con que obra la Naturaleza, vemos que Dios se mueve de modo perfectamente natural a través de canales regularmente establecidos; la diferencia entre lo sobrenatural y lo natural no radica en los canales de manifestación que se usan sino en la cantidad de energía que llega a través de ellos. No en calidad sino en cantidad, la corriente de energía produce cambios cuando las fuerzas espirituales son invocadas con buen éxito.

53. Todo el problema de Malkuth es un problema de canales y vínculos conectores. El resto del trabajo lo realiza la mente en los planos más sutiles; la dificultad real radica en la transición de lo sutil a lo denso, debido a que lo sutil está tan mal preparado como para trabajar en lo denso. Esta transición se efecúa por medio del magnetismo de las cosas vivas, tanto orgánicas como inorgánicas. En las operaciones mágicas, *c'est le dernier pas qui coûte* (el último paso es el que cuenta).

IV

54. Tres ideas brotan de una contemplación del Texto del Yetzirah que se relaciona con Malkuth: el concepto de la Inteligencia Resplandeciente que ilumina el esplendor de todas las Luces; la relación entre Malkuth y Binah; y la función de Malkuth al hacer que una influencia emane del Angel de Kether.

55. Tal vez parezca una curiosa idea que Malkuth, que es el mundo material, deba ser el iluminador de las Luces; sin embargo, podemos entender esto si nos remitimos a la analogía de la física, que nos dice que el cielo sólo parece azul y luminoso debido al reflejo de la luz procedente de las innumerables partículas de polvo que flotan en la atmósfera; el aire que carece absolutamente de polvo no se ilumina, y nuestro cielo tendría la oscuridad del espacio interestelar si no fuera por estas partículas de polvo. Del estudio de la física también aprendemos que sólo vemos los objetos por medio de los rayos de luz que se reflejan de las superficies de aquéllos. Cuando hay poco reflejo o no lo hay, como si se tratara de un trapo negro, es casi invisible en una luz opaca, propiedad ésta que mucho emplean los prestidigitadores e ilusionistas.

56. La función de Malkuth, que forma y concreta, es la que finalmente vuelve tangible y claro lo que, en los planos superiores, era intangible e indefinido, y este es su gran servicio a la manifestación y a su energía característica. Todas las Luces, es decir, las emanaciones de todos los demás Sephiroth, se vuelven iluminadas, visibles, cuando se reflejan desde los aspectos concretos de Malkuth.

57. Toda operación mágica debe llegar a través de Malkuth antes que se pueda computar como que consiguió completarse, pues sólo en Malkuth la fuerza se encierra finalmente en la forma. Por tanto, todo trabajo mágico se lleva mejor a cabo en la forma de un rito celebrado en el plano físico, aunque el operador trabaje solo, que sencillamente como una forma de meditación que opera sobre el plano astral únicamente. Deberá haber algo sobre el plano físico, aunque no sean más que líneas dibujadas en un talismán, o la escritura de signos en el aire, que pone a la acción en el plano de Malkuth. La experiencia demuestra que una operación que empieza y termina así es una cuestión muy diferente de una operación que empieza y termina en lo astral.

58. La relación entre Malkuth y Binah está clarísimamente indicada en los títulos asignados a estos dos Sephiroth. Binah es la Madre Superior y Malkuth la Madre Inferior. Como ya se vio, Binah es la Dadora Primordial de la Forma. Lo que tuvo su principio en Binah, tiene su culminación en Malkuth. Esta cuestión nos da una clave importante para guiarnos en nuestras investigaciones sobre las ramificaciones de los panteones politeístas. El sistema cabalístico es explícito sobre la doctrina de las Emanaciones, por la que la Unidad evoluciona en la Multiplicidad, y la Multiplicidad es reabsorbida en la Unidad. Ningún otro sistema es específico sobre esta cuestión, aunque en todos ellos se le sugiera bajo la apariencia de genealogías. Los actos procreativos y las cohabitaciones de dioses y diosas, casi nunca en un santo connubio, indican claramente las doctrinas implícitas de la emanación y la polaridad, y no son meras fantasías obscenas del hombre primitivo, que creaba a los dioses según su propia imagen y semejanza.

59. Una cuidadosa comparación de la información que nos llegó sobre los ritos con que los antiguos rendían culto a sus muchos dioses pronto revela que los definidos ritos que tan delicio-

samente aún se vuelven a narrar a los niños tienen poco sentido en la religión real del pueblo que los usaba como un medio para expresar enseñanzas espirituales. Los dioses y diosas fundíanse entre sí del modo más desconcertante, y es así como tenemos a la Venus Barbuda, y a Hércules multipersonal, adornado con femeninos atuendos.

60. Un estudio del arte de la antigüedad revela que las personas y características de los diversos dioses y diosas se usaban como una forma ideográfica indicadora de claras ideas abstractas, cuyas reglas las conocían bien los sacerdotes. Como éstos tenían que tratar a una población analfabeta en su mayoría, pues en aquellos tiempos la instrucción se limitaba a muy pocos, decían sabiamente: "Contemplad este símbolo y pensad en este relato; tal vez no sepáis qué significa, pero estáis mirando en la dirección correcta, en la dirección de donde la luz surge; y en la proporción en la que seáis capaces de recibirla, la luz fluirá dentro de vuestra alma si contempláis estas ideas". Es probable, a punto de certidumbre, que la iluminación que se daba en los Misterios incluía la aclaración de la metafísica de estos mitos.

61. Perséfone, Diana, Afrodita y Hera, intercambian todas sus símbolos, funciones y características, y hasta subordinan títulos de asombrosa manera en los mitos y el arte de Grecia. De modo parecido obran Príapo, Pan, Apolo y Zeus. Lo mejor que podemos decir de ellos es que todas las diosas son Grandes Madres y todos los dioses son Dadores de Vida; la diferencia entre ellas no radica en la función sino en el nivel en el cual funcionan. Trázase una distinción entre la Venus Celestial y la diosa homónima del amor terreno; quien tiene discernimiento puede ver una distinción igual, y una igual identidad subyacente, entre Zeus el Padre de Todos, y Príapo, igualmente adicto a la paternidad, pero de otra manera, mientras uno es terrestre y el otro celestial. No obstante, no son dos dioses sino uno solo: tal como Binah y Malkuth no son dos tipos distintos de fuerza, sino la misma fuerza que funciona en diferentes niveles. Esta es la clave para entender el significado del culto fálico, que representa papel tan importante en todos los credos antiguos y primitivos, papel éste que tan poco entendieron sus intérpretes escolásticos. Su significado real es el descenso de la deidad en la condición humana con la esperanza de que la condición humana se eleve a

la deidad. Un proceso que es también la base de la terapia freudiana.

62. Asimismo, confirma esta idea la aseveración de que Malkuth hace que una influencia emane del Angel de Kether. Vemos que la Gran Madre, que es Malkuth, se polariza con el Padre de Todos, que es Kether.

63. Sin embargo, esta clasificación es demasiado sencilla como para que nos sirva adecuadamente, ya sea que reduzcamos un panteón pagano a sus términos más simples o nos ocupemos de los azares y mutaciones de la vida personal. Pero en los cuatro sectores, o elementos, en los que Malkuth se divide, hallamos la clave que necesitamos.

64. Dícese que estos cuatro elementos son la Tierra, el Aire, el Fuego y el Agua de los Sabios; es decir, cuatro tipos de actividad. Están representados en la anotación de la ciencia esotérica mediante cuatro tipos diferentes de triángulo. Al Fuego se lo representa con un triángulo con su ápice hacia arriba; al Aire, con un triángulo parecido, cruzado con una barra, indicando de esta manera que al Aire se lo pueda estimar como de naturaleza afín al Fuego, pero más densa. De hecho, no nos equivocaríamos mucho si al Aire lo llamáramos Fuego Negativo, o al Fuego, Aire Positivo. Al Agua se la representa con un triángulo con su ápice hacia abajo, y a la Tierra, con el mismo triángulo cruzado con una barra; y a estos dos símbolos, se les aplican los mismos principios que a sus predecesores.

65. Suponiendo, entonces, que consideramos que el triángulo del Fuego representa a la fuerza incondicionada y el triángulo del Aire representa la fuerza condicionada, el triángulo de Tierra representa un tipo activo de forma, disponemos de otro modo de clasificación. En los mitos antiquísimos, el aire, o el dios del espacio, es el padre del sol, el fuego celestial, y el agua es la matriz de la tierra. Esto se ve claramente en la Columna Central del Arbol de la Vida, en el que Kether, el espacio, domina a Tiphareth, el centro del sol, y el Yesod acuático, el centro de la luna, domina al Malkuth terrrestre.

66. O suponiendo que disponemos de otra manera los símbolos que componen el jeroglífico, que es la gloria del Arbol que nos permite hacerlo, y los colocamos como los cuatro Elementos, limón, oliva, bermejo y negro, en la Esfera de Malkuth, y consideramos que la fuerza de vida que desciende de Kether

opera según la modalidad de una corriente eléctrica alternada, lo cual la doctrina de la polaridad alte᷄ ᷄ada nos enseña a hacerlo, descubrimos que la fuerza correrá a veces de Malkuth a Kether, y a veces de Kether a Malkuth.

67. Ahora bien, esta es una cuestión importantísima cuando se la aplica al microcosmos, pues nos enseña que necesitamos estar en circuito con el alma de la Tierra en la misma medida que con el Dios del Cielo; hay una inspiración que baja del superconsciente.

68. Esto se ve claramente en los mitos griegos, en los que encontramos fuerzas positivas de la tierra, como Pan, quien, en virtud de su simbolismo caprino, no puede ser asignado sino a la Esfera de la Tierra, pues Capricornio es el más terreno de la triplicidad terrestre. Pan representa el magnetismo positivo de la tierra que irrumpe hacia arriba en su regreso al Padre de Todos. Ceres, por otra parte, o la Diana de muchos senos (ambas, Venus muy terrenas, que distan de ser vírgenes) representan a la fuerza celestial que finalmente se "pone a tierra" en la materia densa. Hera, a quien se llamaba la Venus Celestial, o la Afrodita Celestial, representa a la fuerza terrestre que, irrumpiendo hacia arriba, regresa al cielo, y que, en un nivel celestial es tierra-positivo (+).

69. Estas son cosas difíciles de aclarar para quienes no han visto al sol a medianoche. Se prestan mucho a la meditación, pero poco a la discusión.

V

70. Todas las adivinaciones se efectúan en la Esfera de Malkuth. Ahora bien, el objeto de cualquier método adivinatorio es hallar, en el plano físico, un conjunto de cosas que correspondan exacta y ampliamente a las fuerzas invisibles, tal como los desplazamientos de las agujas de un reloj concuerdan con el paso del tiempo.

71. En cuanto a tendencias y condiciones generales, por la experiencia de quienes estudiaron tales cuestiones se concuerda en que la astrología es el mejor sistema de correspondencias. Pero para obtener una respuesta a una sola pregunta la astrología no es suficientemente específica, pues pueden entrar demasia-

dos factores para modificar el resultado. Por tanto, el adivino iniciado utiliza más sistemas específicos, como la adivinación por el Tarot o la geomancia, cuando quiere obtener una respuesta a una pregunta específica.

72. Pero es de poca utilidad entrar en un negocio y comprar un mazo de cartas del Tarot a menos que exista el conocimiento necesario para armar las correspondencias astrales de cada carta. Esto lleva tiempo, pues hay que trabajar con setenta y dos cartas. Sin embargo, una vez que se hizo esto, el operador podrá tomar las cartas en sus manos con considerable grado de confianza de que su mente subconsciente, sea lo que fuere, se ocupará sin deliberación de las cartas que se refieren a la cuestión de que se trata. No sabemos con exactitud cómo es el hecho de barajar y dar cartas, pero una cosa es segura: una vez que se tomó contacto con el Gran Angel del Tarot, las cartas son notablemente reveladoras.

73. Tras considerar los principios generales de la Esfera de Malkuth, estamos ahora en condiciones de estudiar con provecho su especial simbolismo.

74. Se llama el Reino (en otras palabras, la esfera gobernada por el Rey) y el Rey es el título del Microprosopos, que consiste en los seis Sephiroth centrales, excluyendo a los Tres Supernos. A Malkuth, o la Esfera material, podemos considerarlo como la esfera de la manifestación de estos seis Sephiroth centrales, que son emanados por los Tres Supernos. Todo termina entonces en Malkuth, tal como todo empieza en Kether.

75. La Imagen Mágica de Malkuth es una mujer joven, coronada y con velo; esta es la Isis de la Naturaleza, con su rostro velado para mostrar que las fuerzas espirituales están ocultas dentro de la forma externa. La idea está presente también en el simbolismo de Binah, que se sintetiza en el concepto de "túnica externa que oculta", Malkuth, como lo expresa con claridad el Texto del Yetzirah, en Binah en un arco inferior.

76. Ahora bien, Binah se llama la Madre Estéril Oscura, y Malkuth se llama la Novia del Microprosopos, o la Madre Fértil Brillante, y éstas corresponden a los aspectos dobles de la diosa lunar egipcia como Isis y Hator, siendo Isis el aspecto positivo de la diosa, y Hathor el aspecto negativo. En el simbolismo griego, esto correspondería a Afrodita y Ceres. Ahora bien, Afrodita es el aspecto positivo de la potencia femenina, pues recuérde-

se que, bajo la ley de la polaridad alternada, lo que es negativo en los planos externos es positivo en los internos, y viceversa. Afrodita, la Venus Celestial, es la que da el estímulo magnético al varón espiritualmente negativo; en la vida moderna andan tantas cosas mal porque en ella no se entiende la función de Afrodita. Binah, el aspecto superior de Isis es, sin embargo, estéril, porque el polo positivo es siempre el que da el estímulo, pero nunca el que produce el resultado. El aspecto de Malkuth, perteneciente a Isis, es la Madre Fértil Brillante, la diosa de la fecundidad, indicando así el resultado final de la operación de Isis en el plano físico.

77. La situación de Malkuth al pie de la Columna del Equilibrio lo ubica en la línea directa del descenso de la energía de Kether, transmutada en Daath, el Sephirah Invisible, y que pasa a los planos de la forma a través de Tiphareth. Este es el Sendero de la Consciencia, mientras las dos Columnas Laterales son Los Senderos de la Función; pero las dos Columnas Laterales convergen también en Malkuth a través de los Senderos Trigésimo primero y Vigésimo noveno. En consecuencia, todo termina en Malkuth.

78. Quienes estamos encarnados en cuerpos físicos estamos en Malkuth, y, cuando partimos por el Camino de la Iniciación, nuestra ruta se halla en el Sendero Trigésimo segundo que conduce hacia Yesod. Este Sendero, que es directo y ascendente en la Columna Central, se llama el Sendero de la Flecha, que es disparada desde Qesheth, el Arco de la Promesa; por esta ruta el místico se eleva sobre los planos; sin embargo, el iniciado suma a su experiencia tanto las energías de las Columnas Laterales como los conocimientos de la Columna Media.

79. Este aspecto de la Columna Central es expresado en el Texto del Yetzirah en el que se declara que Malkuth hace que una influencia emane del Príncipe de los Semblantes, el Angel de Kether.

80. Los títulos adicionales asignados a Malkuth presentan claramente sus atributos. Se lo considera la Puerta y la Compañera. Estas dos ideas son, en esencia, una sola idea, pues el vientre de la Madre es la Puerta de la Vida. También es la Puerta de la Muerte, pues el nacimiento en el plano de la forma es la muerte hacia las cosas superiores.

81. Dícese también que Malkuth es Kallah, la Novia del Mi-

croprosopos, y Malkah, la Reina de Malekh, el Rey. Esto indica claramente la función en la polaridad que prevalece entre los planos de la forma y de la fuerza; los planos de la forma son el aspecto femenino, polarizados y fertilizados por las influencias de los planos de la fuerza.

82. El nombre de Dios, en Malkuth, es Adonai Malekh, o Adonai ha Aretz, títulos estos que significan el Señor que es Rey, y el Señor de la Tierra. Aquí vemos claramente la afirmación de la supremacía del Dios Unico en los Reinos de la Tierra, y toda operación mágica, en la que el operador toma el poder en sus propias manos, debe comenzar con la invocación de Adonai para que habite su templo de la tierra y gobierne allí, para que ninguna fuerza destruya su lealtad al Unico.

83. Quienes invocan el Nombre de Adonai, invocan a Dios que se manifiesta en la Naturaleza, que es el aspecto de Dios adorado por los iniciados de los Misterios de la Naturaleza, ya sean éstos dionisíacos o isíacos: que conciernen a los diferentes modos de abrir la superconsciencia a través de la subconsciencia.

84. El arcángel es el gran ángel Sandalphon, al que los cabalistas a veces llaman el Angel Oscuro; mientras Metatron, el Angel del Semblante es el Angel Brillante. Afírmase que estos dos ángeles están detrás de los hombros derecho e izquierdo del alma en sus horas de crisis. Podría considerarse que representan al *karma* bueno y al *karma* malo. Refiriéndose a la función de Sandalphon como el Angel Oscuro que preside la Deuda Kármica, a Malkuth se lo llama la Puerta de la Justicia y la Puerta de las Lágrimas. Alguien ingenioso, con veracidad superior a su conocimiento dijo que este planeta era realmente el infierno de algún planeta. Muy concretamente, es la esfera en la que normalmente se fabrica *karma.* Sin embargo, donde hay conocimiento suficiente, al *karma* se lo puede fabricar deliberadamente en los planos más sutiles, y este método es una de las formas de curación espiritual.

85. El Orden de los Angeles asignado a Malkuth son los Ashim, las Almas del Fuego, o las Partículas abrasadoras de las que la señora Blavatsky dice algunos cosas interesantísimas. Un Alma de Fuego es, concretamente, la consciencia de un átomo; por lo tanto, los Ashim representan la consciencia natural de la materia densa; son ellos los que le confieren sus características. Estas Vidas Abrasadoras, estas cargas eléctricas infinitamente, se

están entretejiendo eternamente, hacia atrás y hacia adelante, con tremenda actividad en el trasfondo de la materia y forman su base. Todo lo que conocemos como materia está construido sobre esta estructura. Con la ayuda de estas Vidas Abrasadoras se realizan ciertos tipos de magia. Son pocos quienes pueden realizarla, pues cuanto más denso sea el plano que se maneje, mayor deberá ser el poder del Mago que lo gobierne.

86. El Chakra Mundano de Malkuth es la Esfera de los Elementos. A éstos ya los hemos considerado tan minuciosamente como es posible en estas páginas.

87. La experiencia Espiritual de Malkuth es la Visión del Santo Angel de la Guarda. Ahora bien, este ángel, que según los cabalistas es asignado a cada alma al nacer y la acompaña hasta la muerte, cuando la toma bajo su custodia y la presenta ante la faz de Dios para el juicio, es en realidad el Yo Superior de cada uno de nosotros, que se arma alrededor de la Chispa Divina que es el núcleo del alma y soporta una evolución, haciendo descender un proceso en la materia en cada encarnación para formar la base de la nueva personalidad.

88. Cuando el Yo Superior y el Yo Inferior se unen mediante la completa absorción de lo inferior por lo superior, se gana la verdadera condición de adepto; esta es la Gran Iniciación, la Unión Divina Menor. Es la experiencia suprema del alma encarnada, y cuando esto tiene lugar, queda libre de la obligación de renacer en la prisión de la carne. De allí en adelante está libre para ascender por los planos y entrar en su descanso o, si opta por ello, para permanecer en la esfera terrestre y funcionar como un Maestro.

89. Entonces, esta es la experiencia espiritual que se asigna a Malkuth: el hacer descender a la Deidad en la condición humana, tal como la experiencia espiritual de Tiphareth es hacer ascender la condición humana hasta la Deidad.

90. Dícese que la virtud especial de Malkuth es la Discriminación. Esta idea la amplía aún más el curioso simbolismo de los antiguos que declaraban que la correspondencia con el microcosmos era con el ano. Todo lo que en la vida se usa tiene que excretarse, y la excreción macrocósmica es en las esferas de los Qliphot que dependen de Malkuth, de donde las excreciones cósmicas no pueden volver a los planos de la forma organizada hasta que se compensen en el equilibrio. Por tanto, en el mundo

de los Qliphot hay una esfera que no es el Infierno sino el Purgatorio; es un depósito de fuerza desorganizada que emana de formas dispersas, desechadas de la evolución; es el Caos en un nivel inferior. Es desde este depósito de fuerzas que están acostumbrados a formar, y por tanto se organiza fácilmente, que los Cascarones, o entidades imperfectas, construyen sus vehículos. Dícese también que son extraídas de los tipos inferiores de magia de género maligno. La tendencia de tales fuerzas, de las que se dispone en la esfera de los Qliphot, debe ser siempre asumir una vez más las formas que acostumbraban antes de desintegrarse y reducirse a su estado primordial; como estas formas éstaban por lo menos desactualizadas, si es que no eran activamente malas, naturalmente se colige que este asunto del caos no es una sustancia deseable como para trabajar en ella; y lo mejor es dejarla allí hasta que se complete su purificación y vuelva a filtrarse a través de la Esfera de la Tierra mediante los canales naturales, y se la introduzca una vez más en la corriente de la evolución. Por esta razón son indeseables todos los cultos de ultratumba y la evocación de los difuntos, pues las formas de las entidades que se manifiestan deberán construirse, en parte por lo menos, con esta sustancia del Caos.

91. La virtud especial de Malkuth es, pues, actuar como una especie de filtro, desechando lo gastado y preservando lo que todavía retiene su utilidad.

92. Dícese que los vicios característicos de la función de Malkuth son la avaricia y la inercia. Es fácil ver cómo puede excederse lo estable de Malkuth, suscitando así la pereza y la inercia. El concepto de la avaricia, aunque en la superficie no es tan evidente, pronto da su significado al investigarlo; pues la propensión excesiva a retener, que es propia de la avaricia, es un tipo de estreñimiento, que es exactamente lo contrario de la discriminación que despide las excreciones de la vida a través del ano cósmico dentro del pozo negro cósmico de los Qliphot. Es interesante notar que Freud declara que el avaro está invariablemente constipado, y asocia con la materia fecal al hecho de soñar con dinero.

93. Una de las cosas más importantes que tenemos que hacer antes de que podamos salir, hacia Malkuth, de las limitaciones de la vida y respirar más aire, es aprender cómo conformarnos; cómo sacrificar lo menor a lo mayor y, de este modo, com-

prar la perla de gran precio. La discriminación es la que nos permite saber qué es de menor valor, a lo cual habrá que renunciar, a fin de obtener lo de mayor valor, pues sin sacrificio nada se gana. Lo que no comprendemos es que todo sacrificio debe dar un beneficio sustancial en el tesoro guardado en el cielo, donde ni la polilla ni el éxito lo corrompen; de otro modo, es un mero desprecio inútil.

94. Ya hemos notado una de las correspondencias asignadas a Malkuth en el microcosmos. Dícese también, sin embargo, que Malkuth corresponde a los pies del Hombre Divino. Tenemos aquí, nuevamente, un concepto importante; pues a menos que los pies se planten firmemente en la Madre Tierra, no es posible

estabilidad alguna. Son demasiados los místicos que, fuera de toda proporción, son afectos a pensar que el Hombre Divino termina en el cuello, como un querube, sin dar cabida a los órganos de la generación de Yesod, o al ano, de Malkuth. Aquéllos necesitan aprender la lección que el sueño celestial enseñó a San Pedro: nada de lo que Dios creó es sucio, a menos que nosotros permitamos que lo sea. Debemos reconocer a la Vida Divina en todas sus funciones para que, de ese modo, haga ascender a la condición humana hasta la Deidad y la santifique. La limpieza es anexa a la santidad, especialmente a la limpieza interna. Si eludimos y evitamos una cosa, ¿cómo hemos de mantenerla limpia y sana? En nuestra vida civilizada, los tabúes de un pueblo primitivo fueron superados por completo, con desastrosas consecuencias para la salud y la salubridad de la humanidad.

95. Los símbolos de Malkuth son el altar del doble cubo y la cruz de brazos iguales, o la cruz de los elementos.

96. El altar del doble cubo simboliza a la máxima hermética: "Como es arriba, es abajo", y enseña que lo que es visible es el reflejo de lo que es invisible, y guarda correspondencia con esto exactamente. Este altar cúbico es el altar de los Misterios, para distinguirlo del altar que es una mesa, el cual es el de la Iglesia. Pues el altar que es mesa se halla al Este, pero el altar cúbico está en el centro. Dícese que está en proporción adecuada cuando tiene la altura del ombligo de un hombre de un metro ochenta y dos aproximadamente, y su anchura y su profundidad son la mitad de su altura.

97. La cruz de brazos iguales, o la cruz de los elementos, representa los cuatro elementos equilibrados, lo cual es la perfección de Malkuth. En el Arbol, la representa la división de Malkuth en cuatro sectores, de color limón, oliva, bermejo y negro, con el color limón hacia Yesod y el negro hacia los Qliphoth; el oliva hacia Netzach y el bermejo hacia Hod. Estos son los reflejos de las Columnas del Arbol y la esfera de los Qliphoth, opacados y atemperados por el velo de la tierra.

98. Así, todas las cosas se resumen en Malkuth, aunque vistas oscuramente en un vidiro, por reflejo, y no cara a cara.

99. Las cuatro cartas del Tarot dan curiosos resultados cuando se las sujeta a la meditación a la luz de lo que conocemos acerca de Malkuth. El Diez de Bastos se llama el Señor de la Opresión; el Diez de Copas, el Señor del Triunfo Perfeccionado; el Diez de Espadas, el Señor de la Ruina; y el Diez de Pentáculos, el Señor de la Riqueza.

100. Como ya vimos, en Malkuth, las fuerzas espirituales llegan a realizarse en el plano de la forma, y tomando estas formas completadas, y "sacrificándolas", podemos volver a traducirlas en potencias espirituales.

100. Se observará que estas cuatro cartas del Tarot son, alternadamente, de significado bueno y malo; de hecho dícese que, en la práctica adivinatoria, si aparece el Diez de Espadas es la peor carta del mazo. Hay una curiosa doctrina alquímica que da una orientación en este sentido. Enséñase que los signos de los planetas están compuestos por tres símbolos: el disco solar, la media luna, y la cruz de corrosión o sacrificio; y estos símbolos, interpretados correctamente, dan la clave de la naturaleza alquímica del planeta y su uso práctico en la Gran Obra de la transmutación. Por ejemplo, Marte, en cuyo símbolo la cruz corona al círculo, dícese que es externamente corrosivo, pero interiormente solar; Venus, en el que el círculo corona a la cruz, dícese que es exteriormente solar, pero interiormente corrosivo o con las palabras de la Escritura, dulce en la boca pero amargo en el vientre.

102. En estos cuatro diez del Tarot se ve que prevalece el mismo principio. Cada carta representa el accionar de cierto tipo de fuerza espiritual en el plano de la materia densa. A la más espiritual de estas cartas, el diez del palo cuyo as dícese que es la Raíz de los Poderes del Fuego, se llama el Señor de la Opresión. Esto nos enseña que las fuerzas espirituales superiores tienden a ser exteriormente corrosivas cuando operan en el plano de la materia. Los poderes del Fuego, en su potencia suprema en el diez de Bastos, son un fuego depurador. "Tal como el oro se purifica en el horno, de igual modo el corazón deberá ser purificado por el dolor".

103. Por otro lado, todo el simbolismo del palo de Copas, o Cálices, muestra muy claramente la influencia de Venus; en este palo encontramos a los Señores del Placer, de la Felicidad Material, o de la Abundancia. Pero también encontramos a los Señores del Triunfo Ilusorio, del Triunfo Abandonado, y de la Pérdida en el Placer, que muestra claramente que este palo, aunque exteriormente solar, es interiormente corrosivo.

104. Las Espadas, asimismo, están bajo la influencia de Marte, y el Señor de la Ruina muestra el sacrificio total de todas las cosas materiales.

105. Pero en los Pentáculos, tierra de la tierra, la posición se invierte nuevamente, y hallamos que el diez de Pentáculos es el Señor de la Riqueza.

106. Por tanto, se verá que las cartas que son de palos de naturaleza primordialmente espiritual son exteriormente corrosivas en el plano físico; y las cartas de palos que son de naturaleza primordialmente material son exteriormente solares, o beneficiosas en el plano material. Esto enseña una lección utilísima, y ofrece una clave importantísima cuando se la usa en los sistemas adivinatorios que se proponen dar discernimiento sobre las influencias espirituales que operan en un caso.

107. Todos los asuntos mundanos suben y caen como las olas del mar, en crecientes y bajantes continuas, en progresión rítmica; por tanto, cuando cualquier condición mundana está en su cenit o en su nadir, sabemos que en el futuro cercano ha de esperarse un cambio de marea. Este conocimiento encarna en muchos adagios populares, como: "Esta es una larga senda que no tiene vuelta" y "La hora más oscura es la que precede al amanecer". Harriman, el gran millonario norteamericano, decía que había labrado su fortuna comprando siempre que la bolsa estaba en baja y vendiendo cuando estaba en alza: lo cual es exactamente lo contrario de lo que todos los demás hacen. No obstante, es un procedimiento que revela gran visión, pues el auge surge de la depresión, y ésta procede del auge. Esto ha ocurri-

do tan a menudo, estando aún vivo ese recuerdo, que tendríamos que pensar que los especuladores deberían haber aprendido las lecciones de la historia, pero nunca aprenden. Un conocimiento de este hecho fue el que permitió que la Fraternidad de la Luz Interior fuera guiada con firmeza en medio de las dificultades de post-guerra y saliera bien sin haber tenido que retacear ninguna de sus actividades. Hay veces en que es necesario ser modesto para ser solvente; pero hay ocasiones en que podemos lanzarnos con temeridad, a pesar de toda apariencia externa, porque sabemos que la marea se está elevando debajo de nosotros.

108. Estas cuatro cartas, pues, dan un conocimiento muy verdadero de la naturaleza de la operación de las fuerzas de Malkuth, y cuando aparecen en la práctica adivinatoria, estamos siempre preparados para que el oro externo se convierta en corrosión, y tarde o temprano la corrosión externa se convierte en oro, y recojamos o despleguemos las velas en consecuencia.

109. Este es el uso verdadero de la adivinación: permitirnos discernir las fuerzas espirituales relativas a cualquier acontecimiento, y actuar en consecuencia. ¿De qué sirve, pues, la adivinación realizada por quienes no tienen discernimiento espiritual? ¿Y podremos esperar encontrar discernimiento espiritual en el mercenario que presta sus servicios a cambio de moneda contante y sonante? Las cosas espirituales no se hacen de este modo. Entre los antiguos, la adivinación era un rito religioso, y así debe ser entre nosotros, si no ha de dejar una huella de mala suerte tras de sí.

Capítulo XXVI

LOS OLIPHOTH

1. En un capítulo anterior, nos referimos a los Oliphoth, los Sephiroth malos y adversos; llegó ahora el momento de estudiarios en sus pormenores, aunque "son formas horribles y es hasta peligroso pensar en ellas".

2. Tal vez se pregunte porqué es necesario estudiar estas formas, puesto que se juzga que es incluso tan peligroso pensar en ellas. ¿No sería mejor alejar la mente de ellas e impedir que las imágenes de tales fuerzas malas se formulen en la consciencia? En respuesta a esta pregunta podemos citar los preceptos del Mago Abra-Melin, cuyo sistema mágico es el más potente y completo que poseemos. Según su sistema, el operador tras prolongado período de purificación y preparación, no sólo evoca a las fuerzas angélicas sino también a las demoníacas.

3. Muchísimas personas se llevaron un chasco con el sistema de Abra-Melin, y la razón no está lejos como para buscarlas; pues si examinamos sus constancias, hallamos que nunca siguieron ese sistema en su totalidad sino que sacaron una ceremonia de aquí y una evocación de allá, y las efectuaron a su antojo. Es por eso que el sistema de Abra-Melin tuvo la mala fama de ser una fórmula singularmente peligrosa; mientras que, si se lo realiza en su totalidad, es singularmente seguro, porque, bajo lo que podría denominarse condiciones de laboratorio, trata y neutraliza todas las reacciones de las fuerzas invocadas.

4. Quien intente trabajar con el aspecto positivo de un Sephirah deberá recordar que también tiene su aspecto negativo, y a menos que mantenga el equilibrio necesario de fuerzas, ese aspecto negativo tiende a predominar y hacer fracasar la operación. En toda operación mágica hay un momento en el que el aspecto negativo de la fuerza se presenta para ser tratado, y a no ser que se lo haga, inducirá al operador a que se hunda en el pozo que éste cavó. Una sensata máxima de la magia consiste en no invocar a fuerza alguna, a menos que estemos pertrechados para tratar a su aspecto adverso.

5. ¿Nos atreveríamos a invocar a la abrasadora energía de Marte (Geburah) en nuestra naturaleza, a menos que estemos suficientemente purificados y disciplinados para estar seguros de que podremos impedir que la fuerza de Marte llegue a los extremos y conduzca a la crueldad y la destructividad? Si tenemos conocimiento de la naturaleza humana, deberemos ser conscientes de que cada cual tiene las faltas correspondientes a sus cualidades; es decir, si es vigoroso y enérgico, tiende a caer en la crueldad y la opresión; si es calmo y magnánimo tiende a las tentaciones de dejar hacer y de la inercia.

6. Los Qliphoth se denominan apropiadamente los Sephiroth malos y adversos, pues no son principios o factores independientes en el esquema cósmico, sino el aspecto desequilibrado y destructivo perteneciente a las Sagradas Estaciones mismas. De hecho, no hay dos Arboles sino un solo Arbol, siendo un Qliphoh el reverso de una moneda cuyo anverso es un Sephirah. Quien use el Arbol como un sistema mágico debe conocer forzosamente a las Esferas de los Qliphoth, porque no tiene otra opción que la de tratar con ellas.

7. Sólo en el plano de Atziluth hay únicamente un Nombre de Poder asociado con un Sephirah, y ese es el Nombre de la Deidad. Al arcángel le corresponde el demonio, y al coro de ángeles la cohorte de demonios, y las Esferas Sephiróticas tienen su correspondencia en las Habitaciones Infernales.

8. El estudiante deberá distinguir cuidadosamente entre lo que el ocultista llama mal positivo y mal negativo. Esta es una cuestión importantísima en filosofía esotérica, y el no lograr comprender su significado induce a errores prácticos de mucha trascendencia y arruina tóda la vida y todo el trabajo del iniciado, o, a ese respecto, de todo ser humano que se esfuerce por desarrollar un poco de libre albedrío y dominio de sí mismo. Esta es una cuestión que e entiende poco, porque influye de modo tan inmediato sobre nuestro punto de vista, nuestro juicio y nuestra conducta.

9. El mal positivo es una fuerza que se mueve contra la co-

rriente de la evolución; el mal negativo es simplemente la oposición de una inercia que todavía no fue neutralizada. Aclaremos estas definiciones con un ejemplo. La posición conservadora de una mentalidad madura es considerada mala por el reformista eventual; la postura iconoclasta, propia de los jóvenes, es considerada mala por el administrador que estableció su sistema. No obstante, no podemos prescindir de ninguno de estos factores opuestos si la sociedad ha de mantenerse en estado de salud; entre ellos logramos un firme progreso que ni desorganiza a la sociedad ni le permite hundirse en la inercia y la disolución. Estos dos factores son indispensables para el bienestar social, pero, uno u otro, si no se lo tiene bajo control, induciría perjuicio.

10. No podemos, pues, considerar a ninguno de ellos como un mal social a menos que se exagere. Por tanto, en la terminología de la filosofía esotérica, debemos clasificar a la postura conservadora como mal negativo cuando se la considere desde el punto de vista del reformador, y a la postura iconoclasta como mal negativo cuando se la considere desde el punto de vista del conservador.

11. El mal positivo es un asunto diferente. Su naturaleza puede ser la de una postura iconoclasta que fue llevada demasiado lejos y desciende en pura anarquía; o de postura conservadora que fue llevada demasiado lejos, convirtiéndose en privilegio clasista y revistiendo un interés que milita contra el bienestar general. O puede tomar la forma de la real corrupción política, que destruye la eficiencia de la maquinaria administrativa; o de la corrupción social, como la prostitución organizada o la mano de obra infantil, lo cual mina la salud de la nación.

12. El impulso conservador y el impulso radical atraerán hacia sí a los que simpatizan con sus puntos de vista, y quienes los sostienen se organizarán prontamente en partidos políticos; estos partidos no son malos, salvo ante los ojos prejuiciosos de sus adversarios políticos; el cuerpo principal de la nación los compulsa, sostiene y observa imparcialmente, reconociendo que representan factores que se compensan. De igual modo, los elementos corruptos y criminales de la sociedad tenderán a organizar por su cuenta un Tammany Hall. Ahora bien, los partidos Conservador y Radical podrían semejarse a Chesed y Geburah, respectivamente; a Tammany Hall se lo podría comparar con el Qliphah correspondiente a Geburah, las Fuerzas Abrazadoras y

307

en Pugna; y los Intransigentes organizados con el Qliphah de Chesed, "Los que Permiten la Destrucción".

13. El mal negativo es el corolario práctico del principio del Equilibrio. El equilibrio es el resultado de la compensación de las fuerzas en pugna; en consecuencia, deberán efectuar tracción una contra otra. No debemos cometer el error de clasificar, entre dos fuerzas en pugna, a una como buena y a la otra como mala; hacerlo es caer en la herejía fundamental del dualismo.

14. Los comentarios instruidos y esclarecidos de todas las religiones consideran al dualismo como una herejía; sólo los ignorantes adherentes de una fe creen en el conflicto entre la luz y la oscuridad, el espíritu y la materia, que a su tiempo tendrá por resultado el triunfo del dios y la abolición y la eliminación totales de todas las influencias que se opongan. El cristianismo protestante olvida que Lucifer es el Portador de la Luz, que Satanás es un angel caído, y que Nuestro Señor no limitó Su ayuda a la humanidad, sino que descendió al Infierno y predicó a los espíritus que estaban prisioneros. No podremos tratar al mal apartándonos de él y destruyéndolo, sino solamente absorbiéndolo y armonizándolo.

15. En todos nuestros cálculos y conceptos deberemos distinguir con cuidado entre la resistencia del Sephirah compensador y la influencia del correspondiente Qliphah. A los dos Arboles, el Divino y el Infernal, el Sephirótico y el Qliphótico, se los representa habitualmente como aparecerían si el Arbol del anverso fuera un reflejo del Arbol Celestial en un espejo como su base, proyectándose descendentemente en la proporción en que el otro se proyecta ascendentemente. Tendríamos un concepto mejor si concibiéramos a los dos jeroglíficos como inscriptos en uno y otro lado de una esfera, de modo que si un péndulo que se meciera entre Geburah y Gedulah (Marte y Júpiter) se proyectase de más en una u otra dirección, comenzaría a dar la vuelta total hacia el lado opuesto del globo y entraría en la esfera de influencia del correspondiente Sephirah adverso. Si oscilara de las Fuerzas Abrasadoras y Destructivas, y del Odio; si oscilara demasiado lejos en la dirección de la Misericordia, entraría en la Esfera de "Los que Permiten la Destrucción", y en ese nombre hay mucho significado.

16. El místico nos dice que su aspiración es trabajar en la esfera del espíritu puro sin mezcla alguna de la tierra, y, por tan-

to, invoca sólo el Nombre de Dios; pero el ocultista replica: Mientras estés en un cuerpo terrestre eres un hijo de la tierra, y para tí el espíritu no puede ser sin mezcla. Cuando invocas el amor de Dios, él no podrá acudir a ti, salvo a través de un Redentor. La Esfera del Redentor es Tiphareth, y su arcángel es Raphael, el que cura, pues no reconocemos la influencia del Redentor a través de su influencia curativa sobre el cuerpo y el alma? Pero el reverso del Redentor que armoniza son los Zourmiel, los Impugnadores, "los grandes gigantes negros que trabajan eternamente uno contra otro". ¿No vemos su influencia en las más rigurosas doctrinas del cristianismo, en la idea de un castigo eterno bajo el dominio del Demonio, en contraste con el premio eterno bajo el dominio del vengativo y venal Jehovah? Si estas no son Dos Fuerzas en Pugna, ¿qué son? El moderno pensamiento religioso comete un gran error al no comprender que una Fuerza puede tener demasiado de bueno.

17. El único tiempo en el que hay perfecto equilibrio de fuerza es durante un *Pralaya,* una Noche de los Dioses. La fuerza en equilibrio es estática, potencial, nunca dinámica, porque la fuerza en equilibrio implica dos fuerzas opuestas que se neutralizaron entre sí y así se volvieron mutuamente inertes e inoperativas. Altérese el equilibrio, y se libera a las fuerzas para la acción, puede tener lugar el cambio; puede ocurrir el crecimiento, la evolución, la organización. En el equilibrio perfecto no hay posibilidad de progreso; es un estado de reposo. Dícese que, al final de una Noche Cósmica, ese equilibrio se altera, y, en consecuencia, tiene lugar una vez más una afluencia de energía y empieza de nuevo la evolución.

18. El equilibrio del universo puede semejar mejor la oscilación de un péndulo que el apretón de una abrazadera. No se lo *mantiene* inmóvil, y entre estos dos conceptos hay una diferencia total. Pues en el equilibrio hay siempre una leve vibración, un tire y afloje entre las fuerzas contrarias, que lo mantiene firme; es una estabilidad (no una inercia), pero de tensión.

19. En el Arbol, esto lo representan las dos Columnas de la Misericordia y la Severidad que tiran una contra otra. Geburah (la Severidad) forcejea contra Gedulah (la Misericordia). Binah (la Forma) forcejea contra Chokmah (la Fuerza). Si cesara esta tracción mutuamente contraria, el universo se derrumbaría, como un hombre que tironea de una soga se cae si la soga se rom-

pe. Debemos comprender claramente que esta tensión, esta resistencia contra la cual tenemos que forzarnos en cuanto estemos haciendo, no es mala; es la necesaria compensación de cualquiera que sea la fuerza que empleemos.

20. Como señalamos en un capítulo anterior, cada Qliphoh surgió primordialmente como una emanación de fuerza desequilibrada en el curso de la evolución del Sephirah correspondiente. Hubo un período en el que las fuerzas de Kether rebalsaban la forma de Chokmah, y el Segundo Sendero estaba en proceso de devenir, pero todavía sin establecerse plenamente; por tanto, Kether debió haber estado fuera de equilibrio: rebalsándose pero sin compensarse todavía. Este fenómeno de la etapa de transición patológica lo vemos claramente evidenciado en el caso del adolescente que cesó de ser un niño bajo control y todavía no llegó a ser un adulto ni a autocontrolarse.

21. Este período inevitable de fuerza desequilibrada, la patología de la transición, hizo surgir, a su vez, a cada Qliphoh. Se colige, pues, que la solución del problema del mal y su erradicación del mundo no ha de lograrse a través de su supresión, separación o destrucción, sino a través de su compensación y nueva absorción consiguiente en la Esfera de donde provino. La fuerza desequilibrada de Kether, que hizo surgir a las Dos Fuerzas en Pugna, deberá ser neutralizada por un correspondiente aumento de la actividad de Chokmah, la Sabiduría.

22. La fuerza desequilibrada de cada Sephirah, que surgió incontrolada durante las fases temporarias de desequilibrio que ocurren periódicamente en el curso de la evolución, forma pues el núcleo alrededor del cual se organizaron todas las formas de pensamiento del mal que surgen en la consciencia de los seres sensibles o a través de la operación de las ciegas fuerzas que están fuera de equilibrio, buscando cada género de inarmonía su propio lugar. Se colegirá, entonces, que lo que al principio fue un mero exceso de fuerza, pura y buena en su naturaleza intrínseca, si no se la compensa puede llegar a ser, con el curso de los siglos, un centro muy organizado y desarrollado de mal positivo y dinámico.

23. Un ejemplo nos ayudará una vez más a aclarar esto. Un exceso de la energía necesaria de Marte (Geburah), la energía que mueve a la inercia y elimina lo usado y gastado, ocurriría con seguridad durante el período anterior a la emanación de Ti-

phareth, el Redentor. Tan pronto como emanara, el Redentor compensaría las severidades de Geburah, tal como Nuestro Señor dijo: "Una nueva ley os doy. Ya no diréis: ojo por ojo y diente por diente...". Ahora bien, esta incompensada severidad de Geburah nos dio al Dios celoso, perteneciente al Antiguo Testamento, y todas las persecuciones religiosas que se realizaron en Su Nombre carente de equilibrio. Forma el Qliphah de Geburah, y todas las naturalezas crueles y opresoras simpatizan con él. A su Esfera se dirige toda la fuerza de más que aquéllas emanan y que no es absorbida por la fuerza opuesta del universo: toda venganza inmoderada, todo insatisfecho deseo de crueldad; y estas fuerzas, siempre que encuentran que se les abre un canal para que se expresen, surgen para atravesarlo. En consecuencia, el hombre que da curso a la crueldad descubre pronto que no está expresando tan sólo los impulsos de su naturaleza sin desarrollar o mal formada, sino que una gran fuerza, parecida a una corriente torrencial, le apremia e impulsa, de un atropello a otro, hasta que, finalmente, pierde el control de sí y la discreción, y alguna incauta expresión de sus impulsos lo arrastra hacia su propia destrucción.

24. Siempre que nos convertimos en canal de alguna fuerza pura, es decir, cualquier fuerza singular y no diluida por motivaciones ulteriores y consideraciones secundarias, descubrimos que detrás de nosotros hay un río torrencial: la corriente de las correspondientes fuerzas de los Sephiroth o los Qliphoth que hallan un cauce a través de nosotros. Esto es lo que, al fanático acérrimo, le confiere su anormal poder.

CONCLUSION

1. Luego de concluir mi estudio sobre la parte de la Sagrada Cábala que se relaciona con los Diez Sephiroth del Arbol de la Vida, no puedo encontrar otras palabras para decir que éstas: "Poco es lo hecho, vasto lo que queda sin hacer...".

2. Confío en que a este libro lo sigan otros libros. Los Veintidós Senderos forman un sistema de psicología mística, referido a la relación existente entre el alma del hombre y el universo. Tal como los Diez Sephiroth (que se relacionan con el Macrocosmos) son la clave de la iluminación, de igual modo los Veintidós Senderos (que se refieren a la relación existente entre el Macrocosmos y el Microcosmos) son la clave de la adivinación; y la adivinación, considerada en su verdadero sentido, es diagnóstico espiritual, es una cuestión muy diferente de decir la buenaventura.

3. Las Esferas de los dioses en el Arbol son también asunto de profundo interés e inmediata aplicación práctica, pues dan la clave de los ritos que se celebraban como un medio (y un medio eficacísimo) para que se tome contacto con las distintas fuerzas que se personalizan bajo los nombres de los dioses, y para que se las equilibre.

4. Sin embargo, todas estas cosas exigen conocimiento minucioso, que sólo puede reunirse poco a poco. Esto es más de lo que un solo escritor puede realizar sin ayuda, y de buen grado recibiré las cartas de quienes se interesan por estos temas no como una investigación sobre antiguallas sino como fuerzas vivas que, en el hombre, conciernen a sus actividades e inquietudes.

5. En Occidente, todo lo que nos queda de ceremonial está en manos de la iglesia, de los masones y de los que regentean

cabarets. Los tres son eficaces, según su género: la iglesia, apelando al amor de Dios; la masonería, al amor del hombre; y los *cabarets,* al amor de las mujeres.

6. Considerado como un medio para invocar al espíritu de Dios, el ceremonial es pura superstición; pero, como medio para invocar al espíritu del hombre, es psicología pura, y es así como yo lo considero. En Occidente, este es un arte que se perdió, pero que bien vale la pena hacerlo resucitar.

7. En estas páginas he dado la base filosófica sobre la que este arte descansa. Su aplicación práctica depende no sólo del conocimiento técnico sino también del desarrollo de ciertos poderes mentales mediante instrucción esmerada y prolongada, de los cuales el primero es el poder de concentración, y el segundo, el de imaginación visual. Respecto al poder de imaginación visual, ¡cuánto es lo que lamentablemente ignoramos en Occidente! ¡Coué equivocó el rumbo cuando buscó, en la atención prolongada, un substituto de la emoción espontánea.

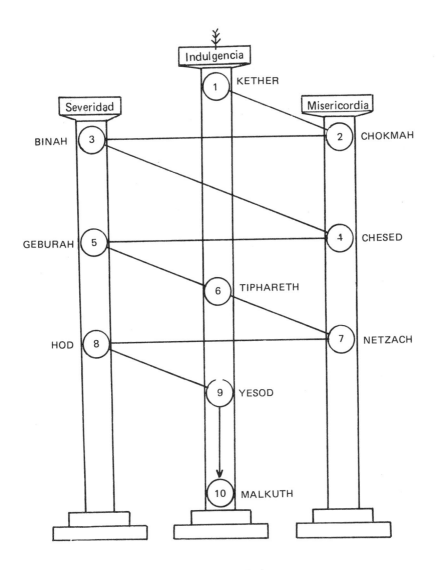

DIAGRAMA I

Las tres Columnas y el descenso del poder

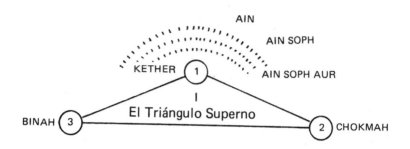

AIN

AIN SOPH

KETHER (1) AIN SOPH AUR

I
El Triángulo Superno

BINAH (3) (2) CHOKMAH

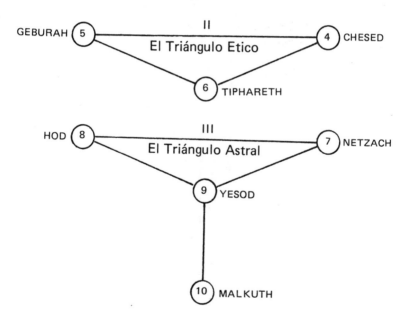

II
GEBURAH (5) (4) CHESED
El Triángulo Etico

(6) TIPHARETH

III
HOD (8) (7) NETZACH
El Triángulo Astral

(9) YESOD

(10) MALKUTH

DIAGRAMA II

Los tres triángulos

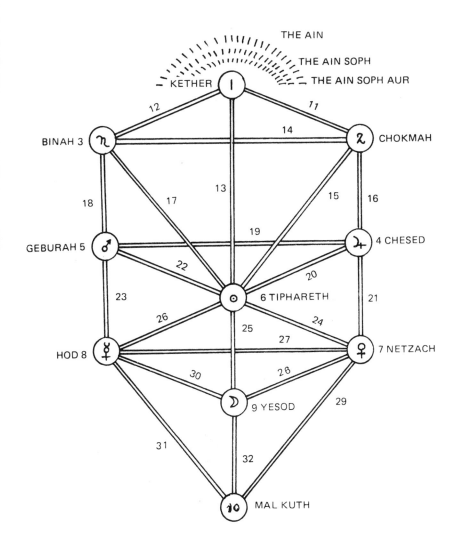

DIAGRAMA III

El Arbol de la Vida y los Treinta y dos Senderos

INDICE

Prefacio, 7

Primera Parte

Segunda Parte

Tercera Parte

Mibros
IMPRESIONES

Este libro se terminó de imprimir
en julio de 2004. Tel.: (011) 4204-9013
Gral.Vedia 280, Avellaneda
Buenos Aires - Argentina

Tirada 2000 ejemplares